남북한 유엔 가입

결의안 채택 및 대응 4

남북한 유엔 가입

결의안 채택 및 대응 4

한국학술정보

| 머리말

유엔 가입은 대한민국 정부 수립 이후 중요한 숙제 중 하나였다. 한국은 1949년을 시작으로 여러 차례 유엔 가입을 시도했으나, 상임이사국인 소련의 거부권 행사에 번번이 부결되고 말았다. 북한도 마찬가지로, 1949년부터 유엔 가입을 시도했으나 상임이사국들의 반대에 매번 가로막혔다. 서로가 한반도의 유일한 합법 정부라 주장하는 당시 남북한은 어디까지나 상대측을 배제하고 단독으로 유엔에 가입하려 했으며, 이는 국제적인 냉전 체제와 맞물려 어느 쪽도 원하는 바를 성취하지 못하게 만들었다. 하지만 1980년대를 지나며 냉전 체제가 이완되면서 변화가 생긴다. 한국은 북방 정책을 통해 국제적 여건을 조성하고, 남북한 고위급 회담 등에서 남북한 유엔 동시 가입 등을 강력히 설득한다. 이런 외교적 노력이 1991년 열매를 맺어, 제46차 유엔총회를 통해 한국과 북한은 유엔 회원국이 될 수 있었다.

본 총서는 외교부에서 작성하여 30여 년간 유지한 남북한 유엔 가입 관련 자료를 담고 있다. 한국의 유엔 가입 촉구를 위한 총회결의한 추진 검토, 세계 각국을 대상으로 한 지지 교섭 과정, 국내외 실무 절차 진행, 채택 과정 및 향후 대응, 관련 홍보 및 언론 보도까지 총 16권으로 구성되었다. 전체 분량은 약 8천 쪽에 이른다.

2024년 3월

한국학술정보(주)

| 일러두기

· 본 총서에 실린 자료는 2022년 4월과 2023년 4월에 각각 공개한 외교문서 4,827권, 76만 여 쪽 가운데 일부를 발췌한 것이다.

· 각 권의 제목과 순서는 공개된 원본을 최대한 반영하였으나, 주제에 따라 일부는 적절히 변경하였다.

· 원본 자료는 A4 판형에 맞게 축소하거나 원본 비율을 유지한 채 A4 페이지 안에 삽입하였다. 또한 현재 시점에선 공개되지 않아 '공란'이란 표기만 있는 페이지 역시 그대로 실었다.

· 외교부가 공개한 문서 각 권의 첫 페이지에는 '정리 보존 문서 목록'이란 이름으로 기록물 종류, 일자, 명칭, 간단한 내용 등의 정보가 수록되어 있으며, 이를 기준으로 0001번부터 번호가 매겨져 있다. 이는 삭제하지 않고 총서에 그대로 수록하였다.

· 보고서 내용에 관한 더 자세한 정보가 필요하다면, 외교부가 온라인상에 제공하는 『대한민국 외교사료요약집』 1991년과 1992년 자료를 참조할 수 있다.

| 차례

정 리 보 존 문 서 목 록					
기록물종류	일반공문서철	등록번호	2020090091	등록일자	2020-09-18
분류번호	731.12	국가코드		보존기간	영구
명　　칭	남북한 유엔가입, 1991.9.17. 전41권				
생 산 과	국제연합1과	생산년도	1990~1991	담당그룹	
권 차 명	V.38 가입절차 및 추진연혁				
내용목차	1. 유엔가입 절차 및 관행 2. 남북한의 유엔가입 추진연혁 : 1949~1975년				

0001

1. 유엔가입 절차 및 관행

0002

관리 번호	90-380

	분류번호	보존기간

발 신 전 보

번 호 : WUN-0246 900305 1834 DP 종별 :

수 신 : 주 유엔 대사 / 총영사 대리

발 신 : 장 관 (국연)

제 목 : 유엔가입 절차

1. 유엔안보리 의사규칙 59조에 의하면 신규 회원가입 신청은 정기 총회 개시 25일전까지 안보리가 가입권고를 하도록 되어 있으나, 단, 특별한 상황(special circumstances)에서는 이러한 시한이 지켜지지 않을수도 있다고 되어 있음.

2. 관련 관행을 보면 상기 시한에 맞추어 가입권고가 안보리를 통과 하지 않은경우가 많은 바(세인트킷츠 83.9.22, 안티과 81.11.10, 앙골라 76.11.22등), 이들은 독립선포일이 총회 개시일 후였던 경우도 있고 그러한 특수사정이 없었던 경우도 있음.

3. 이와 관련, 아국이 장차 유엔에 가입 신청을 할 것에 대비하여 아래사항을 유엔사무국측에 확인, 보고바람.

가. 아국은 상기 안보리 의사규칙의 시한에 사실상 무관하게 가입 신청을 할 수 있는지 또는 시한을 지나 신청키 위하여는 유엔에 의하여 인정될 수 있는 특별상황이 있어야 하는지 여부

나. 아국의 가입신청이 기술적으로 1949년의 가입신청이후 계류되어 있으므로, 새로운 가입신청의 경우와는 다를수 있는 바, 이것이 상기 가입 신청시한 적용과 관련이 있는지 여부

4. 또한, 과거 안보리의 가입문제토의시 소련이 기권함으로서 가입권고안이 통과된 사례유무 검색, 보고바람.

(국제기구조약국장 송영식)

예고: 90.12.31 일반

앙고재	90년 3월 5일	국연과	기안자		과 장		국 장		차 관	장 관
			오준		(서명)					(서명)

보안통제	외신과통제
(서명)	

0003

최근 유엔가입국 현황

연 도	국 가 명	안보리가입권고안 통과일	가 입 일
1975	상토메프린시페	8.18	9.16
	모잠비크	8.18	9.16
	깝베르데	8.18	9.16
	파푸아뉴기니	9.22	10.10
	코 모 로	10.17	11.12
	수 리 남	12.1	12.4
1976	사 모 아	~~1.12~~ 12.1	12.15
	세 이 셸	8.16	9.21
	앙 골 라	11.22 (6.23 부결)	12.1
1977	지 부 티	7.7	9.20
	베 트 남	7.20	9.20
1978	솔 로 몬	8.17	9.19
	도미니카	12.6	12.18
1979	세인트루시아	9.12	9.12
1980	세인트빈센트	2.19	9.16
	짐바브웨	7.30	8.25
1981	바누아투	7.8	9.15
	벨 리 즈	9.23	9.23
	안티과 바부다	11.10	11.11
1983	세인트킷츠네비스	9.22	9.23
1984	부루네이	2.24	9.21

0004

유엔가입시 소련.중국의 거부권 행사

연 도	가 입 신 청 국	표 결 내 용
1946	- Hashemite Kingdom of Trans-Jordan	9:1(소련):1(폴란드)
	- 아일랜드	9:1(소련):1(폴란드)
	- 폴투갈	9:2(소련.폴란드)
1947	- 이태리	9:1(소련):1(폴란드)
	- 오지리	8:1(소련):2(불란서. 폴란드)
	- 핀랜드	9:2(소련, 폴란드)
1948	- 실론	9:2(소련, 우크라이나)
1949	- 한국	9:2(소련, 우크라이나)
	- 네팔	9:2(소련, 우크라이나)
	- 폴투갈, 요르단, 이태리, 핀랜드, 아일랜드, 오지리, 실론	9:2(소련, 우크라이나)
1952	- 리비아	10:1(소련)
	- 일본	10:1(소련)
	- 베트남, 라오스, 캄보디아	10:1(소련)

0005

연 도	가입신청국	표결내용
1955	- 한국, 베트남	9:1(소련):1(뉴질랜드)
	- 요르단, 아일랜드, 폴투갈, 이태리, 오지리, 핀랜드, 실론, 네팔, 리비아, 캄보디아, 일본, 라오스	10:1(소련)
	- 스페인	9:1(소련):1(벨기에)
1957	- 한국, 베트남	10:1(소련)
1958	- 한국	9:1(소련):1
	- 베트남	8:1(소련):2
1960	- 모리타니아	8:2(소련,폴란드):1
1961	- 쿠웨이트	10:1(소련)
1972	- 방글라데시	11:1(중국):3(기네, 소말리아, 수단)

0006

Rule 54

The official record of public meetings of the Security Council, as well as the documents annexed thereto, shall be published in the official languages as soon as possible.

Rule 55

At the close of each private meeting the Security Council shall issue a *communiqué* through the Secretary-General.

Rule 56

The representatives of the Members of the United Nations which have taken part in a private meeting shall at all times have the right to consult the record of that meeting in the office of the Secretary-General. The Security Council may at any time grant access to this record to authorized representatives of other Members of the United Nations.

Rule 57

The Secretary-General shall, once each year, submit to the Security Council a list of the records and documents which up to that time have been considered confidential. The Security Council shall decide which of these shall be made available to other Members of the United Nations, which shall be made public, and which shall continue to remain confidential.

CHAPTER X. ADMISSION OF NEW MEMBERS

Rule 58

Any State which desires to become a Member of the United Nations shall submit an application to the Secretary-General. This application shall contain a declaration made in a formal instrument that it accepts the obligations contained in the Charter.

Rule 59

The Secretary-General shall immediately place the application for membership before the representatives on the Security Council. Unless the Security Council decides otherwise, the application shall be referred by the President to a committee of the Security Council upon which each member of the Security Council shall be represented. The committee shall examine any application referred to it and report its conclusions thereon to the Council not less than thirty-five days in advance of a regular session of the General Assembly or, if a special session of the General Assembly is called, not less than fourteen days in advance of such session.

Rule 60

The Security Council shall decide whether in its judgement the applicant is a peace-loving State and is able and willing to carry out the obligations contained in the Charter and, accordingly, whether to recommend the applicant State for membership.

If the Security Council recommends the applicant State for membership, it shall forward to the General Assembly the recommendation with a complete record of the discussion.

If the Security Council does not recommend the applicant State for membership or postpones the consideration of the application, it shall submit a special report to the General Assembly with a complete record of the discussion.

In order to ensure the consideration of its recommendation at the next session of the General Assembly following the receipt of the application, the Security Council shall make its recommendation not less than twenty-five days in advance of a regular session of the General Assembly, nor less than four days in advance of a special session.

In special circumstances, the Security Council may decide to make a recommendation to the General Assembly concerning an application for membership subsequent to the expiration of the time limits set forth in the preceding paragraph.

CHAPTER XI. RELATIONS WITH OTHER UNITED NATIONS ORGANS

Rule 61

Any meeting of the Security Council held in pursuance of the Statute of the International Court of Justice for the purpose of the election of members of the Court shall continue until as many candidates as are required for all the seats to be filled have obtained in one or more ballots an absolute majority of votes.

유 엔 加 入 節 次

1. 根據規定 : 유엔憲章 第4條 1項 및 2項

2. 資 格 : 유엔憲章上의 義務를 受諾하고 이를 履行할 能力이 있는 平和 愛護國

3. 節 次

가. 安保理의 勸告

o 常任理事國 5個國을 包含하여 9個國 以上의 贊成 必要

나. 總會의 決議

o 出席하여 投票한 會員國의 2/3 以上의 贊成 必要

* 처리절차 상세

o 가입신청서를 사무총장에게 송부, 동 신청서에는 헌장상 의무를 수락한다는 정식문서로 작성된 선언이 포함되어야 함.
(안보리 의사규칙 58조)

o 사무총장은 즉시 안보리 각대표에게 동 가입신청서를 송부 (59조)

o 안보리의장이 안보리를 소집, 의제채택 표결 (절차문제)

o 별도로 결정하지 않는한, 의장은 동 가입신청서를 안보리 위원회 (가입심사위원회)에 회부 (59조) (절차문제)

0008

o 안보리위원회는 이사회에 토의결과 보고 (59조)

* 동위원회에서는 거부권행사 없음.

o 안보리는 신청국이 평화애호국이며 헌장상 의무를 수행할 능력과 의사여부를 판단하고 가입 권고여부를 결정하여 안보리 토의기록 (권고하지 않을 경우에는 특별보고서)과 함께 총회에 송부 (59조) (실질문제)

o 사무총장은 가입신청서 사본을 총회에 송부 (총회의사규칙 135조)

o 안보리의 권고가 있으면 총회는 신청국이 평화애호국이고 헌장상 의무를 이행할 능력과 의사가 있는지 여부를 검토하고 표결 (136조)

o 안보리가 가입을 권고하지 않거나 심의를 연기할 경우, 총회는 안보리의 특별보고서를 검토하고 총회의 토의기록과 함께 안보리가 충분한 검토와 권고 또는 보고를 하도록 가입신청서를 반송할 수 있음. (137조)

0009

유엔 비회원국의 유엔 가입 절차

황 용 식
외무부 유엔과장

1. 서 론

유엔 비회원국이 유엔 가입을 신청하였을 경우 유엔이 어떤 절차를 취하여야 하는가는 유엔헌장, 안전보장이사회 잠정의사규칙(Provisional Rules of Procedure of the Security Council)및 총회 의사 규칙(Rules of Procedure of the General Assembly)관계규정의 해석문제이기는 하나, 이들 관계규정이 예상할 수 있는 모든 상황을 모두 명백하게 규정한 것은 아니므로 상기 제관계 규정의 해석 및 가정된 상황하에 법의 흠결(欠缺 : lacunae)시의 문제점 등을 아울러 살펴보고자 한다.

2. 사무총장이 취할 절차

안보리 잠정의사규칙 제58조에 의하면 회원국이 되려고 하는 국가는 사무총장에게 가입신청서를 제출하도록 되어 있다. 사무총장은 가입신청이 있을 경우 안보리 회원국에게 동 사실을 알리고 안보리 의장의 승인을 얻어 안보리의 잠정의제로 택한다(안보리 잠정의사규칙 제59조 및 동 제7조). 사무총장은 가입신청서 사본을 총회 및 총회가 휴회중일 때 유엔 회원국 전체에 통보한다(총회 의사규칙 제135조).

3. 안보리가 취할 절차

가입문제가 안보리 잠정의제로 채택되면 사무총장은 동 잠정의제 채택 사실을 적어도 안보리회의 소집일 3일 이전에 각 안보리 이사국 대표들에게 통보하여 안보리를 소집한다(안보리 규칙 제8조).

이렇게 하여 소집된 안보리 첫 모임에서는 가입에 관한 잠정의제를 정식의제로 채택할 것인지의 여부를 정한다. 동 의제 채택은 절차문제이므로 만일 어느 안보리 이사국이 의제채택에 반대하고 의제채택 여부를 투표에 회부할 것을 제안할 경우 표결은 상임이사국의 거부권이 허용되지 않고, 전체 이사국 15개국 중 9개국 이상의 찬성이 있으면 의제로 채택된다. 이리하여 정식의제로 채택될 경우 가입문제는 안보리 이사국 전원으로 구성된 가입심사위원회에 회부된다.

가입심사위원회는 가입심사에 관한 결과 보고서를 적어도 차기 유엔총회 개최 35일 이전에, 또한 특별유엔총회가 개최될 예정이라면 적어도 특별총회 개최 14일 이전까지 안보리에 제출하도록 되어 있다(안보리 규칙 제59조).

그러나 여기서 35일 또는 14일 전이라는 시한은 하나의 권고적 사항 또는 주의규정에 불과하고 동 기간이 지켜지지 않았다 하여 법적 효과를 상실하는 것은 아닌 것으로 해석되어지고 있다.

가입심사위원회의 심사 결과를 보고받은 안보리는 별도 회합을 통하여 가입신청국가의 가입자격여부에 관하여 심사를 한다. 동 가입심사는 가

0010 47

입에 관한 최종적인 판단이 아니라 총회가 가입 여부를 결정하는데 가입권고를 할 것이냐의 여부를 결정하기 위한 것이다(헌장 제4조 및 안보리 규칙 제60조).

안보리의 신규 유엔회원국 가입권고 결정은 헌장상의 절차문제가 아니기 때문에 안보리 5개 상임이사국의 찬성을 포함한 안보리 9개국 이상의 찬성을 얻어야 채택이 된다(헌장 제27조 2항).

안보리가 신규회원 가입신청시 가입권고를 하기 위한 심사기준은 첫째 가입신청국가의 평화애호성(peace-loving state)및 신청국가의 유엔헌장상 의무수락의 능력과 의사여부이다(헌장 제4조 1항, 안보리 잠정의사규칙 제60조 1항).

안보리의 신규회원 가입신청에 따른 심사와 관련하여 종래 동·서 양진영의 냉전체제로 인한 대립 때문에 2가지 문제가 지적되었다. 즉, 1946년부터 1955년까지 신규 회원국의 가입신청이 있을 때 소련은 동 신청국가가 서방진영 국가로 판단되면 안보리에서 무조건 가입심사 결정시 거부권을 행사하여[1] 유엔헌장상의 보편성원칙이 냉전체제 때문에 커다란 제약을 받게 되자 첫째, 유엔회원국이 되기 위하여는 안보리의 가입권고 결의가 총회결의의 전제조건인가, 즉 신규회원 자격여부를 안보리 결의를 거치지 않고 바로 총회에서 결정할 수 있는가의 문제가 제기되었다.

둘째, 안보리의 가입심사기준은 엄격히 신청국가의 평화애호성 및 헌장상 의무수락 여부만에 한정되는가, 즉 특정국가의 가입권고 결의안에 반대하는 국가도 반드시 상기 2개 조건 중 하나 또는 양자가 결여되어 있다는 주장을 하여야 하는가이다.

이 문제에 관하여 이미 1948년 총회가 국제사법재판소에 대하여 권고적 의견을 문의한 바 있는 바 국제사법재판소는, 첫째 안보리의 신규가입의 권고 결의안 없이는 총회가 가입에 관한 결의를 할 수 없다는 것과, 둘째 안보리는 가입자격 심사시 신규가입 신청국가의 평화애호성 및 헌장상 의무준수 능력만을 기준으로 하여야 한다고 한 바 있다.[2] 그러나 국제사법재판소의 두번째 견해에 대하여 소련측은 안보리의 가입권고에 대한 문제는 법적인 문제가 아니라 정치적 문제이므로 가입권고 결의안에 반대하는 국가는 그 반대이유를 명시할 필요가 없다고 주장하여 왔다.

안보리에서 신규가입 신청국에 대한 심사가 하나의 회합에서 종료되지 않으면 동 의제는 자동적으로 다음 회합의 의제가 된다(안보리 잠정의사규칙 제10조).

안보리가 신규가입 신청에 대하여 가입권고 결의안을 채택하면 동 결의안과 안보리 토의기록 전체를 차기 유엔총회에 제출한다.

안보리가 신규가입 신청에 대한 가입권고 결의안을 채택하지 못할 경우에는 안보리 토의기록 전체와 함께 특별보고서를 작성하여 총회에 회부한다. 어떠한 경우에도 안보리 결의안에 대하여 총회가 심사할 기간을 갖기 위하여 안보리의 추천여부에 관한 총회에 대한 통보는 차기 정기총회 늦어도 25일 이전에 하여야 하며 특별총회가 있을 경우에는 동 특별총회에 늦어도 4일 이전에 통보하여야 한다. 그러나 이러한 시한은 특별한 사유가 있을 경우 반드시 준수되어야 하는 강행규정은 아니다(안보리 잠정의사규칙 제60조).

4. 총회가 취할 절차

가) 안보리가 신규가입 권고 결의안을 채택한 경우

총회는 안보리의 신규가입 신청에 대한 권고결의안에 따라 총회에서 다시 동 신청국의 평화애호성 및 헌장상 의무수락의 능력과 의사여부를 심사하여 최종적으로 표결에 회부한다.

동 표결은 유엔회원국의 출석하에 투표하는 국

1) 1946년부터 1955년까지 28개국의 신규 회원 가입 신청이 있었으나 9개 국가만이 안보리에서 가입 권고를 받아 유엔회원국이 되었음.

2) ICJ Reports, 1948, p. 57.

가의 2/3 다수결에 의한다(헌장 제18조 2항 및 총회 의사규칙 제136조).

총회의 2/3 다수결에 의하여 신규가입 신청국의 가입이 허용되면 동 신규가입국은 총회결의가 있는 일자로부터 유엔 회원국이 된다. 사무총장은 유엔총회의 가입결정을 신청국에게 통보한다(총회 의사규칙 제138조).

나) 안보리가 신규가입 권고 결의안을 부결한 경우 및 권고결의안 심사를 연기한 경우

안보리가 신규가입 권고 결의안을 채택하지 못할 경우, 안보리가 총회에 제출한 안보리 특별보고서 및 안보리 토의기록을 총회가 심사한다.

이 경우 총회는 안보리의 신규가입 권고 결의안의 불채택이 타당하지 않다고 판단될 경우 총회의 토의기록을 안보리에 제출하고 안보리로 하여금 동 가입에 대하여 재심사하며 가입권고 결의안을 보내든지 아니면 안보리가 가입권고 결의안을 다시 채택하지 못할 경우 새로이 특별보고서를 제출하도록 하는 결의안을 채택할 수 있다.

총회의 동 결의안 채택과 관련하여 2가지 문제가 제기될 수 있다. 첫째, 총회의 동 결의는 단순다수결로 족한가, 또는 2/3 다수결이 필요한가 하는 문제이며, 둘째 총회의 동 결의가 있을 경우 안보리는 총회결의에 기속되어 가입신청 권고 결의안을 재심의할 법적 의무를 부담하느냐이다.

첫째 문제는 총회의 안보리 재심의 요청 결의가 단순한 절차문제이냐(헌장 제18조 3항이 적용되어 단순 다수결로 족함), 또는 가입에 관한 문제이므로 '중요문제'로 보느냐(헌장 제18조 2항이 적용되어 2/3 다수결이 필요함)에 달려 있다.

현재까지 이에 관한 유엔의 관례는 정립된 것이 없으며(총회가 안보리 재심을 요청한 결의는 모두 총회의 2/3 이상의 지지를 받았음), 이에 관한 견해도 나뉘어진다. 그러나 총회의 안보리에 대한 재심요청 결의안이 채택되더라도 안보리가 반드시 이에 응하여야 할 법적 의무를 부담하는 것이 아니라 할 때(후술), 총회의 안보리에 대한 재심의 요청 결의는 단순 다수결로 족하다고 하는 해석이 더 논리적이다. 그러나 유엔총회에서 실제 이러한 문제가 발생한다면 총회의 단순다수결이면 족하다는 해석이 내려진다 하더라도 총회의 동 결의에 반대하는 국가는 이 문제를 2/3 다수결에 의하여 결정할 문제의 범주에 넣도록 하는 제안을 할 것이 틀림없을 것(헌장 제18조 3항)이므로 이 제안에 대한 표결이 먼저 행하여질 것이다.

이 제안에 대한 표결은 단순 과반수에 의할 것이므로 유엔총회에서 출석하여 투표하는 국가의 1/2 이상이 동 제안에 반대한다면 총회의 안보리에 대한 재심요청 결의안은 결국 단순 과반수로 채택될 수 있을 것이다.

둘째, 총회의 안보리에 대한 재심 요청 결의안이 안보리를 기속하느냐 하는 문제는 결국 총회가 안보리의 상급기관이냐는 문제로 해석할 수 있는 바 유엔은 이에 관한 명문규정을 가지고 있지 않다. 다만 유엔 관례상 유엔의 주요 기관이 상호 모순되는 결의를 할 때도 상하관계로 인하여 자동 실효되는 제도적 장치는 두지 않아 온 만큼 총회의 재심요청이 있더라도 안보리가 이에 기속될 의무는 없다 할 수 있다.

안보리는 안보리 독자적 판단에 의하여 총회결의의 수락여부를 결정하며 과거의 예에 비추어도 안보리가 총회 결의를 수락하여 신규가입 신청을 재심의한 적이 없다. 그러나 총회가 안보리의 재심을 요청하였는데도 안보리가 재심을 하지 않는 것은 유엔기구 상호간의 의사 분열(dichotomy)을 가져와 유엔의 전체로서의 기능을 약화시키는 행위로 지적되고 있다.

퀴야르 유엔 사무총장은 유엔기관 간의 상호 모순된 태도가 지양될 수 있도록 유엔회원국이 협조하여야 할 것임을 그의 41차 총회업무에 관한 보고서에서 특별히 언급한 바 있다.[3]

따라서 유엔총회가 신규회원 가입신청에 대하

3) A/41/1 9 sep. 1986(United Nations document)

0012 49

여 안보리로 하여금 재심을 요청하면 안보리가 이러한 총회 결의를 받아들여 재심의하는 것이 순리적이고 유엔의 기능강화란 면에서 바람직스러운 상황이라 하겠다.

5. 실례 검토(대한민국의 유엔 가입신청과 유엔의 조치사항)

대한민국의 유엔 가입신청이 유엔에 제출된 것은 1949년 이래 모두 8회에 달한다. 이중 대한민국 스스로 독자적인 가입신청서를 제출한 것이 5회이며 나머지 3회는 우방국이 한국의 유엔 가입에 관한 결의안 형식으로 한국 가입문제를 제의한 것이다.

대한민국 유엔 가입신청에 대하여 유엔이 가장 심도 있는 절차를 취한 것은 대한민국의 첫번째 가입신청 때인 바 여기서는 첫번째 가입신청에 대하여 유엔이 취한 절차를 검토하고자 한다.

대한민국의 첫번째 유엔 가입신청은 1949년 1월 19일자 당시 고창일 외무장관서리 명의의 서한으로 유엔 사무총장에게 제출되었으며 유엔은 이를 안보리문서 S/1238로 유엔 회원국 및 안보리 이사국에 통보하였다. 동 가입신청안을 유엔 안보리가 의제로 채택할 것인가에 관하여 안보리에서 논란이 있자 결국 표결에 붙여져 당시 11개국으로 구성된 안보리 1949년 2월 15일 제409차 회의에서 아국 유엔 가입안의 안보리 의제로의 채택 동의안이 찬성 8, 반대 2, 기권 1(8 : 2 : 1)로 채택되었다.

당시 안보리 이사국이었던 소련 및 우크라이나가 또한 한국의 유엔 가입신청 문제를 안보리의 가입심사위원회에 회부하는 데도 반대하자 가입심사위원회 회부안에 대하여도 표결에 붙여져 9 : 2로 채택되고 한국의 유엔 가입문제가 가입심사위원회에 회부되었다.

이리하여 안보리 가입심사위원회는 1949년 3월 9일 한국의 유엔가입 문제에 관한 심사보고서를 유엔문서 S/1281로 안보리에 제출하였고, 이어 동년 4월 8일 안보리 제423차 회합에서는 중국대표(당시 자유중국이 중국을 대표)가 한국의 유엔가입을 총회에 권고하는 결의안을 유엔문서 S/1305로 안보리에 제출하였다.

동 자유중국 결의안에 대하여 안보리 이사국의 논쟁 끝에 결국 표결에 붙여져 9 : 2로 압도적 다수의 안보리 이사국이 동 결의안 채택을 지지하였으나 동 결의안은 유엔헌장 제27조 3항에 따라 안보리 상임이사국 전체에 동의를 얻어야 하므로 동 결의안에 반대한 소련의 거부권 때문에 채택되지 못하였다.

안보리의 아국 유엔 가입권고 결의안이 채택되지 못함에 따라 동 아국 가입문제에 관한 안보리 전체토의 기록 및 이에 관한 특별보고서가 1949년 제4차 총회에 제출되었다.

제4차 총회는 1949년 11월 22일 총회결의 296호로 한국의 유엔 가입에 관하여 안보리가 재심의할 것을 요구하는 결의안을 당시 유엔 회원국 59개국이 50 : 6 : 3의 압도적 다수로 채택하였다.

그러나, 안보리는 상기 유엔총회 결의에 따른 한국 가입문제에 대한 재심의를 한 적이 없다.

0013

원 본

외 무 부

종 별 :

번 호 : UNW-0422 일 시 : 90 0307 1800

수 신 : 장 관(국연)사본:박쌍용 유엔대사

발 신 : 주 유엔 대사대리

제 목 : 안보리의 유엔가입 권고 결의시기

표제건 관련 사항을 별첨 팩스편 보고함.

첨부: UNW(F)-041

끝

(대사대리-국장)

국기국 1차보 국기국 정문국 청와대 안기부

PAGE 1

90.03.08 09:10 WG

외신 1과 통제관

0014

Recommendations concerning applications for membership made less than twenty-five days prior to, or during, the corresponding session of the General Assembly

UN6(F)-041
UN6-0422

1975-1984

Applicant	Date application submitted to Security Council	Date of Council's recommendation to General Assembly	Commencement date of corresponding GA session	Date of admission
Papua New Guinea	16 Sept. 1975	22 Sept. 1975 (1841st mtg.)	16 Sept. 1975	10 Oct. 1975
Comoros	29 Sept. 1975	17 Oct. 1975 (1848th mtg.)	(same)	12 Nov. 1975
Suriname	25 Nov. 1975	1 Dec. 1975 (1858th mtg.)	(same)	4 Dec. 1975
Angola	22 April 1976	22 Nov. 1976 (1974th mtg.)	21 Sept. 1976	1 Dec. 1976
Western Samoa	29 Nov. 1976	1 Dec. 1976 (1977th mtg.)	(same)	15 Dec. 1976
Dominica	21 Nov. 1978	6 Dec. 1978 (2105th mtg.)	19 Sept. 1978	18 Dec. 1978
Saint Lucia	28 Aug. 1979	12 Sept. 1979 (2167th mtg.)	18 Sept. 1979	12 Sept. 1979
Belize	21 Sept. 1981	23 Sept. 1981 (2302nd mtg.)	15 Sept. 1981	23 Sept. 1981
Antigua and Barbuda	2 Nov. 1981	10 Nov. 1981 (2309th mtg.)	(same)	11 Nov. 1981
Saint Christopher and Nevis	19 Sept. 1983	22 Sept. 1983 (2479th mtg.)	20 Sept. 1983	23 Sept. 1983

4

0015

유엔

관리번호 90-398

원 본

—오후다기관
—공정 이래 내용요청
보관

외 무 부

종 별 :

번 호 : UNW-0423 일 시 : 90 0307 1800

수 신 : 장관(국연)사본:박쌍용 유엔대사

발 신 : 주 유엔 대사대리

제 목 : 유엔가입 절차

대:WUN-0246

1. 3.7 권참사관은 유엔사무국 안보리 담당 부국장 QIU 와면담, 대호 안보리 잠정의사규칙 60 조 관련사항에 대한 안보리 관행을 문의한바, 동부국장 언급사항을 아래 보고함. 권참사관은 동 문의가 아측의 유엔가입 신청시기에 대한 시사와 연관될 수 없으며 제반상황에 대한 실무적 차원의 연구임을 강조하였음.

2. 안보리 잠정의사규칙 60 조 관련사항

가. 안보리 잠정의사규칙의 성격:

0 가입신청에 대한 권고를 유엔정기 총회개시 최소한 25 일전에 총회에 제출해야 한다고 한것은 안보리가 스스로에게 부과한 의무임. 흔히 안보리는 "MASTER OF ITS OWN" 으로 불리워지듯이 안보리는 잠정의사규칙으로 스스로에게 부여한 의무사항을 스스로의 결정으로 WAIVE 할수 있으며 그러한 많은 관례가 있음.

0 안보리 잠정 의사규칙 자체가 9 차례에 걸쳐 개정되었으며 "잠정" 의사규칙이라고 명명한 것이 바로 스스로의 결정으로 필요시 규칙을 바꿀수 있다는점을의미함.

나. 60 조 적용 관행:

0 1975 년 (PNG) 부터 84 년 (BRUNEI 가 마지막 신규가입국) 간중 60 조의 "25 일전"시한을 준수하지 않은 사례는 PNG, COMOROS, SURINAME, ANLOLA, WESTERN SAMOA, DOMINICA, SAINT LUCIA, BELIZE, ANTIGUA, ST.CHRISTOPHER AND NEVIS10 개국임 (국별 신청일, 안보리 권고일자는 별전 팩스 보고)

0 앙골라를 제외한 여타 9 개국의 경우는 독립일이 총회 개시 바로 직전이거나 총회 개시중인 경우임.

0 안보리내 60 조 단서조항 (60 조 마지막 PARA.) 인 "SPECIAL CIRCUMSTANCES"에

국기국 차관 1차보 2차보 국기국 청와대

PAGE 1 90.03.08 11:54
외신 2과 통제관 AV

0016

대한 개념 규정이나 유권해석은 없음. 상기 10 개국의 경우 안보리가 안보리내 "신회원국의 가입에 관한 위원회" 의 보고서 채택여부를 표결하기 직전 안보리 의장이 하기 내용을 선언함으로써 "25 일전 권고"조항을 WAIVER 하였다함.

"... THE COMMITTEE RECOMMENDS TO THE COUNCIL THAT IT SHOULD HAVE RECOURSE TO THE PROVISIONS OF THE LAST PARAGRAPH OF RULE 60 OF THE PROVISIONAL RULES OF PROCEDURE PURSUANT TO WHICH IT WOULD IMMEDIATELY PRESENT ITS RECOMMENDATIONS TO THE GENERAL ASSEMBLY. IF I HEAR NO OBJECTION, I SHALL THAT IT THAT THE COUNCIL WISHES TO DEPART FROM THE TIMELIMITS SET FORTH IN THE PENULTIMATE PARAGRAPH OF RULE 60."

다. 앙골라 가입의 경우

0 앙골라는 76.4.22 가입 신청을 하였으나 안보리는 안보리 잠정 의사규칙 59 조를 원용 (총회개시 35 일전까지만 권고결의아를 채택하면 되므로 시간적 여유가 있다는 주장)한 미국의 요청에 따라 76.6 표결함. 동 표결시 미국의 거부권행사로 권고 결의안 부결됨.

0 당시 안보리 회원국이었던 베닌, 리비아가 안보리 의장에게 앙골라의 신청을 새로이 검토하여 달라는 요청을 제출함에 따라 안보리는 76.11.22 동건을 재 표결한 결과 찬 13, 기권 1 (미국), 불참(중국)로 가입권고 결의안이 채택되었음. 이경우에도 동 표결전 "25 일전"조항을 WAIVER 한다는 의장의 선언이 있었음.

3. 49 년 아국 신청과 60 조 단서조항간의 관계

0 한국의 49 년 신청이 있으나, 앙골라의 경우와 같은 재심요청이 있거나, 과거 수차경우와 같이 한국의 새로운 신청이 있어야 안보리가 한국가입 문제를 새로이 검토할수 있을것임.

0 상기 재심 요청이나 새로운 가입 신청 제출시기가 총회기간중인 경우에는상기 2 항과 같은 안보리 의장의 "25 일전"시한 WAIVER 선언으로 처리할 수 있을것임.

0 한국의 가입신청에 대해 회원국간 CONSENSUS 가 있는 경우는 상기 방식으로 60 조에 규정된 절차상의 문제를 쉽게 해소할 수 있겠으나 그 반대의 경우에는 절차상의 문제가 제기될 소지도 있음.

4. 소련이 가입문제 토의시 기권한 사례

0 소련이 기권하거나 불참한 사례는 없음.

0 중국은 앙골라 가입신청건 표결시 2 차례 (76.6 및 76.11)불참함 (앙골라가입에

반대하는 입장이었으나 불참으로 의사표사)끝

(대사대리 - 국장)

예고 : 90.12.31 일반

가입절차 / CG엑의

관리번호	90-2577

원 본

외 무 부

종 별 : 지 급

번 호 : UNW-2271 일 시 : 90 1015 2100

수 신 : 장관(국연,기정)

발 신 : 주 유엔 대사

제 목 : 아국의 유엔가입 관련절차

연:UNW-2249

표제관련 금참사관이 SCHLITTLER 안보리 담당국장(10.15 오찬)등과 접촉, 아국의 가입신청시 북한측이 제기할수있는 절차상의 문제 가능분야를 중심으로 협의한바, 일차적으로 파악한 내용을 우선 아래보고함.

1. 아국가입 신청에대한 찬. 반 논의거론계기:

가. 안보리 의장의 잠정의제 채택후 비공식 협의시

나. 안보리의 공식의제 채택시(의사규칙 9 조)

-콘센서스 미성립시 단순 9 표로 채택

다. 가입심사위원회 심의시(59 조)

-콘센서스 채택이 일반적이나, 표결시 단순 9 표

라. 안보리 회의에서 가입위원회 보고서 심의, 가입권고결의안 채택시 (60 조)

-콘센서스 미 성립시 거부권 행사 없이 9 표이상

마. 총회의 안보리 권고안 심의 및 결의안 채택시

-콘센서스 미 성립시 출석투표국가의 2/3 찬성으로 채택(출석은 회원국 과반수이상)

-옵서버국가인 아국및 북한은 발언불가

2. 가입신청 시한 준수여부:

가. 안보리 잠정의사규칙 60 조(예외조항)를 원용한 사례가 이미 많이 있는데다가 (UNW-0423 참조), 작년까지의 경우와는 달리 금년 총회부터는 운영위원회의 결의에 따라 기술적으로 45 차 총회 회기는 중단없이 전기간 동안 계속중인것으로 간주됨에 따라, 과거와 같은 정기총회 위주로 규정된 60 조 적용에 따른 제약이 상대적으로 감소함.

국기국 장관 차관 1차보 2차보 청와대 안기부

90.10.16 10:19

외신 2과 통제관 FE

0013

나. 최악의 경우 60 조 적용 가능여부 자체를 표결에 부칠수 있는바, 이경우 절차문제로 간주된다고 보여지므로 단순 9 표만 확보하면 됨.

3. 한국의 가입신청시 신청의 성격

가. 과거 한국의 가입신청은 그간 안보리에서의 조치(의제 불채택, 거부권 행사로 부결등) 등에도 불구하고 기술적으로 안보리에 계류중이라고 할수있음. 통상적으로 안보리는 특정안건에 대한 심의를 완료했다고 결정(의장 선언)하지 않는한 계속 계류상태 에 있는것으로 간주함.

나. 현재까지 안보리가 심의완료를 선언한 경우는 별로 없음.

다. 즉안보리의 경우 사실상 의제 영속(PERENNIAL AGENDA) 의 원칙이 지켜진다고 하겠으며, 총회가 회기 독립의 원칙을 유지하는것과 크게 대조됨.

라. 따라서 신규신청으로 할것인지, 재심을 요청할것인지는 한국측의 결정에 달려있다고 하겠음.

4. 아국 가입신청시 북한의 참가 가능여부

가. 아국 가입건이 안보리 공식회의에서 심의될시 북한이 요청할 경우 관련당사자로서 안보리회의 참가가 일응 가능할것으로 보이며, 그 근거는 안보리 잠정의사규칙 39 조 또는 안보리 자체결정 ("MASTER OF ITS OTWN" 관행) 에 의거함. 단, 이사국내 이견이 있을경우 표결로 결정하게 될것임.

-예컨데 팔레스타인의 안보리 회의참가는 특정조항이 아닌 자체결정에 의거함.

나. 단, 의제채택시나 가입심사위원회 심의 단계에서는 참가가 허용되지 않음.

5. 안보리의 남북한 동시가입 권고결의안

가. 북한의 과거 유엔가입 신청등에 따라 기술적으로 북한의 신청검토 계류중에 있다고 보더라도 북한이 찬성하지 않는 상태하에서 안보리가 남북한의 동시가입 권고안을 추진하는 문제는 현실적으로 상정하기 어려움.

6. 기타

가. 명년도 안보리 이사국 교체내용

0. 명년도에는 카나다, 핀랜드, 이디오피아, 말련, 콜롬비아 가 금년말로 이사국 임기가 만료되고 오지리, 벨지움, 짐바브웨, 인도, 에콰도르가 신규이사국이됨. 그리고 금년 12 월 의장국은 YEMEN 임.

나.SAFRONCHUK 안보리 담당 사무차장(우크라이나 출신)의 후임으로는 전 주유엔 쏘련대표부 차석대사이자 현 쏘련 외무차관인 "오비니코"(러시아공화국 출신) 가

내정되어 있는바, 동인은 과거 유엔근무시 강경론자로 알려져있음.

7. 본건, 아국의 가입신청에 따른 제반 절차상 문제점에 대해 SCHLITTLER 국장등 관계관들은 아측의 문의사항이 선례가 거의없는 예외적인 사안이 되어 자신으로서도 보다 깊은 검토를 요하는 부분이 많다고 하면서 계속 당관과 협의검토해 나가자고 하였음. 끝

(대사 현홍주-국장)

예고: 90. 12. 31 일반

ADMISSION TO MEMBERSHIP IN THE UNITED NATIONS

If to be on the Assembly's opening day of its forty-sixth regular session:

1. State applies for membership by letter accepting Charter obligations. (GA Rule 134, SC Rule 58)
   i.e. Friday 9 August 1991

2. Secretary-General issues the letter as a document of the General Assembly and Security Council and immediately places application before the Security Council. (GA Rule 135, SC Rule 59)
   i.e. document is dated [Friday] 9 August 1991 and circulated on the following working day

3. Security Council meets to refer application to its Committee on the Admission of New Members. (SC Rule 59)
   i.e. Monday 12 August 1991

4. Committee on Admission meets, recommends a draft resolution and reports to the Council not less than 35 days before regular session. (SC Rule 59)
   i.e. Tuesday 13 August 1991

5. Security Council meets to consider report of Committee on Admission, makes recommendation not less than 25 days before the regular session, adopts resolution and asks the Secretary-General to transmit resolution to General Assembly as well as verbatim records. (SC Rule 60)
   i.e. Tuesday 13 August 1991

6. Secretary-General circulates document under item of provisional agenda of General Assembly containing resolution of Security Council; verbatim records are issued.
   i.e. Wednesday 14 August 1991

7. Member States submit to the Secretariat a draft resolution for issuance as a document at least two working days before the opening meeting. (GA Rule 78)
   i.e. Friday 13 September 1991

0022

8. The draft resolution is issued as a document and circulated to Member States at least the day before the opening meeting. (GA Rule 78)
   i.e. Monday 16 September 1991

9. On opening day, just elected Assembly President takes up item on Admission upon assuming the Presidency.
   i.e. Tuesday 17 September 1991

Note: dates used as example follow the pattern of the most recent membership application (Liechtenstein).

Attachements: Samples of membership application by Liechtenstein and processing of request.

0023

UNITED
NATIONS

A S

General Assembly **Security Council**

Distr.
GENERAL

A/45/408
S/21486
10 August 1990

ORIGINAL: ENGLISH

GENERAL ASSEMBLY
Forty-fifth session
Item 19 of the provisional agenda*
ADMISSION OF NEW MEMBERS TO THE
UNITED NATIONS

SECURITY COUNCIL
Forty-fifth year

Application of the Principality of Liechtenstein for admission to membership in the United Nations

Note by the Secretary-General

In accordance with rule 135 of the rules of procedure of the General Assembly and rule 59 of the provisional rules of procedure of the Security Council, the Secretary-General has the honour to circulate herewith the application of the Principality of Liechtenstein for admission to membership in the United Nations, contained in a letter dated 10 August 1990 from the Head of Government of the Principality of Liechtenstein to the Secretary-General.

---

* A/45/150 and Corr.1.

90-18758 1663i (E) /...

0024

UNITED
NATIONS

S

Security Council

Distr.
GENERAL

S/21506
14 August 1990

ORIGINAL: ENGLISH

REPORT OF THE COMMITTEE ON THE ADMISSION OF NEW MEMBERS CONCERNING THE APPLICATION OF THE PRINCIPALITY OF LIECHTENSTEIN FOR ADMISSION TO MEMBERSHIP IN THE UNITED NATIONS

1. At the 2935th meeting on 13 August 1990, the Security Council had before it the application of the Principality of Liechtenstein (S/21486) for admission to membership in the United Nations. In accordance with rule 59 of the provisional rules of procedure of the Security Council and in the absence of a proposal to the contrary, the President of the Council referred the application to the Committee on the Admission of New Members for examination and report.

2. At its 73rd meeting on 14 August 1990, the Committee considered the application of the Principality of Liechtenstein and unanimously decided to recommend to the Security Council that it should be admitted to membership in the United Nations.

3. Accordingly, the Committee recommends to the Security Council the adoption of the following draft resolution:

The Security Council,

Having examined the application of the Principality of Liechtenstein for admission to the United Nations (S/21486),

Recommends to the General Assembly that the Principality of Liechtenstein be admitted to membership in the United Nations.

90-19035 1729f (E)

UNITED NATIONS

S

Security Council

Distr.
GENERAL

S/Agenda/2936
14 August 1990

ORIGINAL: ENGLISH

PROVISIONAL AGENDA FOR THE 2936TH MEETING OF THE SECURITY COUNCIL

To be held in the Security Council Chamber at Headquarters,
on Tuesday, 14 August 1990, at 4.30 p.m.

1. Adoption of the agenda

2. Admission of new Members

Report of the Committee on the Admission of New Members concerning the application of the Principality of Liechtenstein for admission to membership in the United Nations (S/21506)

90-19113 1868d (E)

UNITED
NATIONS

S

Security Council

Distr.
GENERAL

S/RES/663 (1990)
14 August 1990

RESOLUTION 663 (1990)

Adopted by the Security Council at its 2936th meeting,
on 14 August 1990

The Security Council,

Having examined the application of the Principality of Liechtenstein for admission to the United Nations (S/21486),

Recommends to the General Assembly that the Principality of Liechtenstein be admitted to membership in the United Nations.

90-19064 2390Z (E)

0027

UNITED
NATIONS

A

General Assembly

Distr.
GENERAL

A/45/419
15 August 1990

ORIGINAL: ENGLISH

Forty-fifth session
Item 19 of the provisional agenda*

ADMISSION OF NEW MEMBERS TO THE UNITED NATIONS

Letter dated 14 August 1990 from the President of the Security Council to the Secretary-General

I have the honour to request you to transmit to the General Assembly at its forty-fifth session the following resolution (resolution 663 (1990)) on the admission of the Principality of Liechtenstein to membership in the United Nations, adopted unanimously by the Security Council at its 2936th meeting, on 14 August 1990:

"The Security Council,

"Having examined the application of the Principality of Liechtenstein for admission to the United Nations, 1/

"Recommends to the General Assembly that the Principality of Liechtenstein be admitted to membership in the United Nations."

In accordance with rule 60, paragraph 2, of the provisional rules of procedure of the Security Council, I also request you to transmit to the General Assembly, for its information, the verbatim records of the 2935th and 2936th meetings of the Council, at which the application of the Principality of Liechtenstein was discussed.

(Signed) Aurel-Dragoş MUNTEANU
President of the Security Council

-----

* A/45/150 and Corr.1.

1/ A/45/408-S/21486.

90-19294 1747e (E)

0028

UNITED
NATIONS

A

General Assembly

Distr.
LIMITED

A/45/L.1
14 September 1990

ORIGINAL: ENGLISH

Forty-fifth session
Item 19 of the provisional agenda*

ADMISSION OF NEW MEMBERS TO THE UNITED NATIONS

Australia, Austria, Barbados, Belgium, Brunei Darussalam, Cambodia, Canada, Chile, China, Colombia, Cyprus, Czechoslovakia, Denmark, Dominican Republic, Ecuador, Egypt, El Salvador, Fiji, Finland, France, German Democratic Republic, Germany, Federal Republic of, Greece, Haiti, Honduras, Hungary, Iceland, India, Indonesia, Ireland, Italy, Jamaica, Japan, Jordan, Kuwait, Lebanon, Luxembourg, Maldives, Malta, Myanmar, Netherlands, New Zealand, Norway, Pakistan, Peru, Philippines, Poland, Portugal, Romania, Saint Lucia, Seychelles, Spain, Sri Lanka, Suriname, Sweden, Trinidad and Tobago, Turkey, United Kingdom of Great Britain and Northern Ireland, United States of America, Uruguay, Vanuatu, Venezuela, Yemen and Yugoslavia: draft resolution

Admission of the Principality of Liechtenstein to membership in the United Nations

The General Assembly,

Having received the recommendation of the Security Council of 14 August 1990 that the Principality of Liechtenstein should be admitted to membership in the United Nations, 1/

Having considered the application for membership of the Principality of Liechtenstein, 2/

Decides to admit the Principality of Liechtenstein to membership in the United Nations.

-----

* A/45/150 and Corr.1.

1/ A/45/419.

2/ A/45/408-S/21486.

90-22666 2425Z (E)

0029

UNITED
NATIONS

General Assembly

Distr.
GENERAL

A/RES/45/1
12 October 1990

Forty-fifth session
Agenda item 19

RESOLUTION ADOPTED BY THE GENERAL ASSEMBLY

[without reference to a Main Committee (A/45/L.1 and Add.1)]

45/1. Admission of the Principality of Liechtenstein to membership in the United Nations

The General Assembly,

Having received the recommendation of the Security Council of 14 August 1990 that the Principality of Liechtenstein should be admitted to membership in the United Nations, 1/

Having considered the application for membership of the Principality of Liechtenstein, 2/

Decides to admit the Principality of Liechtenstein to membership in the United Nations.

1st plenary meeting
18 September 1990

1/ A/45/419.

2/ A/45/408-S/21486.

90-25918 2457Z (E)

0030

JOURNAL

of the

UNITED  NATIONS

TUESDAY, 18 SEPTEMBER 1990 No. 1990/181

PROGRAMME OF MEETINGS AND AGENDA

SCHEDULED MEETINGS

Tuesday, 18 September 1990

GENERAL ASSEMBLY

Forty-fifth session

3 p.m. 1st PLENARY MEETING General Assembly Hall

1. Opening of the sesion by the Chairman of the delegation of Nigeria.
2. Minute of silent prayer or meditation.
3. Appointment of the members of the Credentials Committee.
4. Election of the President of the General Assembly.
5. Admission of Liechtenstein to the United Nations: draft resolution (A/45/L.1).

Immediately following the plenary meeting General Assembly Hall

Consecutive meetings of the Main Committees for the purpose of electing their Chairmen.

Immediately following the meetings of the Main Committees 2nd PLENARY MEETING General Assembly Hall

1. Election of the Vice-Presidents of the General Assembly.
2. Organization of work of the forty-fifth regular session of the General Assembly: letter from the Chairman of the Committee on Conferences (A/45/475).

FLAG RAISING CEREMONY

Subject to the decision of the General Assembly on the admission of Liechtenstein to membership in the United Nations, the flag of Liechtenstein will be raised *today*, at a ceremony to be held in front of the delegates' entrance immediately following the adjournment of the 2nd plenary meeting of the General Assembly.

0031

ADMISSION TO MEMBERSHIP IN THE UNITED NATIONS

If to be at a resumed session on A-Day:

Countdown

12	Weds.	eight working days before A-Day:	State submits application
11	Thurs.	seven working days before A-Day:	SG circulates application
10	Fri.	six working days before A-Day:	Security Council meets , refers application to Committee on the Admission of New Members
9	Sat.		
8	Sun.		
7	Mon.	five working days before A-Day:	Committee on Admission meets
6	Tues.	four working days before A-Day:	Security Council meets to consider report of Committee on Admission, makes recommendation
5	Weds.	three working days before A-Day:	SG circulates document containing Security Council recommendation
4	Thurs.	two working days before A-Day:	Member States submit draft resolution granting membership
3	Fri.	one working day before A-Day:	draft resolution is circulated as a document
2	Sat.		
1	Sun.		
0	Mon.	A-Day :	Assembly takes up item on admission of new members, adopts draft resolution

resumed session

Note: dates of most recent admission of a new member at a resumed session span a month (Mauritius, twenty-second session, 1968)

Attachments : samples of membership application by Mauritius

0033

UNITED NATIONS

GENERAL ASSEMBLY

Distr.
GENERAL

A/7073
19 March 1968

ORIGINAL: ENGLISH

APPLICATION OF MAURITIUS FOR ADMISSION
TO MEMBERSHIP IN THE UNITED NATIONS

Letter dated 12 March 1968 from the Prime Minister of Mauritius
to the Secretary-General

Note by the Secretary-General: Pursuant to rule 136 of the rules of procedure of the General Assembly, the Secretary-General has the honour to transmit herewith, for the information of the Members of the United Nations, a copy of a letter dated 12 March 1968 from the Prime Minister of Mauritius concerning the admission of Mauritius to membership in the United Nations.

I have the honour, on behalf of the Government of Mauritius, to make application for Mauritius to be admitted to the United Nations Organization.

I should be grateful if you would arrange for this application to be placed before the Security Council and the General Assembly.

My Government endorses the purposes and principles stated in the United Nations Charter and declares that it accepts the obligations incumbent upon Members of the Organization and solemnly undertakes to fulfil them.

The Government and people of Mauritius are acutely aware of the proven value of the United Nations Organization to small and developing nations of the world and consequently attach great importance to membership.

(Signed) S. RAMGOOLAM
Prime Minister

68-06335

0034

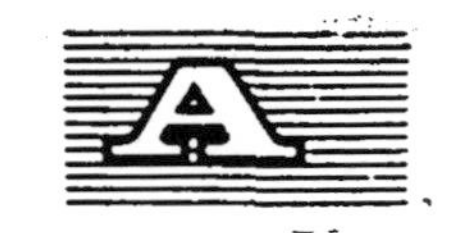

UNITED NATIONS

GENERAL ASSEMBLY

Distr.
GENERAL

A/7083
19 April 1968

ORIGINAL: ENGLISH

Twenty-second session

ADMISSION OF NEW MEMBERS TO THE UNITED NATIONS

Letter dated 18 April 1968 from the President of the Security Council to the Secretary-General

I have the honour to request you to transmit to the General Assembly the following resolution[1/] on the admission of Mauritius to membership in the United Nations, adopted by the Security Council at its 1414th meeting on 18 April 1968:

"*The Security Council*,

"*Having examined* the application of Mauritius for admission to the United Nations,[2/]

"*Recommends* to the General Assembly that Mauritius be admitted to membership in the United Nations."

In accordance with rule 60, paragraph 2, of the provisional rules of procedure of the Security Council, I also request you to transmit to the General Assembly, for its information, the verbatim record of the 1414th meeting of the Security Council, at which the application of Mauritius was discussed.

(*Signed*) Yakov A. MALIK
President of the Security Council

1/ Resolution 249 (1968).

2/ A/7073, S/8466.

68-09091

0035

UNITED NATIONS

GENERAL ASSEMBLY

Distr.
LIMITED

A/L.545
19 April 1968

ORIGINAL: ENGLISH

Twenty-second session

ADMISSION OF NEW MEMBERS TO THE UNITED NATIONS

Australia, Barbados, Botswana, Canada, Ceylon, Cyprus, Gambia, Ghana, Guyana, India, Jamaica, Kenya, Lesotho, Malawi, Malaysia, Malta, New Zealand, Nigeria, Pakistan, Sierra Leone, Singapore, Trinidad and Tobago, Uganda, United Kingdom of Great Britain and Northern Ireland, United Republic of Tanzania and Zambia: draft resolution

Admission of Mauritius to membership in the United Nations

The General Assembly,

Having received the recommendation of the Security Council of 18 April 1968 that Mauritius should be admitted to membership in the United Nations,[1]

Having considered the application for membership of Mauritius,[2]

Decides to admit Mauritius to membership in the United Nations.

1/ A/7083.

2/ A/7073.

68-09165

0036

J O U R N A L

of the

UNITED NATIONS

WEDNESDAY, 24 APRIL 1968 No. 4400

PROGRAMME OF MEETINGS AND AGENDA

Wednesday, 24 April 1968

GENERAL ASSEMBLY

3.00 p.m. 1643rd PLENARY MEETING General Assembly Hall

1. Organization of work.
2. Admission of Mauritius to membership in the United Nations:
   (a) Letter from the President of the Security Council (A/7083);
   (b) Draft resolution submitted by Australia, Barbados, Botswana, Canada, Ceylon, Cyprus, Gambia, Ghana, Guyana, India, Jamaica, Kenya, Lesotho, Madagascar, Malawi, Malaysia, Malta, New Zealand, Nigeria, Pakistan, Sierra Leone, Singapore, Trinidad and Tobago, Uganda, the United Kingdom of Great Britain and Northern Ireland, the United Republic of Tanzania and Zambia (A/L.545 and Add.1).

* * * * *

UNITED NATIONS COUNCIL
FOR SOUTH WEST AFRICA

Noon closed meeting Conference room 8

ECONOMIC AND SOCIAL COUNCIL

COMMITTEE FOR PROGRAMME AND CO-ORDINATION

Second session

10.30 a.m. 104th meeting Economic and Social
3.00 p.m. 105th meeting Council Chamber

Work programme of the United Nations in the economic, social and human rights fields, for 1968-1969 [3]:

(i) Economic development planning, projections and policies (E/4463/Add.3)

(ii) Statistical services (E/4463/Add.13)

(iii) Fiscal and financial questions (E/4463/Add.8).

SUMMARY OF MEETINGS

Monday, 22 April 1968

ECONOMIC AND SOCIAL COUNCIL

ECONOMIC COMMISSION
FOR ASIA AND THE FAR EAST 377th meeting
Twenty-fourth session
Canberra, Australia

Economic development and planning in the ECAFE region [6]:

(a) Regional harmonization of national development plans (E/CN.11/L.192)

(b) Long-term economic projections for developing ECAFE countries (E/CN.11/L.201)

(c) Report of the Conference of Asian Economic Planners (third session) (E/CN.11/804)

The Chief of the Research and Planning Division of ECAFE made an introductory statement.

0037

0340A/11A/p.11/rlj

ADMISSION TO MEMBERSHIP IN THE UNITED NATIONS

If to be on the opening day of a General Assembly special session:

1. State applies for membership by letter accepting Charter obligations (GA Rule 134, SC Rule 58).
   i.e. Friday 6 April 1990

2. Secretary-General issues the letter as a document of the Security Council (SC Rule 59).
   i.e. document is dated [Tuesday] 10 April 1990 and circulated on the following working day

3. Security Council meets to refer application to its Committee on the Admission of New Members (SC Rule 59).
   i.e. Tuesday 17 April 1990

4. Committee on Admission meets, recommends a draft resolution and reports to the Council no less than 14 days before special session (SC Rule 59). It also proposes the inclusion of an item entitled "Admission of new Members to the United Nations" in the supplementary list of items proposed for inclusion in the agenda of the special session
   i.e. Security Council document on the report of the Committee on Admission is dated [Tuesday] 17 April 1990 and circulated on the following working day

5. Security Council meets to consider report of Committee on Admission, makes recommendation not less than 4 days before special session,* adopts resolution, asks the Secretary-General to transmit resolution to General Assembly at its special session (SC Rule 60) and requests, at least 4 days before special session, the inclusion of an item entitled "Admission of new Members to the United Nations" in the supplementary list of items proposed for inclusion in the agenda of the special session (GA Rule 18).
   i.e. Special session document is dated [Tuesday] 17 April 1990 and circulated on the following working day

* In special circumstances, the Security Council may make a recommendation to General Assembly within less than 4 days before special session (SC Rule 60)

0038

6. Request to include an item on admission of new Members in the supplementary list of items is issued.
   i.e. Special session document is dated [Tuesday] 17 April 1990 and circulated on the following working day

7. Member States submit to the Secretariat a draft resolution for issuance as a document of the special session at least two working days before the opening meeting (GA Rule 78).
   i.e. Wednesday 18 April 1990

8. The draft resolution is issued as a document of the special session and circulated to Member States at least the day before the opening meeting (GA Rule 78).
   i.e. Thursday 19 April 1990

9. On opening day, just elected President for the special session takes up item on Admission immediately after adoption of draft agenda.
   i.e. Monday 23 April 1990

Note: dates used are of the most recent membership application during a special session (Namibia).

Attachements: Samples of membership application by Namibia and processing of request.

UNITED
NATIONS

S

Security Council

Distr.
GENERAL

S/21241*
10 April 1990

ORIGINAL: ENGLISH

LETTER DATED 6 APRIL 1990 FROM THE PRESIDENT OF THE REPUBLIC OF NAMIBIA ADDRESSED TO THE SECRETARY-GENERAL

Following Namibia's accession to independence on 21 March 1990 and in keeping with the constructive consultations we had in Windhoek on a number of urgent matters, including in particular Namibia's membership in the United Nations, I would like, by this letter, to submit an application, in accordance with Article 4 of the Charter of the United Nations.

Convinced of the acceptance of the application, the Republic of Namibia undertakes to make a solemn pledge to accept and carry out the obligations contained in the present Charter.

In this context, the Government of the Republic of Namibia would be most grateful if Your Excellency could ensure that the application is given consideration on a priority basis, so as to enable the Namibian delegation to participate in the work of the special session of the General Assembly devoted to economic development, to be held from 23 to 28 April 1990.

(Signed) Sam NUJOMA
President of the Republic of Namibia

-----

* Reissued for technical reasons.

90-09461 1593b (E)

0040

UNITED
NATIONS

S

Security Council

Distr.
GENERAL

S/21251
17 April 1990
ENGLISH
ORIGINAL: ARABIC/CHINESE/ENGLISH/
FRENCH/RUSSIAN/SPANISH

REPORT OF THE COMMITTEE ON THE ADMISSION OF NEW MEMBERS
CONCERNING THE APPLICATION OF THE REPUBLIC OF NAMIBIA
FOR ADMISSION TO MEMBERSHIP IN THE UNITED NATIONS

1. At its 2917th meeting, on 17 April 1990, the Security Council had before it the application of the Republic of Namibia (S/21241) for admission to membership in the United Nations. In accordance with rule 59 of the provisional rules of procedure of the Security Council and in the absence of a proposal to the contrary, the President of the Council referred the application to the Committee on the Admission of New Members for examination and report. The Council decided to waive the time-limit for reporting set out in rule 59.

2. At its 72nd meeting, on 17 April 1990, the Committee considered the application of the Republic of Namibia and unanimously decided to recommend to the Security Council that it be admitted to membership in the United Nations.

3. Accordingly, the Committee recommends to the Security Council the adoption of the following draft resolution:

The Security Council,

Having examined the application of the Republic of Namibia for admission to the United Nations (S/21241),

Recommends to the General Assembly that the Republic of Namibia be admitted to membership in the United Nations.

4. At the same meeting, the Committee decided to propose to the Security Council that it request the inclusion of an item entitled "Admission of new Members to the United Nations" in the supplementary list of items for the agenda of the eighteenth special session of the General Assembly.

90-10075 1496f (E)

UNITED
NATIONS

S

Security Council

Distr.
GENERAL

S/Agenda/2918
17 April 1990

ORIGINAL: ENGLISH

PROVISIONAL AGENDA FOR THE 2918TH MEETING OF THE SECURITY COUNCIL

To be held in the Security Council Chambers at Headquarters,
on Tuesday, 17 April 1990, at 3.30 p.m.

1. Adoption of the agenda

2. Admission of new Members

Report of the Committee on the Admission of New Members concerning the application of the Republic of Namibia for admission to membership in the United Nations (S/21251)

90-10069 1645j (E)

0042

UNITED
NATIONS

S

Security Council

Distr.
GENERAL

S/RES/652 (1990)
17 April 1990

RESOLUTION 652 (1990)

Adopted by the Security Council at its 2918th meeting,
on 17 April 1990

The Security Council,

Having examined the application of the Republic of Namibia for admission to the United Nations (S/21241),

Recommends to the General Assembly that the Republic of Namibia be admitted to membership in the United Nations.

90-10063 2267Z (E)

UNITED
NATIONS

A

General Assembly

Distr.
GENERAL

A/S-18/3
17 April 1990

ORIGINAL: ENGLISH

Eighteenth special session

REQUEST FOR THE INCLUSION OF A SUPPLEMENTARY ITEM

ADMISSION OF NEW MEMBERS TO THE UNITED NATIONS

Letter dated 17 April 1990 from the President of the Security Council to the Secretary-General containing a request for the inclusion of a supplementary item in the agenda of the eighteenth special session

I have the honour to request you to transmit to the General Assembly at its eighteenth special session the following resolution (resolution 652 (1990)) on the admission of the Republic of Namibia to membership in the United Nations, adopted unanimously by the Security Council at its 2918th meeting, on 17 April 1990:

"The Security Council,

"Having examined the application of the Republic of Namibia for admission to the United Nations, 1/

"Recommends to the General Assembly that the Republic of Namibia be admitted to membership in the United Nations."

In this regard, the Security Council has decided to request the inclusion of an item entitled "Admission of new Members to the United Nations" in the supplementary list of items proposed for inclusion in the agenda of the eighteenth special session, in accordance with rule 18 of the rules of procedure of the General Assembly.

1/ S/21241. To be issued under the symbol A/S-18/5.

90-10081 1602b (E) /...

0044

UNITED
NATIONS

General Assembly

Distr.
GENERAL

A/S-18/4
17 April 1990

ORIGINAL: ENGLISH

Eighteenth special session

SUPPLEMENTARY LIST OF ITEMS PROPOSED FOR INCLUSION IN THE AGENDA OF THE EIGHTEENTH SPECIAL SESSION OF THE GENERAL ASSEMBLY*

Admission of new Members to the United Nations [Security Council decision of 17 April 1990 (A/S-18/3)].

-----

* Issued in accordance with rule 18 of the rules of procedure.

90-10088 1452i (E)

0045

UNITED
NATIONS

General Assembly

Distr.
LIMITED

A/S-18/L.1
19 April 1990

ORIGINAL: ENGLISH

Eighteenth special session
Item 10 of the draft agenda*

ADMISSION OF NEW MEMBERS TO THE UNITED NATIONS

Afghanistan, Algeria, Angola, Antigua and Barbuda, Argentina, Australia, Austria, Bahamas, Bahrain, Bangladesh, Belgium, Benin, Bolivia, Botswana, Brazil, Brunei Darussalam, Bulgaria, Burkina Faso, Burundi, Cambodia, Cameroon, Canada, Cape Verde, Central African Republic, Chad, China, Colombia, Comoros, Congo, Costa Rica, Côte d'Ivoire, Cyprus, Czechoslovakia, Democratic Yemen, Denmark, Djibouti, Ecuador, Egypt, El Salvador, Ethiopia, Fiji, Finland, France, Gabon, Gambia, German Democratic Republic, Germany, Federal Republic of, Ghana, Greece, Grenada, Guatemala, Guinea, Guinea-Bissau, Guyana, Haiti, Honduras, Hungary, Iceland, India, Indonesia, Iran (Islamic Republic of), Iraq, Ireland, Italy, Japan, Jordan, Kenya, Kuwait, Lao People's Democratic Republic, Lebanon, Lesotho, Liberia, Libyan Arab Jamahiriya, Luxembourg, Madagascar, Malawi, Malaysia, Maldives, Mali, Malta, Mauritania, Mauritius, Mexico, Morocco, Mozambique, Myanmar, Nepal, Netherlands, New Zealand, Niger, Nigeria, Norway, Oman, Papua New Guinea, Paraguay, Peru, Philippines, Poland, Portugal, Qatar, Romania, Rwanda, Saint Kitts and Nevis, Saint Vincent and the Grenadines, Samoa, Sao Tome and Principe, Senegal, Seychelles, Sierra Leone, Singapore, Solomon Islands, Somalia, Spain, Sri Lanka, Sudan, Suriname, Swaziland, Sweden, Syrian Arab Republic, Thailand, Togo, Trinidad and Tobago, Tunisia, Turkey, Uganda, Ukrainian Soviet Socialist Republic, Union of Soviet Socialist Republics, United Arab Emirates, United Kingdom of Great Britain and Northern Ireland, United Republic of Tanzania, United States of America, Uruguay, Vanuatu, Venezuela, Viet Nam, Yugoslavia, Zaire, Zambia and Zimbabwe: draft resolution

---

* A/S-18/6.

90-10280 1957a (E)

0046 /...

Admission of the Republic of Namibia to membership in the United Nations

The General Assembly,

Having received the recommendation of the Security Council of 17 April 1990 that the Republic of Namibia should be admitted to membership in the United Nations, 1/

Having considered the application for membership of the Republic of Namibia, 2/

Decides to admit the Republic of Namibia to membership in the United Nations.

1/ A/S-18/3.

2/ A/S-18/5.

JOURNAL

SATURDAY, 21 APRIL 1990 No. 1990/77 (PART I)

PROGRAMME OF MEETINGS AND AGENDA

SCHEDULED MEETINGS

Monday, 23 April 1990

GENERAL ASSEMBLY

Eighteenth special session

9.30 a.m. 1st PLENARY MEETING General Assembly Hall

1. Opening of the session by the Chairman of the delegation of Nigeria.
2. Minute of silent prayer or meditation.
3. Appointment of the members of the Credentials Committee.
4. Election of the President.
5. Report of the Preparatory Committee for the Eighteenth Special Session (A/S-18/7).
6. Organization of the session.

FLAG RAISING CEREMONY

Subject to the decision of the General Assembly on the admission of Namibia to membership in the United Nations, the flag of Namibia will be raised **today**, Monday, at a ceremony to be held at 1 p.m., in front of the delegates' entrance.

NOTE: The PROGRAMME OF MEETINGS AND AGENDA and the SUMMARY OF SCHEDULED MEETINGS of bodies other than those of the General Assembly at its eighteenth special session appear in PART II (English/French) of the present issue of the **Journal** (No. 1990/77 **(PART II)**).

0048

SUMMARY OF SCHEDULED MEETINGS

Monday, 23 April 1990

GENERAL ASSEMBLY

Eigthteenth special session

1st plenary meeting

Opening of the session by the Temporary President, the Chairman of the delegation of Nigeria [1]

The Temporary President, H.E. Prof. Ibrahim A. Gambari, Chairman of the delegation of Nigeria, declared open the eighteenth special session of the General Assembly.

Minute of silent prayer or meditation [2]

The Temporary President then invited members of the General Assembly to observe one minute of silent prayer or meditation.

Scale of assessments for the apportionment of the expenses of the United Nations (Article 19 of the Charter) (A/S-18/8)

The Temporary President drew the attention of the General Assembly to a letter addressed to him by the Secretary-General (A/S-18/8) concerning the arrears of ten Member States in the payment of their financial contributions to the United Nations.

Appointment of the members of the Credentials Committee [3 (a)]

The Temporary President called attention to the report of the Preparatory Committee of the Whole which had made a number of recommendations in paragraphs 30 and 32 (A/S-18/7).

Taking into account the recommendation of the Preparatory Committee and on the proposal of the Temporary President, the Assembly decided that the Credentials Committee for the eighteenth special session would consist of the same members as those appointed for the forty-fourth session, namely: Antigua and Barbuda, Australia, China, Colombia, Malawi, the Philippines, the Union of Soviet Socialist Republics, the United States of America and Zaire.

The Temporary President called attention to the fact that credentials should be issued for all representatives to the special session, in accordance with rule 27 of the rules of procedure of the General Assembly, and urged all members to submit the credentials of representatives to the Secretary-General as soon as possible.

Election of the President of the General Assembly [4]

On the recommendation of the Preparatory Committee, the General Assembly decided to elect the President of the forty-fourth session, H.E. Major-General Joseph Nanven Garba (Nigeria), as President of the eighteenth special session.

The President made a statement.

Report of the Preparatory Committee for the Eighteenth Special Session of the General Assembly (A/S-18/7) [5]

The Chairman of the Preparatory Committee for the Eighteenth Special Session of the General Assembly, H.E. Mr. Constantine Zepos (Greece), introduced the report of the Committee (A/S-18/7).

On the proposal of the President, the General Assembly endorsed the report of the Preparatory Committee (A/S-18/7) and the recommendations contained in paragraphs 30 and 32.

Organization of the session [6]

The General Assembly adopted the proposal that the Chairmen of the Main Committees and Vice-Presidents of the forty-fourth session would serve in the same capacity at the eighteenth special session.

The President informed members that the following Chairmen of the Main Committees of the forty-fourth session were present and would serve in the same capacity: the Chairman of the Special Political Committee, H.E. Mr. Gennadi Oudovenko (Ukrainian Soviet Socialist Republic), the Chairman of the Second Committee, H.E. Mr. Ahmed Ghezal (Tunisia), the Chairman of the Fourth Committee, H.E. Mr. Robert Van Lierop (Vanuatu), the Chairman of the Fifth Committee, H.E. Mr. Ahmed Fathi Al-Masri (Syrian Arab Republic).

Pursuant to the recommendation made by the Preparatory Committee in paragraph 30 of its report endorsed by the Assembly (A/S-18/7), the following replacements had been communicated to the Secretariat: for the Chairman of the First Committee, H.E. Dr. Andrés Aguilar (Venezuela), for the Chairman of the Third Committee, H.E. Mr. Gaëtan Rimwanguiya Ouedraogo (Burkina Faso), for the Chairman of the Sixth Committee, Mr. Thomas Hajnoczi (Austria).

The President then informed members that the Vice-Presidents of the forty-fourth session, who would serve in the same capacity at the eighteenth special session , were the representatives of the following Member States: Antigua and Barbuda, Bolivia, Brunei Darussalam, China, Congo, Costa Rica, France, Gambia, Islamic Republic of Iran, Iraq, Kuwait, Luxembourg, Morocco, Norway, Papua New Guinea, Poland, Sudan, Union of Soviet Socialist Republics, United Kingdom of Great Britain and Northern Ireland, United States of America, and Zimbabwe.

In endorsing the recommendations of the Preparatory Committee, the Assembly established an ad hoc committee of the whole, designated as the Ad Hoc Committee of the eigtheenth special session.

In accordance with the recommendation of the Preparatory Committee, the President informed members that the Chairman of the **Ad Hoc** Committee would be a full member of the General Committee of the eighteenth special session.

Pursuant to a recommendation made by the Preparatory Committee that the Chairman of the Preparatory Committee serve in the same capacity in the **Ad Hoc** Committee, the Assembly elected H.E. Mr. Constantine Zepos (Greece) Chairman of the **Ad Hoc** Committee.

On the recommendation of the Preparatory Committee, the Assembly decided that, on the basis of specific requests, observer non-member States should be invited to participate in the general debate in plenary meeting. The President informed the Assembly that the Observers of the Democratic People's Republic of Korea, the Holy See, the Republic of Korea and Switzerland had requested to take part in the general debate in plenary meeting. The Assembly decided to invite them to participate in the general debate in plenary meeting.

On the basis of the decision taken by the General Assembly the Executive Heads of the concerned United Nations specialized agencies should be invited to participate in the general debate in plenary meeting. Each statement should not exceed 10 minutes.

On the basis of the decision taken by the General Assembly, interested intergovernmental organizations having received a standing invitation to participate in the session should be invited to participate in the general debate in plenary meeting. Each statement should not exceed 10 minutes. Furthermore a representative of one non-governmental organization in consultative status with the Economic and Social Council could address the **Ad Hoc** Committee on behalf of interested non-governmental organizations. Such statement should not exceed 10 minutes.

The General Assembly decided to invite, on the basis of specific requests, other relevant intergovernmental and interregional organizations of an economic nature to participate and speak on an **ad hoc** basis during the session. Such statements should not exceed 10 minutes. The Assembly decided to hear these organizations in the **Ad Hoc Committee**.

The General Assembly decided that the length of statements, with exception of those by Heads of State or Government, should be limited to 15 minutes.

Adoption of the Agenda (A/S-18/6) [7]

The General Assembly decided to consider the provisional agenda of the eigtheenth special session without referring it to the General Committee.

The Assembly then adopted the agenda as contained in document (A/S-18/6).

The Assembly decided to allocate item 9 to the **Ad Hoc** Committee. It decided that item 9 should also be considered in the plenary meeting under agenda item 8 (general debate). Furthermore it decided to consider item 10 directly in plenary meeting.

Admission of new Members to the United Nations [8]

The General Assembly adopted by acclamation draft resolution A/S-18/L.1 admitting the Republic of Namibia to membership in the United Nations (A/S-18/1).

The delegation of Namibia took the place which had been reserved for it in the General Assembly Hall.

The President made a statement.

The Secretary-General made a statement.

Statements were also made by the representatives of the following countries: Egypt (on behalf of the Organization of African Unity), Mali (on behalf of the African States), Nepal (on behalf of the Asian States), Ukrainan Soviet Socialist Republic (on behalf of the Eastern European States), Venezuela (on behalf of the Latin American and Caribbean States), Sweden (on behalf of the Western European and Other States), United Arab Emirates (on behalf of the Arab States) and the United States (host country).

The Chairman of the Special Committee on the Situation with regard to the Implementation of the Declaration on the Granting of Independence to Colonial Countries and Peoples and the President of the United Nations Council for Namibia also made statements.

The Prime Minister of the Republic of Namibia, H.E. Mr. Hage G. Geingob, made a statement.

General Debate [9]

Prior to the commencement of the general debate the Secretary-General made a statement.

On the proposal of the President the Assembly decided to close the list of speakers in the debate on Monday afternoon at 6 p.m.

The Assembly heard statements by H.E. Mr. Enrique Garcia, Minister for Planning and Co-ordination of Bolivia (on behalf of the Group of 77) and H.E. Mr. Budimir Loncar, Federal Secretary for Foreign Affairs of Yugoslavia (on behalf of the Non Aligned Movement).

2nd plenary meeting

NOTE: The summary of the 2nd plenary meeting of the General Assembly will appear in the next issue of the **Journal** (No. 1990/79 (I)).

AD HOC COMMITTEE OF
THE EIGHTEENTH SPECIAL SESSION
OF THE GENERAL ASSEMBLY 1st meeting

The Chairman of the **Ad Hoc** Committee, H.E. Mr. Constantin Zepos (Greece) made a statement. The officers elected to the Bureau of the **Ad Hoc** Committee were as follows: Vice-Chairmen: H.E. Mr. Ahmed Ghezal

0050

관리 번호	91-2425

원 본

외 무 부

종 별 : 지 급

번 호 : UNW-0909 일 시 : 91 0415 2130

수 신 : 장관(신기복 유엔차석대사 친전)

발 신 : 주 유엔 윤병세배

제 목 : 안보리 공식회의 절차및 관행

1. 신규 회원국 가입에관한 안보리 절차관련, 안보리는 비공식협의 과정에서 또는 가입심사위의 권고결의안 채택과정에서 콘센서스가 이루어진 (콘센서스로 통과된)경우에도, 통상 안보리 공식회의에서 이를 형식적이긴 하나 거수 표결로 채택하는것이 일반적인 관행임.(이경우 UNANIMOUS VOTE, 즉 만장일치가됨.)

2.90 년도 리히텐슈타인, 나미비아의 가입서를 포함하여 대다수의 신규 회원국 가입절차가 이방식으로 처리되었음.

3. 단,73.6. 동서독 가입(실제가입은 73.9) 신청에 대한 안보리 심의시에는안보리 이사국간 사전 합의에 따라 콘센서스로 즉 표결없이 채택하기로 함에따라 공식회의시 이의 제기없이 콘센서스로 채택되었음.

4. 상기 동서독 관계상세 내용필요시 유엔과에서 UNSC OFFICIAL RECORDS 1730 차 회의(73.6.22) 1-2 페이지 참고하시기 바람.

5. 가입 심사위원회에서는 통상 콘센서스로 처리함으로 첨언함. 끝

(파기 하라 예고:~~199~~후파기 . .)

국기국

PAGE 1

91.04.16 10:30

외신 2과 통제관 BW

0051

아국의 유엔가입 추진관련 각 절차별 시한검토

91. 4. 16.
국제연합과

o 아국의 유엔가입문제가 제 46차 유엔총회에서 처리되기 위하여 총회 의사규칙 및 안보리 잠정 의사규칙에 따라 하기 시한이내에 각 절차를 진행시켜야 함. (제 46차 총회개막일 : 91.9.17.(화))

1. 가입신청서 유엔사무총장에 제출 : 91.8.9.(금)
   * 가입신청서에 아국이 헌장상의 제의무를 준수할 것임을 밝히는 선언문(declaration) 첨부

2. 유엔사무총장, 아국가입 신청서를 안보리에 회부 : 91.8.9.(금)
   * 안보리문서 일자는 91.8.9(금)자 이나 91.8.12(월)에 배포됨.

3. 안보리회의 개최, 안보리 가입심사위원회에 아국 가입문제 회부 결정 : 91.8.12.(월)
   * 의제 채택에 이의가 있을 경우 표결필요(단순 9개국 찬성으로 결정)

4. 안보리 가입심사위원회 회의개최, 아국 가입문제 심의보고서 및 가입권고 결의안을 안보리에 회부 : 91.8.13.(화)
   * 가입심사위원회는 가입신청서 심의보고서를 정기총회 개최 35일전에 안보리에 제출해야 함.
   * 가입심사위원회의 가입문제 심의는 단순 9개국 찬성으로 결정

5. 안보리, 가입심사위원회의 심의보고서 검토후 가입결의안 채택 및 동 결의를 토의기록과 함께 총회로 이첩 : 91.8.13(화)-8.23.(금) 기간중 (안보리와 안보리 가입심사위원회는 구성국이 동일하므로 같은 날인 91.8.13. 개최될 가능성이 높음)

0052

* 안보리는 총회개최 25일전에 가입권고 결의 및 토의기록을 총회로 이첩해야 함.
* 안보리의 가입권고결의 채택 여부는 상임이사국 5개국을 포함한 9개국 찬성으로 결정 (거부권 인정)
* 가입심사위의 심의과정에서 신규회원국 가입문제에 대해 consensus가 이루어진 경우에도, 안보리는 이를 형식적이긴 하나 거수표결로 채택하는 것이 일반적 관행임.
  - 단, 동서독 가입심의시(73.6) 에는 예외로 안보리이사국간 표결 없이 채택하기로 사전 합의함에 따라 안보리에서 consensus로 채택함.

6. 유엔사무총장, 안보리의 가입권고결의를 총회문서로 배포
   : 91.8.14(수)-26.(월) 기간중 (실제로는 91.8.14. 배포될 가능성이 높음)

7. 유엔회원국, 아국의 가입에 관한 총회 결의안을 총회에 제출
   : 91.8.16(금)-9.13.(금) 기간중
   * 총회 결의안은 늦어도 총회개막전 2일전 (2 working days)에 제출되어야 함.

8. 유엔회원국의 결의안, 총회문서로 배포 : 91.8.19(월)-9.16.(월) 기간중
   * 총회 결의안은 늦어도 총회개막 전날까지 총회문서로 배포되어야 함.

9. 총회의장, 개막일에 아국의 가입문제 처리 : 91.9.17.(화)
   * 회원국의 과반수 참석에 투표국의 2/3이상 찬성으로 결의 채택

0053

첨부 2

유엔가입절차 요약

91. 4. 16.
국제연합과

1. 가입신청방식

o 아국 유엔가입문제는 최초로 유엔가입을 신청한 49.1.19. 이래 안보리에 계류중임. 따라서 아국은 i) 유엔사무총장에게 유엔가입문제 재심청구서 제출, ii) 유엔사무총장에게 가입신청서 재제출, iii) 우방국에 의한 아국 가입문제 재심 결의안 안보리 제출방식중 한가지를 택하여 유엔가입을 신청할 수 있음. (북한의 유엔가입문제도 49.2.9. 이래 안보리에 계류중)

참고 안보리는 특정안건에 대한 심의를 완료했다고 결정하지 않는한 계속 계류중인 것으로 간주함. (현재까지 안보리가 심의완료를 선언한 경우는 거의 없음)

2. 신청시기

o 유엔안보리 의사규칙 제59조에 의하면, 신규회원가입은 정기총회 개시 35일전까지 안보리 가입심사위원회가 가입 신청을 심사, 안보리에 보고 하도록 규정하고 있음.

o 또한 제60조에 의하면 안보리는 가입신청에 대한 권고를 정기 총회개시 25일전에 총회에 제출해야 하나 특별한 경우(in special circumstances) 에는 상기 60조의 적용을 배제(Waiver)할 수 있다는 예외조항을 포함하고 있음.

0054

참고 안보리 가입심사위원회(Committee on the Admission of New Members)는 안보리 이사국(15개국) 전체로 구성되며, 안보리의 가입신청심의에 앞서 가입신청서(또는 결의안)를 검토하여 동 결과를 안보리에 보고함.

3. 가입신청 시한 문제

- ㅇ 안보리 의사규칙 60조의 예외조항은 1975-84년 기간중 10개국의 가입신청 심의시 이미 원용된 바 있음. 즉, 안보리의 권고결의안의 총회 회부시한 적용이 배제됨.
- ㅇ 특히 제45차 총회(1990)부터는 총회 회기가 정기총회기간(통상 9-12월)과는 무관하게 차기총회 개막직전까지 계속되는 것으로 간주됨에 따라 안보리 의사규칙 60조의 적용에 따른 시한상의 제약은 상대적으로 감소됨.
- ㅇ 단, 가입신청시한문제가 안보리에서 강력히 제기될 경우 60조 적용여부 자체를 표결에 부치게 될 것인바, 이 경우는 절차문제로 간주되어 단순 9개국 찬성으로 결정됨. (거부권 불인정)

4. 가입신청의 안보리의제 채택

- ㅇ 안보리의장은 가입신청서 또는 우방국의 가입문제 관련 결의안을 접수하면 안보리에 회부하여, 동 문제를 안보리 의제로 채택할지 여부를 consensus 또는 표결로 채택함. (표결시 단순 9개국 찬성으로 의제 채택 결정)
- ㅇ 안보리의제 채택시 안보리의장은 안보리 가입심사위원회에 동 가입 문제를 심의토록 회부함.

5. 안보리 가입심사위원회 심의

- ㅇ 가입심사위원회에서는 가입신청의 안보리 회부여부를 콘센서스로 채택함이 일반적이나, 반대국이 있을 겨우, 단순 9개국 찬성으로 안보리 회부를 결정함. (거부권 불인정)

0055

6. 안보리 가입권고 결의 채택

○ 안보리는 가입신청국이 평화애호국이며 헌장상 의무를 수행할 능력과 의사가 있는가 여부를 판단하고, 가입권고 여부를 상임이사국 5개국을 포함한 9개국 찬성으로 결의하여 총회개시 25일전에 안보리 토의기록 (권고하지 않을 경우에는 특별보고서)과 함께 총회에 송부함. (거부권 인정)

7. 총회의 안보리 권고안 심의 및 가입결의안 채택

○ 안보리의 권고에 따라 총회는 가입신청국이 평화애호국이고 헌장상 의무를 이행할 능력과 의사가 있는지 여부를 검토하고, 가입신청국의 유엔가입에 관한 총회결의안에 대해 표결, 투표결과 총투표국의 2/3 다수 획득시 가입 확정

8. 안보리 및 총회 표결관련 참고사항

○ 안보리 및 총회에서의 표결시에는 참석하여 투표한 국가(present and voting states)의 투표를 기준으로 하는 바, 불참국, 기권국은 투표국으로 간주치 않음. (안보리 상임이사국의 경우도 불참 또는 기권시 Veto 행사로서 인정되지 않음)

0056

공　란

공　　　란

공 란

공　　란

관리 번호	91-726

원 본

외 무 부

종 별 :

번 호 : UNW-1820 일 시 : 91 0712 1900

수 신 : 장 관(국연,기정)

발 신 : 주 유엔 대사

제 목 : 안보리및 총회 가입신청심의(주요선례)

당관이 과거 유엔문서들을 검토하여 파악한 주요국가들의 유엔가입시 안보리및 총회에서의 처리선례를 아래보고하니 참고바람.

1. 안보리

가. 가입신청국의 발언사례

0. 통상발언 안함.

0. 76 년 앙골라, 77 년 월남: 결의안 채택후 발언

0. 발언요청 절차

-월남: 이사국 11 개국이 월남의 발언(토의종료시)요청서한 제출

-앙골라:3 개국이 발언(적절한 시점에서) 요청서한

나. 안보리 이사국의발언 싯점

0. 표결후 발언이 최근 관행

0. 표결전 발언사례:남예멘(67.12), 앙골라(76.11) 가입신청시

다. 안보리 결의안 공동제안국

0. 최근 관행은 가입심사위 자체명의

0. 공동제안 사례

-남예멘: 인도, 일본, 영국등 6 개국

-월남: 중국, 소련, 불란서, 인도등 11 개국

-앙골라:6 개국(76.6), 9 개국(76.11)

0. 동서독경우:공동제안국 없음.

라. 결의안 채택방식

0. 통상 표결(전원찬성)로 채택

0. 콘센서스 처리 선례

국기국 장관 차관 1차보 청와대 안기부

PAGE 1

91.07.13 09:47

외신 2과 통제관 BS

0061

-동.서독(73.6.22), 방글라데쉬(74.6.10), 월남(77.7.20)

-이경우 의장은 사전협의시 합의에 따라 " 이의 없으면, 표결없이 채택한다" 는 식으로 진행

마. 비이사국의 안보리 토의시 지지.우정 발언사례(헌장 31 조 안보리 의사규칙 37 조, 관행)

0. 동 발언이 일반적인 관행은 아님.

0. 사례

-방글라데쉬(74.6.10): 인도, 파키스탄등 5 개국

-수리남(75.12.1): 화란

-월남(77.7.19):23 개국

-깝베르데, 상토메, 모잠비크(75.8.18): 폴부갈

-PNG (75.9.22): 호주

-앙골라: 폴부갈등 6 개국(76.6.23),9 개국(76.11.22)

-모잠비크(80.7.3):5 개국

-브르나이(84.2.24):1 개국(인니)

2. 총회의 단일 결의안 처리사례(2 개이상 복수국가 가입시)

가. 해당사례 :5 회

0.46.11.9 아프가니스탄, 아일슬랜드, 스웨덴 가입 (GA RES 34 (I))

0.47.9.30 파키스탄, 예멘(GA RES 108 (II))

0.55.12.14 16 개국 (GA RES 995 (X))

0.64.12.1. 말라위, 몰타, 잠비아 (GA 결정)

0.73.9.18 동독, 서독 (GA RES. 3050 (28))

나. 결의안에 국가 규정순서

0. 가입신청서 제출일시 순서(예외: 파키스탄, 예멘 경우)

다. 안보리 결의안 형태

0."말라위, 몰타, 잠비아" 경우만이 별도 결의안으로 건의, 여타 경우는 단일 결의안으로 권고

라. 국별 별도 표결(SEPARATE VOTE) 여부

0.55 년 12 개국 가입시에만 국별표결, 나머지 경우는 별도 표결없음.

마. 특기사례:파키스탄, 예멘 가입시

PAGE 2

0062

0. 가입신청 순서:예멘, 파키스탄

0. 안보리 권고순서:예멘, 파키스탄

0. 총회결의안 제목순서:예멘, 파키스탄

0. 총회 표결순서:예멘, 파키스탄

0. 가입권고순서:파키스탄, 예멘

0. 가입후 발언순서:파키스탄, 예멘

3. 동서독 가입시 총회 단일 결의안 공동제안국

0.75 개국이 공동제안국으로 가담(별첨)

4. 총회가입승인 결의안 COORDINATOR 국가(스폰서 확보역할)

0. 리히텐슈타인 가입시:오지리

0. 나미비아 가입시:COUNCIL FOR NAMIBIA

-통상적으로 회원국이 COORDINATOR 역할하므로 이경우는 예외.

첨부:동서독 가입시 공동제안국 결의안(3 매):UNW(F)-326

끝.

(대사 노창희-국장)

예고:91.12.31. 까지

WMW(F)-326 10712 17:00
(북한. 가정) 총 3매

UNITED NATIONS

GENERAL ASSEMBLY

Distr.
LIMITED

A/L.698/Rev.1*
18 September 1973

ORIGINAL: ENGLISH

Twenty-eighth session
Item 27 of the provisional agenda**

ADMISSION OF NEW MEMBERS TO THE UNITED NATIONS

Afghanistan, Argentina, Australia, Austria, Barbados, Belgium, Bhutan, Bolivia, Botswana, Bulgaria, Burundi, Byelorussian Soviet Socialist Republic, Cameroon, Canada, Colombia, Costa Rica, Cyprus, Czechoslovakia, Dahomey, Democratic Yemen, Denmark, Ecuador, Egypt, El Salvador, Ethiopia, Fiji, Finland, France, Honduras, Hungary, Iceland, India, Indonesia, Iran, Ireland, Italy, Ivory Coast, Japan, Lebanon, Lesotho, Luxembourg, Malaysia, Mali, Malta, Mauritania, Mauritius, Mexico, Mongolia, Netherlands, New Zealand, Norway, Pakistan, Panama, Peru, Philippines, Poland, Romania, Singapore, Spain, Sri Lanka, Sudan, Sweden, Syrian Arab Republic, Thailand, Togo, Tunisia, Ukrainian Soviet Socialist Republic, Union of Soviet Socialist Republics, United Kingdom of Great Britain and Northern Ireland, United States of America, Uruguay, Venezuela, Yemen, Yugoslavia and Zaire: draft resolution

Admission of the German Democratic Republic and the Federal Republic of Germany to membership in the United Nations

The General Assembly,

Having received the recommendation of the Security Council of 22 June 1973 that the German Democratic Republic and the Federal Republic of Germany should be admitted to membership in the United Nations, 1/

Having considered separately the application for membership of the German Democratic Republic 2/ and the application for membership of the Federal Republic of Germany, 3/

1. Decides to admit the German Democratic Republic to membership in the United Nations;

2. Decides to admit the Federal Republic of Germany to membership in the United Nations.

-----

* The purpose of this revision is to bring up to date the list of sponsors of the draft resolution.

** A/9100.

1/ A/9080.

2/ A/9069-S/10945.

3/ A/9070-S/10949.

73-18165
(2 p.)

3-1

0064

UNITED NATIONS

GENERAL ASSEMBLY

Distr.
LIMITED

A/L.698
17 September 1973

ORIGINAL: ENGLISH

Twenty-eighth session
Item 27 of the provisional agenda*

ADMISSION OF NEW MEMBERS TO THE UNITED NATIONS

Afghanistan, Argentina, Australia, Austria, Barbados, Belgium, Bhutan, Bolivia, Bulgaria, Byelorussian Soviet Socialist Republic, Canada, Colombia, Costa Rica, Cyprus, Czechoslovakia, Democratic Yemen, Denmark, Ecuador, Egypt, El Salvador, Ethiopia, Fiji, Finland, France, Honduras, Hungary, Iceland, India, Indonesia, Iran, Iraq, Ireland, Italy, Japan, Lebanon, Lesotho, Luxembourg, Malaysia, Mali, Malta, Mauritania, Mexico, Mongolia, Netherlands, New Zealand, Norway, Pakistan, Panama, Peru, Philippines, Poland, Romania, Singapore, Spain, Sri Lanka, Sweden, Syrian Arab Republic, Thailand, Tunisia, Ukrainian Soviet Socialist Republic, Union of Soviet Socialist Republics, United Kingdom of Great Britain and Northern Ireland, United States of America, Uruguay, Venezuela, Yemen, Yugoslavia and Zaire: draft resolution

Admission of the German Democratic Republic and the Federal Republic of Germany to membership in the United Nations

The General Assembly,

Having received the recommendation of the Security Council of 22 June 1973 that the German Democratic Republic and the Federal Republic of Germany should be admitted to membership in the United Nations, 1/

Having considered separately the application for membership of the German Democratic Republic 2/ and the application for membership of the Federal Republic of Germany, 3/

---

* A/9100.

1/ A/9080.

2/ A/9069-S/10945.

3/ A/9070-S/10949.

73-18061 (2 p.)

3-2

/...

0065

A/L.698
English
Page 2

1. *Decides* to admit the German Democratic Republic to membership in the United Nations;

2. *Decides* to admit the Federal Republic of Germany to membership in the United Nations.

3-3

0066

관리 번호	91-727

원 본

외 무 부

종 별 :

번 호 : UNW-1821 일 시 : 91 0712 1930

수 신 : 장 관(국연)

발 신 : 주 유엔 대사

제 목 : 가입문제관련 안보리처리절차

1. 사무국 안보리담당관으로 부터 입수한 안보리에서의 통상적인 가입신청서 처리순서(시나리오)를 별첨 FAX 송부함.(첨부 1)

2. 상기 처리과정별 진행순서 관련 내부문서 (사무국에서 작성한 사회 시나리오)및 해당 안보리 문서를 아래송부함.

가. 안보리의 가입신청서 접수후 비공식협의(첨부 2)

나. 의제채택등을 위한 안보리 공식회의(첨부 3)

다. 가입 심사위원회(첨부 4)

라. 결의안 채택을 위한 안보리 공식회의(첨부 5)

마. 안보리 의장의 사무총장앞 결의안 송부 및 총회제출 요청(첨부 6)

바. 안보리 결의 채택후 사무총장의 신청국 정부수반앞 축전샘플(첨부 7)

첨부:상기문서:UNW(F)-327

끝

(대사 노창희-국장)

예고:91.12.31. 까지

국기국 장관 차관 1차보 청와대 안기부

PAGE 1

91.07.13 09:49

외신 2과 통제관 BS

0067

UNW(FR)-327 10712 H930 (첨부 1
(국연)
별첨
총27매

Scenario for application for membership in the UN

Step 1:

An application for admission to membership in the UN is addressed and submitted to the Secretary-General (see Annex I).

Step 2:

The Secretary-General brings the application to the attention of the Security Council in the form of a document (see also Annex I).

Step 3:

The President, at his own initiative or at that of a member of the Council, holds bilateral consultations with regard to the application, at the same time, sounding out the desired date for examining the application.

Step 4:

Having held bilateral consultations, the President will convene consultations of the whole in order to report the outcome of the bilateral consultations and open the floor to members for comments. In the absence of "violent" objection, the President will request the Secretariat to circulate the draft agenda and thereafter propose a date for the formal meeting to be held and outline the procedure to be followed. (see Annex II).

Step 5:

A formal meeting will take place in the morning of the agreed date. The Council will refer the application to the Committee on the Admission of New Members for examination and report (this meeting usually will last for not more then 5 minutes) (see Annex III).

27-1

0068

Step 6:

Immediately after the adjournment of the formal meeting of the Council, the members will proceed to a small conference room in the first basement in order to attend the Admission Committee's meeting. This Committee is, as a practice, convened, not by the President of the Council, but by his deputy. At the Committee meeting, the Secretariat will circulate a draft report containing a draft resolution recommending that the applicant be admitted to membership in the UN. Sometimes members will speak on the application, other times no one will speak (see Annex IV). The Chairman will then announce that the Council will hold a second formal meeting in the afternoon of the same day in order to take a decision on the Committee's recommendation.

Step 7:

In the afternoon the Council will meet again. By then the Secretariat will have published the Committee's report in blue and circulated it on the table in the Council chamber. At the meeting, the President will draw attention to the Committee's report and, in the absence of objection, put the draft resolution contained in the Committee's report to the vote (see Annex V).

Step 8:

If the draft resolution is adopted, the President will extend congratulat to the applicant and open the floor to those who wish to speak.

Step 9:

After the adjournment of the meeting, the President will sign a letter, prepared by the Secretariat, conveying the decision of the Council to the Secretary-General for transmission to the General Assembly (see Annex VI). The Secretary-General will send a telegram to the application extending his personal congratulations. (see Annex VII).

27-2

0063

Step 10:

The Secretariat will issue the letter from the President of the Security Council to the SG as a document of the General Assembly (see Annex VIII), and the recommendation of the Security Council as a resolution of the Council in the form of a document (see Annex IX).

27-3

0070

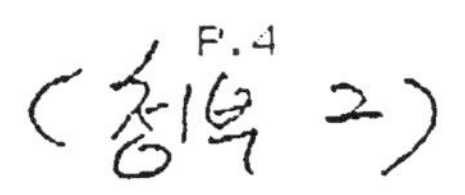

NOTE FOR THE PRESIDENT AT THE CONSULTATIONS OF THE COUNCIL IN CONNECTION WITH LIECHTENSTEIN'S APPLICATION FOR MEMBERSHIP IN THE UNITED NATIONS

THE PRESIDENT MAY WISH TO STATE THE FOLLOWING AT THE CONSULTATIONS OF THE COUNCIL ON 13 AUGUST 1990:

I wish to refer to Liechtenstein's application for admission to membership in the United Nations, which is contained in a letter dated 10 August 1990 from the Head of Government of the Principality of Liechtenstein addressed to the Secretary-General, and brought to the attention of the Security Council by the Secretary-General in document S/21486. Copies of that document are before members.

Article 4 of the Charter stipulates that membership in the United Nations is open to all peace-loving States which accept and, in the judgement of the Organization, are able and willing to carry out the obligations contained in the Charter. Under the Charter, admission to membership will be effected by a decision of the General Assembly upon the recommendation of the Security Council.

Rule 58 of the provisional rules of procedure of the Security Council provides that any State which desires to become a Member of the United Nations shall submit an application to the Secretary-General. This application shall contain a declaration made in a formal instrument that it accepts the obligations contained in the Charter. The letter dated 10 August 1990 (S/21486) from the Principality of Liechtenstein conforms to the afore-mentioned procedural requirements.

Rule 59 of the Council's provisional rules of procedure states that, unless the Security Council decides otherwise, the application shall be referred by the President to the Committee on the Admission of New Members which shall examine the application and report its conclusions thereon to the Council not less than 35 days in advance o a regular session of the General Assembly or, if a special session of the General Assembly is called, not less than 14 days in advance of such session.

In view of the fact that the forty-fifth regular session of the General Assembly is scheduled to convene on 18 September, the Council will have to act promptly in order to meet the 35-day deadline laid down in Rule 59.

I would propose the following scenario for your consideration:

At a brief formal meeting of the Council, which I would propose to convene at 3:30 p.m. this afternoon, the Council would, in accordance with the usual practice, have to decide to refer Liechtenstein's application to the Committee on the Admission of New Members for examination and report. The Committee would meet tomorro morning at 10.30 a.m. to work on its report. The Council would hold second meeting in the afternoon of the same day, say at 3.30 p.m. in order to take a decision on the Committee's report.

Following the adoption of the draft resolution, the floor would be opened for statements.

Any member wishes to make comments about the proposed procedure?

AFTER AGREEMENT HAS BEEN REACHED AS TO THE PROCEDURE TO BE FOLLOWED, THE PRESIDENT SHOULD SEEK THE APPROVAL BY THE MEMBERS OF THE DRAFT AGENDA FOR THE INITIAL MEETING OF THE COUNCIL.

27-5

(첨부 3)

13 August 1990

PROCEDURAL BRIEF FOR THE 2935TH MEETING OF THE SECURITY COUNCIL

1. Opening of the meeting

The President: The two thousand, nine hundred and thirty-fifth meeting of the Security Council is called to order.

2. Adoption of the agenda:

The President: The provisional agenda for this meeting is before the Council in document S/Agenda/2935. Unless I hear any objection, I shall consider the agenda adopted.

.....

The agenda is adopted.

3. Consideration of item 2 of the agenda

The President: The Security Council will now proceed to the consideration of item 2 of the agenda. In a letter dated 10 August 1990 addressed to the Secretary-General, the Head of Government of the Principality of Liechtenstein submitted the application of his country for membership in the United Nations. That letter has been circulated in document S/21486. Under the provisions of rule 59 of the provisional rules of procedure of the Security Council, unless the Council decides

/..

27-6

otherwise, applications for membership shall be referred by the President of the Council to the Committee on the Admission of New Members. Accordingly, unless I hear a proposal to the contrary, I shall refer the application of the Principality of Liechtenstein to the Committee on the Admission of New Members for examination and report. The last sentence of rule 59 provides that the Committee shall report its conclusions to the Council not less than thirty-five days in advance of a regular session of the General Assembly. Moreover, the fourth paragraph, of rule 60 stipulates that the Security Council should make its recommendation on the application not less than twenty-five days in advance of a regular session of the General Assembly following the receipt of the application in order to ensure its consideration at the session.

In view of the fact that the forty-fifth regular session of the General Assembly is scheduled to convene on 18 September, and bearing in mind the time limits, I propose

27-17

0074

that the Committee on the Admission of New Members meet tomorrow, 14 August, at 10.30 a.m., in Conference Room 8 in order to examine the application of the Principality of Liechtenstein and prepare the Committee's report to the Council.

I further propose that the Security Council meet again tomorrow at 3.30 p.m., to consider and take a decision on the report of the Committee.

As I hear no objection, it is so decided.

.....

The meeting is adjourned.

27-8

UNITED
NATIONS

Security Council

Distr.
GENERAL

S/Agenda/2935
13 August 1990

ORIGINAL: ENGLISH

PROVISIONAL AGENDA FOR THE 2935TH MEETING OF THE SECURITY COUNCIL

To be held in the Security Council Chamber at Headquarters,
on Monday, 13 August 1990, at 3.30 p.m.

1. Adoption of the agenda

2. Admission of new Members

Letter dated 10 August 1990 from the Head of Government of the Principality of Liechtenstein addressed to the Secretary-General (S/21486)

90-18894 1737e (E)

27-9

0076

(첨부 4)

COMMITTEE ON THE ADMISSION
OF NEW MEMBERS

14 August 1990

Procedural brief for the Chairman for the 73rd meeting

The Chairman

The 73rd meeting of the Committee on the Admission of New Members is called to order.

At the 2935th meeting of the Security Council, held on 13 August 1990, the President of the Security Council decided to refer to this Committee the application of the Principality of Liechtenstein for admission to membership in the United Nations, contained in the letter dated 10 August 1990 from the Head of Government of the Principality of Liechtenstein addressed to the Secretary-General, document S/21486, for examination and report to the Council today. I have accordingly, scheduled this meeting at the time proposed by the President of the Security Council, so that we may be able to consider the question expeditiously.

The draft agenda is before members of the Committee. If I hear no objection, I shall consider it adopted.

.....

The agenda is adopted.

Members of the Committee have also received copies of a draft report to the Council that the Secretariat has prepared along the usual lines. I should like to suggest that, in order to expedite our work, statements made in the course of the discussion on the application might also contain any comments members of the Committee may wish to offer with regard to the draft report.

/...

27-10

0077

The floor is now open for discussion of the application of the Principality of Liechtenstein.

I give the floor to the representative of ______________________.

.....

I thank the representative of ______________________ for his/her statement [and for his/her kind words addressed to me].

.....

If no other member of the Committee wishes to take the floor at this stage, I shall take it that the discussion is concluded.

.....

As I understand it from the developments at this meeting, no member of the Committee objects to the terms of the draft report that has been prepared. May I, therefore, take it that the Committee approves its report to the Security Council?

.....

As I hear no comment, I declare the report adopted.

Before adjourning, I wish to inform members that the Security Council will consider the report of the Committee this afternoon at 4.30 instead of 3.30 as announced yesterday.

There being no further business, the meeting is adjourned.

*****

27-11

0078

COMMITTEE ON THE ADMISSION
OF NEW MEMBERS

DRAFT AGENDA

73rd meeting: Tuesday, 14 August 1990
at 10.30 a.m.
Conference Room 8

1. Adoption of the agenda

2. Application of the Principality of Liechtenstein for admission to membership in the United Nations (S/21486)

-----

1. Adoption de l'ordre du jour

2. Demande d'admission de la Principauté du Liechtenstein à l'Organisation des Nations Unies (S/21486)

-----

1. Aprobación del orden del día

2. Solicitud de admisión como Estado Miembro de las Naciones Unidas presentada por el Principado de Liechtenstein (S/21486)

-----

1. Утверждение повестки дня.

2. Заявление Княжества Лихтенштейн о приёме в члены Организации Объединенных Наций (S/21486).

-----

1. 通过议程

2. 列支敦士登公国要求加入联合国的申请(S/21486)

-----

١ - إقرار جدول الاعمال

٢ - الطلب المقدم من إمارة ليختنشتاين لقبولها في عضوية الامم المتحدة (S/21486)

27-12

0073

PROVISIONAL

S/21506
14 August 1990
ORIGINAL: ENGLISH

REPORT OF THE COMMITTEE ON THE ADMISSION OF NEW MEMBERS
CONCERNING THE APPLICATION OF THE PRINCIPALITY OF LIECHTENSTEIN
FOR ADMISSION TO MEMBERSHIP IN THE UNITED NATIONS

1. At the 2935th meeting on 13 August 1990, the Security Council had before it the application of the Principality of Liechtenstein (S/21486) for admission to membership in the United Nations. In accordance with rule 59 of the provisional rules of procedure of the Security Council and in the absence of a proposal to the contrary, the President of the Council referred the application to the Committee on the Admission of New Members for examination and report.

2. At its 73rd meeting on 14 August 1990, the Committee considered the application of the Principality of Liechtenstein and unanimously decided to recommend to the Security Council that it should be admitted to membership in the United Nations.

3. Accordingly, the Committee recommends to the Security Council the adoption of the following draft resolution:

> *The Security Council,*
>
> *Having examined* the application of the Principality of Liechtenstein for admission to the United Nations (S/21486),
>
> *Recommends* to the General Assembly that the Principality of Liechtenstein be admitted to membership in the United Nations.

27-13

0080

UNITED
NATIONS

Security Council

PROVISIONAL

Distr.
RESTRICTED

S/C.2/SR.73
16 August 1990

ORIGINAL: ENGLISH

COMMITTEE ON THE ADMISSION OF NEW MEMBERS

PROVISIONAL SUMMARY RECORD OF THE 73rd MEETING (CLOSED)

Held at Headquarters, New York,
on Tuesday, 14 August 1990, at 10.30 a.m.

Chairman: Mr. MUNTEANU (Romania)

CONTENTS

This record is subject to correction.

Corrections should be submitted in one of the working languages. They should be set forth in a memorandum and also incorporated in a copy of the record. They should be sent within one week of the date of this document to the Chief, Official Records Editing Section, Department of Conference Services, room DC2-750, 2 United Nations Plaza.

Any corrections to the record of this meeting will be issued in a corrigendum.

90-55824 2562S (E)

/...

27-14

0081

The meeting was called to order at 11.05 a.m.

ADOPTION OF THE AGENDA

The agenda was adopted.

APPLICATION OF THE PRINCIPALITY OF LIECHTENSTEIN FOR ADMISSION TO MEMBERSHIP IN THE UNITED NATIONS (S/21486)

The CHAIRMAN said that, at the 2935th meeting of the Security Council, held on 13 August 1990, the President of the Security Council had decided to refer to the Committee the application of the Principality of Liechtenstein for admission to membership in the United Nations, contained in the letter dated 10 August 1990 from the Head of Government of the Principality of Liechtenstein addressed to the Secretary-General (S/21486), for examination and report to the Council the following day.

The Secretariat had prepared a draft report, which had been distributed to the Committee members. If he heard no objection, he would take it that the Committee wished to adopt its report to the Security Council.

It was so decided.

The meeting rose at 11.10 a.m.

27-15

0082

Norma

(첨부 5)

14 August 1990

PROCEDURAL BRIEF FOR THE 2936TH MEETING OF THE SECURITY COUNCIL

1. Opening of the meeting

The President: The two thousand, nine hundred and thirty-sixth meeting of the Security Council is called to order.

2. Adoption of the agenda

The President: The provisional agenda for this meeting is before the Council in document S/Agenda/2936. Unless I hear any objection, I shall consider the agenda adopted.

.....

The agenda is adopted.

27-16

0083

3. Consideration of item 2 of the agenda

The President: The Security Council will now begin its consideration of the report of the Committee on the Admission of New Members concerning the application of the Principality of Liechtenstein for admission to membership in the United Nations, which appears in document S/21506.

In paragraph 3 of the report, the Committee recommends to the Security Council the adoption of a draft resolution on the application for membership of the Principality of Liechtenstein. In accordance with the procedure followed on previous occasions, I propose that the Council first proceed to the vote on the draft resolution and that those who wish to take the floor do so thereafter. If I hear no objection, I shall take it that that procedure is acceptable to the members o: the Council.

.....

There being no objection, it is so decided.

27-17

0084

Voting procedure

The President: I shall now put to the vote the draft resolution contained in paragraph 3 of the report of the Committee on the Admission of New Members concerning the application of the Principality of Liechtenstein for admission to membership in the United Nations, document S/21506.

27-18

<u>The President</u>: Will those in favour of the draft resolution contained in document S/21506 please raise their hand.

.....

Those against?

.....

Abstentions?

.....

2-19

0086

The President: The result of the voting is as follows:

_____ votes in favour,

_____ votes against,

_____ abstentions.

[_____ member(s) did not participate in the voting.]

The draft resolution has been adopted [unanimously] as resolution 663 (1990).

or

The draft resolution has not been adopted, owing to the negative vote of a permanent member of the Council.

27-26

0087

The President: I wish to extend warm congratulations to the Government of the Principality of Liechtenstein for having received the [unanimous] support of the Council for its application for membership in the Organization. I shall immediately convey this decision to the Secretary-General for transmission to the General Assembly in accordance with the provisions of rule 60 of the provisional rules of procedure.

I shall now open the floor to those representatives who wish to speak.

27-21

0088

The President: I give the floor to the representative of ________________________________.

.....

I thank the representative of__________ ________________________for his statement [and for his kind words addressed to me].

2:7-22

0089

The President: I shall now make a statement in my capacity as the representative of Romania.

.....

I resume my function as President of the Council.

27-23

0090

Closure of the meeting

The President: There being no further speakers inscribed on my list, I take it that the Council has concluded its consideration of the matter before it.

.....

The meeting is adjourned.

27-24

0091

UNITED
NATIONS

S

Security Council

Distr.
GENERAL

S/Agenda/2936
14 August 1990

ORIGINAL: ENGLISH

PROVISIONAL AGENDA FOR THE 2936TH MEETING OF THE SECURITY COUNCIL

To be held in the Security Council Chamber at Headquarters,
on Tuesday, 14 August 1990, at 4.30 p.m.

1. Adoption of the agenda

2. Admission of new Members

   Report of the Committee on the Admission of New Members concerning the application of the Principality of Liechtenstein for admission to membership in the United Nations (S/21506)

90-19113 1868d (E)

27-25

(첨부 6)

UNITED NATIONS

General Assembly

Distr.
GENERAL

A/45/419
15 August 1990

ORIGINAL: ENGLISH

Forty-fifth session
Item 19 of the provisional agenda*

ADMISSION OF NEW MEMBERS TO THE UNITED NATIONS

Letter dated 14 August 1990 from the President of the Security Council to the Secretary-General

I have the honour to request you to transmit to the General Assembly at its forty-fifth session the following resolution (resolution 663 (1990)) on the admission of the Principality of Liechtenstein to membership in the United Nations, adopted unanimously by the Security Council at its 2936th meeting, on 14 August 1990:

"*The Security Council*,

"*Having examined* the application of the Principality of Liechtenstein for admission to the United Nations, 1/

"*Recommends* to the General Assembly that the Principality of Liechtenstein be admitted to membership in the United Nations."

In accordance with rule 60, paragraph 2, of the provisional rules of procedure of the Security Council, I also request you to transmit to the General Assembly, for its information, the verbatim records of the 2935th and 2936th meetings of the Council, at which the application of the Principality of Liechtenstein was discussed.

(*Signed*) Aurel-Dragoş MUNTEANU
President of the Security Council

-----

* A/45/150 and Corr.1.

1/ A/45/408-S/21486.

90-19294 1747e (E)

27-26

0093

(총북7)

HIS EXCELLENCY

MR. HANS BRUNHART

HEAD OF GOVERNMENT OF THE PRINCIPALITY OF LIECHTENSTEIN

VADUZ (LIECHTENSTEIN)

ETATPRIORITE

I HAVE THE HONOUR TO INFORM YOU THAT AT ITS 2936TH MEETING TODAY, 14 AUGUST 1990, THE SECURITY COUNCIL ADOPTED UNANIMOUSLY RESOLUTION 663 (1990), RECOMMENDING TO THE GENERAL ASSEMBLY THE ADMISSION OF THE PRINCIPALITY OF LIECHTENSTEIN TO MEMBERSHIP IN THE UNITED NATIONS. I SHOULD LIKE ON THIS OCCASION TO EXTEND MY PERSONAL CONGRATULATIONS TO YOUR GOVERNMENT, IN ADDITION TO THE STATEMENTS MADE IN THE SECURITY COUNCIL SUPPORTING THE APPLICATION OF YOUR COUNTRY.

HIGHEST CONSIDERATION.

JAVIER PEREZ DE CUELLAR

SECRETARY-GENERAL

2/7-2/7

0094

가입신청서 안보리 처리절차

91. 7. 15
국제연합과

1. 사무총장, 가입신청서 접수

2. 사무총장, 가입신청서 안보리에 회부 (문서형태)

3. 안보리의장, 가입신청서 접수관련 각안보리 회원국과 쌍무협의 및 안보리회의 개최일자 타진 (의장 발의 또는 회원국에 의한 발의)

4. 쌍무 협의 완료후, 의장은 안보리 전회원국이 참석하는 협의 개시
   - o 쌍무협의 결과보고 및 회원국의 의견 수렴
   - o 회원국으로부터 격렬한(violent) 반대가 없는 경우, 의장은 사무국에 가의제 회람 요청
   - o 의장은 공식 회의일자 및 협의일정 제시

5. 안보리 공식회의 개최 (통상 5분이내 처리)
   - o 통상 합의된 날짜의 오전에 개최
   - o 안보리는 가입신청서를 안보리 가입심사위에 회부

6. 가입심사위 개최 (상기 안보리회의 종료직후) : closed session
   - o 관례상 안보리 부의장에 의해 진행
   - o 사무국은 가입권고안 포함 보고서안 작성, 가입심사위에 제출
   - o ~~회원~~위원국의 발언가능
   - o 위원장은 가입심사위의 추천에 관한 결정을 내리기 위해 동일 오후 제2차 공식회의 개최 제의

0095

7. 안보리 공식회의 속개 (동일 오후)

ㅇ 사무국은 가입심사 위원회의 보고서를 배포

ㅇ 의장은 가입심사위의 보고서에 주의를 환기하고, 반대가 없을 경우, 보고서에 포함되어 있는 가입권고 결의안에 대한 표결 실시

8. 가입권고 결의안이 채택된 경우, 의장은 신청국에 축의를 표명하고, 발언희망국에 발언기회 제공

9. 공식회의 종료후, 의장은 사무국에 의해 준비된 서한에 서명

ㅇ 동 서한에서 의장은 안보리의 결정사항을 사무총장에게 통보하고 총회에 회부하여줄 것을 요청

ㅇ 사무총장은 가입신청국에 축의 표명 전문발송

10. 사무국은 상기 안보리의 의장 명의 서한을 총회문서로 발간 및 안보리 가입권고 결의를 문서로 발간

0096

2. 남북한 유엔가입 추진연혁 : 1949-75

0097

아국의 대 UN외교

- 한국 외교 40년(1948-88)사 중 -

외 무 부

0098

I. 정부수립과 한국전쟁 당시의 대 유엔 외교

1. 정부 승인과 통일을 위한 대 유엔 외교

o 대한민국 정부는 UN총회 결의 제 112(Ⅱ)B호에 입각하여 한국임시 위원회 감시하에 실시된 총선결과, 1948년 8월 15일 정식으로 수립됨.

o 신생 대한민국 정부의 당면 최우선 외교과제는 UN및 모든 회원국으로부터 정부승인을 얻고 UN 정회원국으로 가입, 국제사회에서 정통성과 유일 합법성을 인정 받는것이었음.

o 1948년말 정부는 파리 개최 제 3차 UN총회에 최초로 정부 대표단을 파견 (수석대표 : 장면박사)하였고, 제 3차 UN총회는 한국관련 결의 제195(Ⅲ)호를 압도적 다수로 채택.

1) UN 한국 감시 위원단의 보고를 승인

2) 대한민국 정부는 한국민의 정당한 선거를 토대로 수립한 유일한 합법정부임

3) UN 한국위원회 (United Nations Commission on Korea = UNCOK) 구성, UN한국 감시위원단의 활동 계승등

o 1949년 제 4차 UN총회는 한국관련 결의 제 293 (IV)호를 채택 (정치 위원회의 초청으로 조병옥박사 참가)

1) UN 한국위원단의 존속 및 강화

2) UN 한국위원단은 한국에서의 군사적 충돌 가능성 및 한국의 분단으로 야기되는 경제.사회적 장애를 제거하고 대의제정부의 계속 발전을 위한 관찰과 협의 임무 수행

o 1948년 9월 9일 북한은 "조선 민주주의 인민공화국"을 선포, UN의 권능을 부인하고 UN 한국위원단의 제사업추진을 방해하였음.

2. 한국 전쟁 당시의 집단 안보외교

o 1950.6.25. 북한의 남침공격에 대해 미국정부는 이 사태를 UN 헌장상 평화의 파괴 및 침략행위로 간주 UN 안전보장이사회를 긴급소집, 안보리는 "적대행위의 즉각중지와 북한군의 38선 이북으로의 즉시 철수"를 요구하는 결의안(S/1501)을 채택

o 6.29. 안보리는 "유엔 회원국들이 대한민국에 대한 무력 침공을 격퇴하고 이지역의 국제평화와 안전을 회복하는데 필요한 원조를 제공할것"을 권고하는 결의안 (S/1511)을 채택

o 또한 7.7. 안보리는 결의 (S/1588)로써 (1) 회원국들이 제공하는 병력및 기타의 지원을 미국이 주도하는 통합 사령관(유엔군 사령부)하에 두도록 권고, (2) 미국이 통합 사령관을 임명할것을 요청하고, (3) 통합 사령부에 참전 각국의 국기와 함께 UN기 사용권한을 부여함.

o 7.27 소련이 그동안 보이코트해 오던 안보이사회에 복귀, 8.1부터 윤번제 안보리 의장직을 맡게 되었고, 이때부터 소련의 거부권 행사로 안보리는 한국사태와 관련된 어떠한 조치도 취할수 없게 됨.

  -이에 대해 11.3. 유엔 총회는 미국이 제출한 '평화를 위한 단결결의 (Uniting for Peace Resolution)'를 채택 (총회결의 377(V)호), 안보리가 국제평화와 안전 유지의 헌장상 1차적 책임을 다하지 못할 경우, UN총회에서 필요한 조치를 결의할 수 있도록 함.

o 10.7 UN총회는 한국에 통일.독립된 민주정부수립과 한국내 구호와 재건의 책임을 수행하기 위해 7개국으로 구성된 UN 한국 통일 부흥 위원회 (United Nations Commission for the Unification and Rehabilitation = = UNCURK) 설치를 결의 (총회결의 376(V)호)

  - 또한 12.1. 총회 결의 제410(V)호로 한국 부흥계획을 추진하기위해 UN 한국재건단(United Nations Korean Reconstruction Agency = UNKRA)을 설치

o 1950.11.6 한국전에 개입한 중공군들의 UN군에 대한 적대행위 중지와 한국에서의 철수를 촉구하는 총회결의(제 498(V)호)를 채택

o 1951.11.6. 한국정부, 임 병직씨를 대사자격으로 초대 주 UN 상임 옵서버로 임명, 뉴욕에 대한민국 주 UN 옵서버대표부 설치.

o 1953.7.27. 판문점에서 휴전 협정 조인후, UN총회는 8.28 채택한 결의 제 712(VII)호를 통하여 1) 한국과참전국의 영웅적 병사들에게 경의를, 전사한 병사들에게 조의를 표하는 동시에 2) UN 요청에 따라 무력침공을 격퇴하기 위하여 처음으로 취한 집단적 조치가 성공한데 대해 만족을 표명함

II. UN총회 한국문제 토의와 대 UN 외교

1. 한국문제 년례 상정

o 휴전협정 제60조와 1953.8.28. UN총회 결의 제 711(VII)호에 입각, 한국문제의 평화적 해결을 위해 1954.4.26 부터 개최된 제네바 정치회담이 결렬되자 한국문제는 다시 UN총회로 되돌아감.

o 제 9차 UN총회는 1954.12.11. 채택한 결의 제 811(IX)호를 통하여 한국에서 UN의 목적이 1) 평화적방법에 의하여 대의제 정부형태로 통일. 독립된 민주한국을 수립하고, 2) 이 지역에 국제평화와 안전을 완전히 회복하는데 있음을 재확인

o 이후 UN총회에서는 매년 제출되는 UNCURK 연차보고가 자동적으로 차기총회 의제에 포함됨으로써 한국문제를 매년 토의하게 되었고,대한민국 대표를 단독초청하여 동 토의에 참석시킨 가운데 UN 감시하 인구비례에 의한 남.북 총선거를 골자로 하는 `통한 결의안'을 가결 시킴.

o 그러나 1960년 4.19 학생의거, 61년의 군사혁명으로 정권교체가 거듭되고, '아프리카의해'로 불리웠던 1960년부터 아프리카의 신생 독립국이 대거 UN에 가입함으로써 미국중심의 UN내 기존세력판도가 아.아제국과 비동맹 운동의 영향으로 다분히 반 서방적 성향을 띠게 되자 한국 문제의 토의도 훨씬 복잡한 양상을 띠게됨.

o 이러한 상황변화는 `통한 원칙'을 재확인하는 본질문제토의보다는 남.북한 대표를 한국문제토의에 참석시킬 것인가에 대한 절차 문제토의를 민감하게 만들었고, 1961.4.12. 총회는 북한이 한국문제를 다루는 UN의 권위와 권능을 수락할것을 조건으로 남.북한대표를 공히 초청하자는 미국 스티븐슨 대사의 수정 결의안(A/C. 1/837)을 채택하게됨.

o 1961년 이후 UN총회에 연례적으로 상정된 한국문제 토의 양상은 이와 대동소이 하였음.

- 본질 문제에 있어서는 UN의 `통한 원칙'을 재확인하고 UNCURK 활동을 존속시키는 서방측 결의안을 압도적 다수로 채택
- 북한지지국가들은 매년 남. 북한 무조건 동시 초청안과 주한 미군철수및 UNCURK 해체를 요구하는 결의안을 제출 하였으나 매번 부결됨.

2. 한국문제 년례 상정 지양 노력

o 1968부터 UN내 세력분포가 점차 변화하면서 득표노력에 상당한 외교력이 소모될뿐 아니라 판에 박은 한국문제의 연례 토의가 한국문제 해결에 도움을 주지 못하고 비생산적인 토의에 그치자 한국문제의 자동적인 연례토의를 지양하는 방안을 강구하게 됨

o 1968.12.20. 제23차 UN총회는 UNCURK로 하여금 그 보고서를 반드시 총회에 제출하지 않고 필요에 따라 사무총장에게 제출할수 있게함으로써 한국문제의 연례자동 상정을 피하도록 하자는 `재량 상정 방식'을 내용으로하는 결의안을 압도적지지로 채택(총회 결의 제 2466호)

o 그러나 UNCURK 보고서의 연례상정이 없더라도 친북세력들이 UNCURK 해체안이나 외군 철수안을 총회에 제출할 경우, 우리측도 대응안건을 총회에 제출하지 않을 수 없기 때문에 결국 한국 문제를 둘러싼 비생산적 토의의 한계를 극복할수 없게됨

- 1969년 제 24차 UN총회및 1970년 제 25차 총회에서 친북한 국가들이 북한 입장을 지지하는 결의안을 들고나옴으로써 종전과 같이 한국문제 토의와 표대결이 계속됨.

o 1971년 중화인민공화국이 UN대표권을 확보하게 되고 UN내 비동맹회원국의 비율이 40%선을 넘게되자, UN에서의 우세한 표세를 전제로 했던 우리의 대 UN 외교의 재조정이 필요하게 됨

o 1971.9.25. 제 26차 UN총회는 우리측이 제출한 한국문제 토의안건 일괄 연기안을 압도적 다수로 가결

o 1972년 남. 북한 `7.4 공동성명'이 발표되자 제 27차 UN총회에서도 한국 문제토의 연기안이 압도적다수로 통과됨.

3. 한국문제를 둘러싼 남북한 외교대결

o 1973년 제 28차 유엔총회에 앞서 우리정부가 발표한 '6.23 평화통일 외교 정책' 선언은 대 유엔 정책에 일대 전환을 가져옴. 특히 동 선언 제7항에서 "북한의 국제기구 참여와 통일시까지의 잠정조치로서 남.북한의 UN 동시 가입에 반대치 않겠다"고 밝힘으로써 많은 UN회원국들의 지지를 받음.

o 이무렵 북한은 1973년 5월 세계보건기구(WHO)에 가입한 것을 계기로 동년 7월 뉴욕에 주 UN 옵서버대표부를 설치, 제28차 총회시 북한이 처음으로 한국문제 토의에 옵서버로 초청됨.

o 제 28차 UN총회에 앞서 알제리에서 열린 제4차 비동맹 정상회의에서 북한의 열렬한 지지세력이었던 알제리.쿠바등 급진 좌경국가들이 한국 문제에 대해 북한 입장을 일방적으로 반영한 조항을 채택, 제28차 UN총회에서 남북한 대결은 더욱 치열한 양상을 띠게되었으나, `키신저' 미 국무장관의 북경 방문등으로 미. 중공간의 화해 분위기가 급진전되어 UN에서도 동.서 냉전적 표대결을 피하려는 경향이 대두.

o 그리하여 남.북한 양측 지지세력간 교섭을 통하여 표대결을 피하는 극적인 타협을 이루어 1) 남북대화를 통한 평화 통일의 촉구 2) UNCURK 해체를 내용으로하는 합의 성명을 채택하고, 이에따라 UNCURK는 1973.11.29. 성명서를 발표하고 23년간에 걸친 한국에서의 활동을 종결함.

o 1974년 제29차 총회에서도 한국문제를 둘러싼 표대결은 계속되어 우리측이 상정한 한반도 평화통일촉진을 위한 남북대화 재개 촉구내용의 결의안은 채택되었으나, 북한이 친북한 세력의 도움을 받아 상정을 시도하였던 외군철수와 UN군사령부의 해체를 요구하는 결의안은 정치위원회에서 부결되었음.

o 1975년 8월 페루에서 개최된 비동맹국외상회의에서는 월맹과 북한이 비동맹 회원국으로 가입이 결정됨으로써, 비동맹 내에서의 급진 좌경세력의 영향력이 최고조에 달하였고 이를 배경으로 개최된 75년 9월 제30차 UN총회에서 남.북한 지지세력간 일대 외교대결이 전개되었음.

o 1975.9.22. 제30차 UN총회에서 우리측은 남북대화의 계속 촉구,휴전협정 대안및 항구적 평화 보장마련을 위한 협상 개시 내용의 결의안을 제출하였고, 북한측도 UN군사령부의 무조건해체, 주한 외군의 철수, 휴전협정의 평화협정으로 대체등을 요구하는 결의안을 상정함.

-상기 양 결의안이 표결에 부쳐진 결과 우리측 결의안(제3390 A호)과 북한측 결의안 (제3990 B호)이 동시에 통과됨으로써 UN이 한국문제에 관한 그 해결기능이 한계에 도달하였음을 보여주었음.

4. 한국문제 불토의

o 상기 제30차 총회 이후 정부는 핵심우방들과의 협의를 거쳐, 남북한간의 UN에서 불필요한 경쟁이나 대결을 피하고 한국 문제를 '7.4 공동성명'에 입각, 남북대화를 통하여 해결한다는 기본 정책아래 제31차 총회부터 UN에서의 한국문제 불토의를 적극 추진하기로 함.

o 그러나, 북한 및 친북한 세력들은 1976년 8월 남한으로부터의 핵무기 철수, UN군 사령부의 해체등 내용의 공동결의안을 제31차 총회에 선제출함으로써, 우리측도 남북대화를 통한 남.북한 문제해결, 휴전협정 마련을 전제로한 UN군 사령부의 해체등을 내용으로 하는 공동결의안을 동 총회에 제출.

o 그러나, 북한측이 총회 개막직전 제출안건 철회를 요구하고, 우리측도 불토의 방침에 따라 우리측 결의안을 철회함에 따라 결과적으로 제31차 총회에서 한국문제가 토의되지 않음.

o 그후 1977년의 제32차 UN총회이래 북한측은 UN총회에 한국문제에 관한 결의안 제출을 하지 않음으로써 우리정부의 한국문제 불상정, 불토의 방침이 그대로 관철됨.

Ⅲ. 유엔 총회 한국문제 불상정 이후의 대 유엔 외교

1. 개요

o 1975년 제30차 총회를 마지막으로 UN을 무대로 한 남.북한간의 대결적 외교경쟁은 진정되었고, 특히 1988년 노태우 대통령의 '7.7.특별선언'으로 천명된 우리나라의 대북한 대결 지양 외교정책은 국내외에서 크게환영을 받았으며, 우리나라의 북방외교 추진에도 긍정적 요인으로 작용하였음.

o UN총회에서 한국 문제가 토의되지 않는 상황에서 우리나라의 대 UN 외교는 자연히 1) 매년 유엔총회에서 외무장관의 기조 연설을 통해 남북대화와 긴장완화를 촉구하는 국제여론 조성및 2) 한국의 UN 가입에 유리한 국제 여건과 분위기 조성을 목적으로한 적극적인 UN총회 참가 활동으로 집약됨.

2. 한국관계 돌발사태에 대한 안보리 등에서의 토의

가. 소련 전투기의 KAL기 격추사건의 안보이사회 토의 (1983년)

o 1983.9.1. 대한항공 007기가 소련전투기에 의해 격추되자, 우리정부는 9.2. 미국.일본.캐나다와 함께 UN안보리의 긴급소집을 요청하였고, 9.3 부터 12일간 6차의 회의가 개최됨.

o 동 안보리회의에서 김경원 주 UN대사는 다섯번에 걸친 연설을 통해 소련의 만행을 규탄하고, 우리 정부의 소련에 대한 5개 요구사항을 제시했으며, 동회의에서 발언한 총 46개국중 42개국이 소련 규탄등 우리 입장을 지지하는 내용의 발언을 하였음.

- 우리측은 호주등 17개 우방국 공동명의로 민간항공기에 대한 무력 사용규탄및 ICAO의 사건진상조사 및 보고 촉구내용의 결의안을 제출하였으나 소련의 거부권행사로 채택되지 못함.

o 이사건의 안보리 상정으로 우리나라는 UN이라는 국제무대를 통하여 소련의 만행을 규탄하는 국제여론을 불러 일으키는데 성공

나. 랑군 암살 폭발사건의 총회 제 6위원회 토의(1983년)

o 1983. 10.9. 랑군 암살 폭발사건이 발생, 버마정부의 자체 수사를 통해 동 사건이 북한의 소행이었음이 공식으로 밝혀지자, 우리정부는 UN총회 제6위원회(법률 위원회) '국제테러 방지'의제 토의시 동사건을 제기.

o 정부는 이와관련 북한의 랑군 범죄를 규탄하는 내용의 문서를 UN 사무총장에게 제출, 의제토의시 랑군 테러 만행을 규탄하는 발언을 해 주도록 외교교섭 전개

o 이에 따라 83.12.6및 7 양일간 제 6위원회에서 우리나라를 포함한 45개국 대표가 북한의 랑군 만행을 규탄하고 북한의 테러행위에 대한 국제 여론의 공동응징 촉구

다. KAL 858기 폭파사건의 안보리 토의 (1988년)

o 1987.11.29. 대한항공 858기가 버마근해에서 실종, 수사결과 북한 공작원들이 장치한 시한 폭탄이 폭발. 추락한것으로 판명되자, 우리정부는 1988.2.10. 일본과 함께 안보리 소집 요구

o 2.16 및 2.17 양일간 개최된 안보리회의에서 15개국 이사국과 한국, 바레인, 북한이 참석한 가운데 결의안 제출없이 토의만 진행, 아국 대표인 최광수 외무장관은 북한의 테러 만행을 규탄하고 국제 테러 재발방지를 위한 국제사회의 공동노력을 촉구

o 동 회의에서 친북이사국인 소련,중국까지도 북한의 허위주장을 적극옹호 하지 않음으로써 북한의 테러행위가 국제적 규탄의 대상이 되었고, 이어 주요우방국의 개별적 대북한 응징조치가 취해짐.

3. UN활동 적극 참여를 통한 대 유엔 외교

가. 노신영 국무총리의 UN 창설 40주년 기념총회 참석(1985년)

o 1985년 UN 창설 40주년 기념총회에 초청된 노신영 국무총리는 10.21일 본회의 연설에서 UN과 한국과의 특수한 관계를 부각시키고 남북대화를 위한 한국의 진지한 노력을 강조함과 동시에 포괄적인 평화통일정책을 재천명함으로써, 한국의 UN가입을 위한 국제 여론 조성에 기여 하였음

o 북한에서는 동 총회에 부주석 박 성철이 대표로 참석 10.18일 연설 하였음.

나. 최광수 외무장관의 제3차 UN군축 특별총회 연설 (1988년)

o 1988.5.31-6.25간 유엔에서 개최된 제3차 UN군축 특별총회에 참가한 최광수 외무장관은 6.10일 연설을 통하여 한반도 군축을 위한 3단계 접근 방안을 제시하고, UN의 노력에 대한 지지를 표명하였음.

o 이를 계기로 우리나라는 제네바 UN군축회의에 1988년 제2차회기부터 옵서버로 참여하기시작, 1989.1월에는 최호중 외무장관이 파리에서 개최된 화학무기금지 국제회의에 참석하는등 국제 군축협상에 대한 참여를 본격화 하였음.

다. 총회 각 위원회 토의에 적극참여

o 1976년 한국문제가 UN총회 의제로 상정되지 않은이래 우리나라는 UN 가입의 여건을 능동적으로 조성한다는 목표아래 총회산하 7개 위원회 토의에 적극 참여하고 기여함으로써 사실상 UN 회원국이나 다름 없는 UN에서의 위상 확보를 추진하게 됨.

4. 노태우 대통령의 UN 총회 연설

o 정부는 1988년 정부수립 40주년을 맞아 UN총회에서 우리대표의 연설을 추진키로하고, 우리의 요청으로 1988.8.19. 일본,미국등 7개 우방국 공동 명의로 "한국정부 수립 40주년"이라는 보충의제가 제출됨.

o 이에대해 북한은 친북한국가들을 동원 9.16. "한반도 상황과 제30차 총회 채택 관련 결의의 이행" 이라는 추가 의제를 제출, 남북한 대결 초래가능성이 농후하자 미국. 일본등 우리 우방국과 소련, 중국등 북한 동조국간 막후 교섭을 통한 타협으로 "한반도에서의 평화.화해.대화의 촉진' 이라는 단일 의제로 상정

o 88.9.23. 제 43차 UN총회가 동 타협의제를 채택, 10.18일 노태우 대통령은 우리나라 국가원수로는 처음으로 UN총회 본회의에서 "한반도에 화해와 통일을 여는 길" 이라는 제목으로 연설

- 노대통령은 동 연설에서 동북아 평화협의회의 개최및 남.북한 정상회담 조기개최등을 제의.

Ⅳ. UN가입을 위한 외교 노력

o 정부는 1948년 제 3차 UN총회가 대한민국 정부를 유일한 합법정부로 승인하는 결의를 채택한 직후인 1949.1.19. 당시 고창일 외무장관 서리 명의로 유엔가입 신청서를 UN 사무총장에게 제출

- 1949.2월 한국의 UN가입권고 결의안이 안보리 표결에 부쳐진 결과 압도적지지를 받았으나, 소련의 거부권 행사로 부결됨.

o 한편 북한도 1949.2월 UN가입을 신청, 안보리에서 토의되었으나, 동 신청을 신회원국 가입심사 위원회에 회부하자는 소련의 결의안이 부결됨으로써 가입위원회에조차 회부되지 못함.

o 1949.11.22. 제4차 UN총회는 특별정치위원회의 보고를 기초로 안보리에 한국가입 신청의 재심을 요구하는 결의를 채택하였으나, 소련의 계속적인 반대로 진전을 보지 못함.

o 1955.12월 안보리에서 18개국 일괄가입안이 논의되었을때 미국과 중화민국이 한국과 월남의 가입도 권고하자는 수정안을 제출하여 절대다수의 지지를 획득하였으나, 역시 소련의 거부권행사로 다시 부결됨.

o 1956년 제 11차 UN총회에서 미국을 위시한 13개국의 공동제안으로 한국의 가입신청에 재심을 안보리에 요청하는 결의안이 채택되어 (총회결의

제1017(XI)호), 9.9일 안보리 표결에 부쳐진 결과 절대다수의 찬성표를 얻었으나, 소련의 계속적인 거부권 행사로 거듭 부결됨.

o 1956년 10월 미국등 13개국은 한국의 UN가입자격을 재확인하는 공동 결의안을 제출, 1957.10.25. 제 12차 총회 본회의에서 동 결의안을 채택함. (총회결의 제 1144(XII)호)

o 1958년 제13차 UN총회 기간중 미국은 상기 총회 결의에 입각,안보리에서 한국가입 문제를 다시 제기하여 표결에 부친 결과 역시 소련의 거부권 때문에 부결됨.

o 이처럼 우리의 UN가입 신청이 소련의 계속적인 거부권 행사로 좌절되어 정부는 한동안 UN가입 노력을 중단하였으나, 1973년 박정희 대통령의 '6.23 평화통일 외교정책 선언'속에서 북한의 UN가입에 반대하지 않을 것이라고 천명함으로써 우리 정부의 UN가입 정책에 중대 전환을 이룸

- 그러나 북한 김일성은 남.북한의 UN동시 가입은 한반도의 분단을 영구화 한다고 주장하면서 '고려연방공화국'이라는 단일국호하의 UN가입을 제안, 대한민국의 UN가입 정책에 정면으로 반대.

o 1975년 제30차 UN총회에 앞서 정부는 남.북 월남의 UN가입 신청 기회에 우리나라의 UN가입 신청을 재심해 줄것을 요청하였으나, 안보리 의제 채택 과정에서 절대다수표를 얻지 못하여 부결됨.

o 1980년대 들어와서도 정부는 한국의 UN 가입에 유리한 국제적 여건을 조성 한다는 방침하에 한국 UN가입 당위성을 UN회원국에게 설득하는 외교적 노력을 강화하는 동시에 국력신장을 배경으로 UN의 각종활동에 적극 참여해 왔음.

- 1985.10.21. 노신영 국무총리는 UN 총회연설에서 가입문제에 관한 한국 입장을 재차 밝힌바 있으며, 1987.8.18자 UN 안보리 문서 (S/19054)로 UN가입 당위성에 관한 우리의 기본입장을 배포함.

- 1988년 제 6공화국 출범이후 북방외교의 활발한 추진 결과, 소련,중국등 사회주의권 국가들도 대거 참가한 서울 올림픽의 성공등으로 주변정세가 우리나라의 유엔가입에 유리한 방향으로 변화 끝.

공 란

공　　　란

공　　　란

공

공　　란

공 란

공 란

공 란

공　　　　란

18293 기 안 용 지

분류기호 문서번호	국연 2031 -	(전화:)	시 행 상 특별취급	
보존기간	영구·준영구. 10. 5. 3. 1	장	관	
수 신 처 보존기간				
시행일자	1991.5.24.			

보조기관			협조기관		문서통제
	국 장	전 결			1991. 5. 24
	과 장				
기안책임자		송영완			발송인

경 유 수 신 참 조	주파키스탄대사	발신명의		1991. 5. 24
제 목	북한의 유엔가입 신청			

대 : PAW-0569

연 : WPA-0372

대호, 북한의 유엔가입신청 관련 문건을 별첨 송부 합니다.

첨 부 : 상기 문서 각 1부. 끝.

0119

북한의 유엔가입 신청 및 처리결과

1. 북한에 의한 독자적 신청

가입신청			처리결과	
일자	형식	내용	일자	내용
49.2.9	박헌영 외교부장 명의 사무총장 앞 전문	북한 가입 신청	49.2.16	소련, 신회원국 가입 위원회에 회부하자는 결의안 제출 (안보리) - 부결 (2:8:1)
52.1.2	박헌영 외교부장 명의 사무총장 앞 전문	북한가입 신청		(처리 안됨)

2. 북한 우방국에 의한 결의안 제출

결의안제출			처리결과	
일자	제출국가	내용	일자	내용
57.1.24	소련	남북한, 남북 베트남등 4개국 동시가입 검토를 안보리에 촉구하는 결의안 (특정위)	57.1.30	특정위, 부결 (1:35:35)
57.9.9.	소련	57.9.6자 미국등 8개국의 한국 유엔가입 권고 공동 결의안에 북한가입 권고도 포함하는 수정안 (안보리)	57.9.9	안보리, 부결 (1:9:1)
58.12.9	소련	58.12.9자 미국등 4개국의 한국 유엔가입 권고 공동결의안에 북한 가입 권고도 포함하는 수정안 (안보리)	58.12.9	안보리, 부결 (1:8:2)

0120

United Nations

SECURITY
COUNCIL

UNRESTRICTED

S/1247
10 February 1949

ORIGINAL ; ENGLISH

TELEGRAM DATED 9 FEBRUARY 1949 FROM THE MINISTER OF FOREIGN AFFAIRS OF THE DEMOCRATIC PEOPLE'S REPUBLIC OF KOREA TO THE SECRETARY-GENERAL

Note by the Secretary-General

In view of the General Assembly Resolution of 12 December 1948, paragraph 2, the Secretary-General is circulating the following communication for the convenience of the members of the Security Council which may desire to be informed of it and not in the application of rule 6 of the provisional rules of procedure of the Security Council.

Pyengyang, February 9, 1949

Sir,

The Government of the Democratic People's Republic of Korea representing the will of the Korean people is willing to co-operate with other peace loving states in the work of maintaining peace and international security. The Korean Republic fully upholds the principles and purposes of the United Nations organization and is ready to accept the obligation to co-operate with all the countries, members of the United Nations, in effecting these principles and purposes in accordance with the Charter of the United Nations. The Government of the Democratic People's Republic of Korea is hereby requesting to admit the Republic to membership in the United Nations.

Please accept, Sir, the assurances of my highest consideration.

(signed) Pak Heun Yung
Minister of Foreign Affairs
The Democratic People's
Republic of Korea

UNITED NATIONS

SECURITY

COUNCIL

GENERAL

S/2468
5 January 1952
ENGLISH

ORIGINAL: RUSSIAN

TELEGRAM DATED 2 JANUARY 1952 FROM THE MINISTER OF FOREIGN AFFAIRS OF THE PEOPLE'S DEMOCRATIC REPUBLIC OF KOREA

ON THE INSTRUCTIONS OF THE GOVERNMENT OF THE PEOPLE'S DEMOCRATIC REPUBLIC OF KOREA I HAVE THE HONOUR TO TRANSMIT TO YOU THE FOLLOWING COMMUNICATION. IN FEBRUARY 1949 THE GOVERNMENT OF THE PEOPLE'S DEMOCRATIC REPUBLIC OF KOREA SENT YOU AN APPLICATION FOR ADMISSION OF THE PEOPLE'S DEMOCRATIC REPUBLIC OF KOREA TO MEMBERSHIP IN THE UNITED NATIONS. AS STATED IN OUR APPLICATION, THE PEOPLE'S DEMOCRATIC REPUBLIC OF KOREA FULLY SUPPORTS THE PURPOSES AND PRINCIPLES OF THE UNITED NATIONS AND IS PREPARED TO CO-OPERATE WITH ALL MEMBER STATES OF THE ORGANIZATION FOR THE REALIZATION OF THOSE PRINCIPLES, IN ACCORDANCE WITH THE CHARTER OF THE UNITED NATIONS. THE PEOPLE'S DEMOCRATIC REPUBLIC OF KOREA IS NOW APPLYING FOR A SECOND TIME FOR ADMISSION TO MEMBERSHIP IN THE UNITED NATIONS. THE GOVERNMENT OF THE PEOPLE'S DEMOCRATIC REPUBLIC OF KOREA HEREBY DECLARES THAT OUR REPUBLIC UNCONDITIONALLY ACCEPTS ALL THE RESPONSIBILITIES WHICH WOULD DEVOLVE UPON IT AS A MEMBER OF THE UNITED NATIONS UNDER THE TERMS OF THE CHARTER. PAK HEN EN, MINISTER OF FOREIGN AFFAIRS OF THE PEOPLE'S DEMOCRATIC REPUBLIC OF OF KOREA, PHYONGYANG 2 JANUARY 1952.

- 178 -

0122

DOCUMENT A/SPC/L.9

Union of Soviet Socialist Republics: draft resolution

(Original text: Russian)
(24 January 1957)

The General Assembly,

Requests the Security Council, having regard to the general opinion that the composition of the United Nations should be as universal as possible, to reconsider the applications of the Democratic People's Republic of Korea, the Republic of Korea, the Democratic Republic of Viet-Nam and South Viet-Nam with a view to recommending the simultaneous admission of all these States to membership in the United Nations.

DOCUMENT A/SPC/L.10

Argentina: amendments to document A/SPC/L.7 and Add.1

(Original text: Spanish)
(24 January 1957)

1. Replace the second paragraph of the preamble by the following:

"Noting that, in the absence of a unanimous recommendation by the permanent members of the Security Coundil, the Republic of Korea has not been admitted to membership in the United Nations notwithstanding resolution 296 G (IV) referred to above,"

2. Replace operative paragraph 2 by the following:

"Requests the Security Council to reconsider the application of the Republic of Korea in the light of this determination, and to report to the General Assembly during the current session or, if that cannot be done, as soon as possible."

SECURITY

COUNCIL

S/3887
9 September 1957
ENGLISH
ORIGINAL: RUSSIAN

ADMISSION OF NEW MEMBERS

Union of Soviet Socialist Republics: amendment to the joint draft resolution of Australia, China, Colombia, Cuba, France, the Philippines, the United Kingdom of Great Britain and Northern Ireland and the United States of America (S/3884)

1. In the first paragraph of the draft resolution replace the word "application" by the word "applications" and insert the words "The Democratic People's Republic of Korea and" before the words "The Republic of Korea".

2. In the second paragraph of the draft resolution insert the words "The Democratic People's Republic of Korea and" before the words "The Republic of Korea" and the word "simultaneously" after the words "be admitted".

- 484 -

0124

UNITED NATIONS

SECURITY
COUNCIL

Distr.
GENERAL

S/4132
9 December 1958
ENGLISH
ORIGINAL: RUSSIAN

ADMISSION OF NEW MEMBERS

Union of Soviet Socialist Republics: amendments to the joint draft resolution submitted by France, Japan, United Kingdom of Great Britain and Northern Ireland and United States of America (S/4129/Rev.1)

1. Delete the first paragraph of the draft resolution.

2. In the second paragraph of the draft resolution replace the word "application" by the word "applications" and insert the words "the Democratic People's Republic of Korea and" before the words "the Republic of Korea".

3. In the third paragraph of the draft resolution insert the words "the Democratic People's Republic of Korea and before the words "the Republic of Korea" and the word, "simultaneously" after the words "be admitted".

남북한 유엔가입 추진 연혁

1. 개 요

가. 아측에 의한 신청

1) 아국에 의한 독자적 신청

가입 신청			처리결과	
일자	형식	내용	일자	내용
49.1.19	고창일 외무장관 서리 명의 사무총장 앞 서한	한국 유엔가입 신청	49.2.15	안보리, 신회원국 가입위 의제 채택결정 (9:2)
			49.2.24	신회원국 가입위, 한국가입 권고 결정 (8:2:1)
			49.4.8	신회원국 가입위, 안보리에 특별보고서 제출
			49.9.2	안보리, 총회에 특별 보고서 제출
			49.9.22	총회, 안보리 특별 보고서 특정위 회부
			49.10.31 - 11.4.	특정위, 안보리 특별 보고서 토의
51.12.22	장면 총리 명의 사무총장 앞 서한	한국가입 재신청		(처리안됨)
61.4.21	정일형 외무장관 명의 사무총장 앞 서한	한국가입 신청 재심 요청		(처리안됨)
75.7.29	김동조 외무장관 명의 사무총장 앞 전문	한국가입 신청 재심 요청	75.8.6	안보리 의제채택 부결 (7:6:2)
75.9.21	김동조 외무장관 명의 사무총장 앞 서한	한국가입 신청 재심 요청 및 북한가입 불반대	75.9.26.	안보리 의제채택 부결 (7:7:1)

0126

2) 아국 우방국에 의한 결의안 제출

결의안 제출			처리 결과	
일 자	제출국가	내 용	일 자	내 용
49.4.8	자유중국	한국가입 권고 결의안 (안보리)	49.4.8	안보리, 소련 거부권 행사로 부결 (9:2)
49.10.31	호 주	한국가입 권고 결의안 (특정위)	49.11.4 49.11.22	특정위, 가결 (37:6:8) 총회, 가결 (50:6:3)
54.11.11	미 국	아르헨티나등 3개국의 "10개국 가입권고"공동 결의안에 한국과 베트남 추가하는 수정안(총회)		(표결 없었음)
55.12.1-7	쿠 바	카나다등 28개국의 "18개국 가입권고" 공동 결의안에 대한 소련 수정안에 한국과 베트남 포함 20개국으로 하는 재수정안 (총회특정위)	55.12.1-7	소련 수정안 철회로 쿠바 재수정안도 철회
55.12.10	자유중국	한국가입 권고 결의안 (안보리)		(표결 없었음)
55.12.13	자유중국	브라질과 뉴질랜드의 공동결의안중 가입신청국 리스트에 한국과 베트남 추가하는 수정안(안보리)	55.12.13	안보리, 소련 거부권 행사로 부결 (9:1:1)
57.1.22	미국등 13개국	한국 유엔가입 문제 재심 촉구 공동결의안(특정위)	57.1.30 57.2.28	특정위, 가결(45:8:22) 총회, 가결 (40:8:16)

- 2 -

0127

결의안제출			처리결과	
일 자	제출국가	내 용	일 자	내 용
57.9.6.	미국등 8개국	한국 유엔가입 권고 공동결의안 (안보리)	57.9.9	안보리, 소련거부권 행사로 부결(10:1:0)
			57.10.9	미국등 13개국, 특정위에 안보리 부결 유감표시 및 한국의 유엔가입 자격 재확인 결의안 제출
			57.10.22	특정위, 가결(51:9:20)
			57.10.25	총회, 가결(51:9:21)
58.12.9	미국등 4개국	한국 가입권고 공동 결의안 (안보리)	12.9	안보리, 소련 거부권 행사로 부결 (9:1:1)

3) 참고 :

o 1945.4.28. 대한민국 임시정부는 중국 중경에서 조소앙 외무장관 명의로 다음 요지의 성명 발표한 바 있음.

- 창설 준비중인 유엔회원국 가입희망

- 한국을 연합국 일원으로 인정해 줄 것을 요청

나. 북한측에 의한 신청

1) 북한에 의한 독자적 신청

가 입 신 청			처 리 결 과	
일 자	형 식	내 용	일 자	내 용
49.2.9	박헌영 외교부장 명의 사무총장 앞 전문	북한 가입 신청	49.2.16	소련, 신회원국 가입 위원회에 회부하자는 결의안 제출 (안보리) - 부결 (2:8:1)
52.1.2	박헌영 외교부장 명의 사무총장 앞 전문	북한가입 신청		(처리 안됨)

2) 북한 우방국에 의한 결의안 제출

결 의 안 제 출			처 리 결 과	
일 자	제출국가	내 용	일 자	내 용
57.1.24	소 련	남북한, 남북 베트남등 4개국 동시가입 검토를 안보리에 촉구하는 결의안 (특정위)	57.1.30	특정위, 부결 (1:35:35)
57.9.9.	소 련	57.9.6자 미국등 8개국의 한국 유엔가입 권고 공동 결의안에 북한가입 권고도 포함하는 수정안 (안보리)	57.9.9	안보리, 부결 (1:9:1)
58.12.9	소 련	58.12.9자 미국등 4개국의 한국 유엔가입 권고 공동결의안에 북한 가입 권고도 포함하는 수정안 (안보리)	58.12.9	안보리, 부결 (1:8:2)

2. 남북한 유엔가입 신청관련 상세 연혁

ㅇ 1949년

- 1.19. 고창일 외무장관 서리, 사무총장 앞 서한으로 한국 유엔가입 신청 (S/1238)

- 2.9. 박헌영 북한외교부장, 사무총장 앞 전문으로 유엔가입 신청 (S/1247)

  * 2.10. 사무총장은 대한민국 정부가 한반도 유일의 합법정부라고 선언한 48.12.12자 총회결의 195(Ⅲ)를 고려, 상기 북한가입 신청 전문을 관심있는 안보리 이사국들의 편의를 위하여 배포함을 밝힘.

- 2.11. 소련, 안보리의장 앞 서한으로 북한의 유엔가입 신청을 안보리 가의제로 채택 요청 (S/1256)

  * 2.15. 안보리 회의에서 소련대표는 사무총장이 북한의 가입신청을 공식문서로 배포치 않는 변칙적, 차별적 조치를 했다고 비난하고 그 때문에 안보리의장 앞으로 서한을 발송했다고 주장

- 2.15. 안보리 제 409차 회의

  · 소련대표, 한국 유엔가입 문제의 가의제 채택에 반대한후 동 반대가 받아들여지지 않자 (2:8:1), 다시 신회원국 가입위원회 회부에 반대

  · 안보리의장, 한국 유엔가입 문제를 신회원국 가입위원회 의제로 회부할 것을 제안 (9:2로 채택)

- 2.16. 안보리 제 410차 회의

  · 소련, 북한 유엔가입 신청건의 신회원국 가입위원회 회부 결의안 제출 (S/1259)

    - 2:8:1로 부결

- 2.24. 신회원국 가입위원회, 한국가입 신청 승인 (8:2)

- 4.8. 안보리 제 423차 회의

  · 한국 유엔가입 신청문제에 관한 신회원국 가입위 보고서 제출 (S/1281)

  · 자유중국, 안보리에 한국 유엔가입 권고 결의안 제출 (S/1305)

    - 소련의 거부권 행사로 부결 (9:2)

- 9.2. 안보리, 총회에 한국 유엔가입 문제 관련 특별보고서 제출 (A/968)

- 9.22. 총회 제224차 전체회의, 안보리 특별보고서를 특정위 회부 결정

- 10.31-11.4.특정위, 안보리 특별보고서 토의

  * 동 안보리 특별보고서(A/968)는 10.31. 호주가 제출한 한국가입문제 결의안에 언급됨.

- 10.31. 호주, 특정위 제 25차 회의에서 한국등 9개국의 가입문제 안보리 재심 촉구 결의안 제출

- 11.4. 특정위 제 29차 회의, 상기 한국가입 관련 결의안 채택 (37:6:8)

- 11.9. 특정위, 상기 한국가입 관련 결의안 총회보고사항으로 제출 (A/1066)

- 11.22. 총회 제 252차 전체회의, 한국가입 관련 결의안 50:6:3으로 채택 (Res. 296 G(IV))

o 1951년

- 12.22. 장면 국무총리, 사무총장 앞 서한으로 한국 유엔가입 신청(S/2452)

  * 처리안됨.

o 1952년

- 1.2. 북한 외교부장, 사무총장 앞 전문으로 북한 유엔가입 신청(S/2468)

  - 처리안됨.

o 1954년

- 11.11. 미국, 총회에 아르헨티나등 3개국의 "10개국 가입권고" 공동결의안에 한국과 베트남을 추가하는 수정안 제출 (A/AC/76/L.9/Rev.1)

o 1955년

- 12.1-7. 특정위 신회원국 가입문제 토의

  · 카나다등 28개국, "통일문제가 존재하지 않는 18개국 전부의 회원국 가입을 안보리가 호의적으로 검토할 것을 촉구"하는 공동 결의안 제출 (A/AC.80/L.3.and Add.1,2, Add.2/Rev.1 and A/AC.80/L.3/Rev.1)

  · 소련, 공동결의안중 18개국 국명을 명기하는 수정안 제출 (A/AC.80/L.5)

- 7 -

0132

- 쿠바, 소련 수정안의 18개국에 한국과 베트남을 추가, 20개국으로 변경하는 재수정안 제출(A/AC.80/L.8)
- 소련이 18개 국명 명기안해도 어느국가를 의미하는지 분명해 졌다면서 수정안을 철회하자 쿠바도 재수정안 철회
- 특정위 공동결의안 채택 (52:2:5)
  (자유중국과 쿠바는 공동결의안이 "헌장에 위반하는 package deal 이며 한국과 베트남을 제외하고 있다"는 등의 이유로 반대의사 표명)

* 카나다등 28개국 공동결의안 제출 배경

- 미.소가 서로 상대 진영 국가의 유엔가입 신청에 거부권을 행사하여 다수 국가의 회원국가입 문제 처리가 고착상태
- 이러한 고착상태 타개를 위해, 카나다등은 헌장상의 가입자격 해석 논란보다 타협을 통한 정치적 해결이 필요하다고 보고 일괄 가입안 제안
- 공동결의안에 분단국가를 포함시키지 않은 것은 양진영간 정치적 타협이 실질적으로 불가능한 분단 국가문제는 일단 제쳐놓음으로서 기타 다수 국가의 가입문제에 대한 정치적 해결이 보다 수월해진다는 이유에서임.
  (그 구체적인 실례로, 뉴질랜드는 12.13. 안보리에서 유엔가입 신청국 목록에 한국과 베트남 국가를 제안한 S/3506에 기권후, 그 이유로 양국의 유엔가입에 반대해서가 아니라 S/3506이 기타 18국 가입문제의 정치적 해결에 도움이 안되기 때문이라고 언급)

0133

- 12.8.　총회 제 552차 회의, 공동결의안 채택(52:2:5) (Res. 918 (X))

- 12.10.　안보리 제 701차 회의
  - 자유중국, 한국등 13개국의 유엔 가입권고 결의안 제출(한국 결의안 : S/3471)
    * 12.13. S/3502 및 S/3506등의 처리에 따라 S/3471에 대한 별도 처리(표결)는 없었음.

- 12.13.　안보리 제 703, 704차 회의
  - 중국, 55.12.10. 브라질과 뉴질랜드가 제출한 공동결의안(S/3502)중 18개 가입신청국 목록에 한국과 베트남을 추가하는 수정안 제출(S/3506)
    - 소련 거부권으로 부결(9:1:1)
    * S/3502 : 18개국(국명 명시) 가입 권고

o 1957년

- 1.22.　미국등 13개국, 한국 유엔가입 문제의 안보리 재심을 촉구하는 공동결의안 특정위에 제출(A/SPC/L.7 and Add.1)
  * 공동제안 13국 : 미국, 영국, 불란서, 이태리, 화란, 호주, 필리핀, 일본, 브라질, 칠레, 콜롬비아, 코스타리카, 이라크

- 1.24.　소련, 유엔의 보편성 원칙을 위해 안보리가 남북한과 남북 베트남등 4개국 동시가입 문제를 재검토할 것을 촉구하는 결의안 특정위에 제출(A/SPC/L.9)

- 1.28.　인도와 시리아, 총회에 상정된 회원국가입안의 안보리 이송 및 검토 요청 결의안 특정위 제출(A/SPC/L.12)
  * 1.30. 타 결의안에 대한 특정위 표결 결과를 감안, 상기 결의안 철회

- 9 -

0134

- 1.30. 특정위 제 22차 회의
  - 미국등 13개국의 공동결의안 가결(45:8:22)
  - 이디오피아, 소련안(A/SPC/L.9)중 "북한"을 삭제할 것을 요청
    - 38:13:18로 "북한" 삭제 가결
  - 소련, 소련안중 잔여 3개국에 대한 국별 분리 표결 요청
    - 17:28:25로 소련요청 부결
  - 소련안("북한"이 삭제된 수정안) 부결(1:35:35)

    ※ 소련은 기권

- 2.28. 총회 제 663차 회의, 특정위가 권고한 한국가입권고 공동결의안 40:8:16로 채택(Res. 1017 A(XI))

- 9.4. 미국, 안보리의장 앞 서한으로 한국 유엔가입 문제 토의를 위한 안보리소집 요청((S/3880)

- 9.6. 미국등 8개국, 한국 유엔가입 권고 공동결의안 안보리 제출 (S/3884)

  * 공동제안 8개국 : 미국, 영국, 불란서, 자유중국, 호주, 필리핀, 콜롬비아, 쿠바

- 9.9. 소련, 미국등의 공동결의안에 대해 남북한 동시가입을 권고하는 수정안 안보리 제출 (S/3887)

- 9.9. 안보리 제 790차 회의
  - 소련 수정안 부결(1:9:1)
  - 미국등 18개국 공동결의안, 소련의 거부권 행사로 부결 (10:1)

- 10.9. 미국등 13개국, 안보리 한국가입권고 결의안 부결에 대한 유감을 표시하고 한국의 유엔가입 자격을 재확인하는 공동 결의안 특정위에 제출(A/SPC/L.15/ Add.1 and 2)

  * 공동제안 13개국 : 미국, 영국, 이태리, 불란서, 화란, 일본, 호주, 필리핀, 뉴질랜드, 칠레, 콜롬비아, 코스타리카, 이라크

- 10.9. 인도와 인도네시아, 총회 계류중인 가입신청건은 모두 안보리 토의로 넘기자는 공동결의안 제출(A/SPC/L.17) (10.17. 동 결의안 부결)

- 10.22. 특정위, 미국등 13개국의 공동결의안 채택(51:9:20)

- 10.25. 총회, 미국등 13개국의 공동 결의안 채택(51:9:21) (Res. 1144 A (XII))

o 1958년

- 12.8. 미국, 안보리의장 앞 서한으로 한국 유엔가입 문제 관련 57.10.25. 총회결의 1144 A(XII)를 안보리 의제로 추가할 것을 요청 (S/4127)

- 12.9. 안보리 제 842차 회의
  - 미국등 4개국, 한국 유엔가입 권고 공동결의안 안보리 제출 (S/4129/Rev.1)
    * 공동제안 4개국 : 미국, 영국, 불란서 일본
  - 소련, 미국등 4개국의 공동결의안에 대하여 남북한 동시가입 권고하는 수정안 제출(S/4132)
  - 소련 수정안, 1:8:2로 부결
  - 미국등 4개국 공동결의안, 소련 거부권 행사로 부결(8:1:2)

o 1961년

- 4.21. 정일형 외무장관, 사무총장 앞 서한으로 한국 유엔가입 신청 안보리 및 총회 재심 요청 (61.5.16.자 배포, S/4806)

  * 처리안됨.

o 1975년

- 7.29. 김동조 외무장관, 사무총장 앞 전문으로 한국 유엔가입 신청 안보리 재심 요청(유엔대사 경유) (S/11783)

- 8.6. 안보리 제 1834차 회의 가의제로 회부

  · 의제 채택 부결 (7:6:2)

- 9.21. 김동조 외무장관, 사무총장 앞 서한으로 한국 유엔가입 신청 안보리 재심 요청(S/11828)

- 9.26. 안보리 제 1842차 회의 가의제로 회부

  · 의제 채택 부결 (7:7:1)

0137

UNITED NATIONS

GENERAL ASSEMBLY

UNRESTRICTED

Res. 296 G(IV)
22 November, 1949

ORIGINAL: ENGLISH

우방국에 의한
결의안 제출 (3가지)

① 49.11.22. 296G(IV)

② 57. 2. 28. 1017A (XI)

③ 57.10.25. 1144A(XII)

RESOLUTION ADOPTED BY THE GENERAL ASSEMBLY CONCERNING ADMISSION OF THE REPUBLIC OF KOREA TO THE UNITED NATIONS

RESOLUTION 296 G(IV)

The General Assembly,

Noting from the special report of the Security Council that nine members of the Security Council, on 9 March 1949, supported a draft resolution recommending the admission to the United Nations of the Republic of Korea, but that no recommendation was made to the General Assembly because of the opposition of the one permanent member.

Deeming it important to the development of the United Nations that all applicant State which possess the qualifications for membership set forth in Article 4 of the Charter should be admitted.

Considering that opposition to the application of the Republic of Korea was based on grounds not included in Article 4 of the Charter.

Recalling the recommendation of the General Assembly in resolution 197 (III) A of 8 December 1948 that each member of the Security Council and of the General Assembly, in exercising its vote on the admission of new Members, should act

- 115 -

0138

in accordance with the advisory opinion of the International Court of Justice of 28 May 1948, which declared that a State was not juridically entitled to make its consent to the admission dependent on conditions not expressly provided by paragraph 1 of Article 4.

1. Determines that the Republic of Korea is, in its judgement, a peace-loving State within the meaning of Article 4 of the Charter, is able and willing to carry out the obligations of the Charter, and should therefore be admitted to membership in the United Nations:

2. Requests the Security Council to reconsider the application of the Republic of Korea, in the light of this determination of the General Assembly.

adopted at 252nd Plenary
Meeting, November 22, 1949

UNRESTRICTED

UNITED NATIONS

Res. 1017 A(XI)
28 February 1957

GENERAL ASSEMBLY

ORIGINAL: ENGLISH

RESOLUTION ADOPTED BY THE GENERAL ASSEMBLY CONCERNING ADMISSION OF THE REP. OF KOREA TO THE UNITED NATIONS

RESOLUTION 1017 A(XI)

The General Assembly,

Recalling its resolution 296 G(IV) of 22 November 1949 finding the Republic of Korea qualified for membership in the United Nations.

Noting that the Republic of Korea has been excluded from membership in the United Nations because of the opposition of one of the permanent members of the Security Council,

1. Reaffirms its determination that the Republic of Korea is fully qualified for admission to membership in the United Nations;

2. Requests the Security Council to reconsider the application of the Republic of Korea in the light of this determination and to report to the General Assembly as soon as possible.

Adopted at the 663rd Plenary Meeting, 29 February, 1957.

- 479 -

0140

UNRESTRICTED

UNITED NATIONS

Res. 1144 A(XII)
25 October 1957

GENERAL ASSEMBLY

ORIGINAL: ENGLISH

RESOLUTION ADOPTED BY THE GENERAL ASSEMBLY CONCERNING ADMISSION OF THE REP. OF KOREA TO THE UNITED NATIONS

RESOLUTION 1144 A(XII)

The General Assembly

Recalling its resolution 296 G(IV) of 22 November 1949 and 1017 A(XI) of 28 February 1957 finding the Republic of Korea qualified for membership in the United Nations,

Noting with regret the continued inability of the Security Council to recommend the admission of the Republic of Korea to membership in the United Nations owing to the negative vote of a permanent member of the Council,

Reaffirms that the Republic of Korea is fully qualified for and should be admitted to membership in the United Nations.

Adopted at 709th Plenary
Meeting, 25 October 1957

BRIEF ON THE REPUBLIC OF KOREA'S

MEMBERSHIP IN THE UNITED NATIONS

P2.2.

0142

CONTENTS

0143

(ATTACHMENT)

0144

HISTORY OF BOTH KOREAS' APPLICATION FOR ADMISSION TO UN MEMBERSHIP

A. REPUBLIC OF KOREA

In the period between 1949 and 1975, the Republic of Korea Government applied for admission to United Nations membership eight times, Five applications were made by the Republic of Korea Government itself and the remaining three through Governments friendly to the Republic of Korea. This number does not include various UNGA resolutions in support of Republic of Korea membership.

Date of Application	Applicant or Sponsor of Resolution		Result (at UNSC)
49.1.19	ROK	49.4.8.	vetoed by USSR (9:2)
51.12.22	ROK		no action
61.4.21	ROK		no action
75.7.29	ROK	75.8.6.	failed to be put on the agenda (7:6:2)
75.9.21	ROK	75.9.26.	failed to be put on the agenda (7:7:1)

55.12.13	ROC	55.12.13.	vetoed by USSR (9:1:1)
57.9.06	US & 7 other co's	57.9.9.	vetoed by USSR (10:1:0)
58.12.09	US & 3 other co's	58.12.9.	vetoed by USSR (9:1:1)

B. NORTH KOREA (DPRK)

North Korea applied four times for admission to United Nations membership between 1949 and 1957. Two of the applications were made by North Korea, with the remaining two submitted through USSR.

Date of Application	Applicant or Sponsor	Result at UNSC	Remarks
49.2.9	DPRK	49.2.16 failed to be referred to the Admission Committee (2:8:1)	for DPRK entry
52.1.2	DPRK	no action	for DPRK entry
57.9.9	USSR	57.9.9 vetoed by 1:9:1	DPRK & ROK entry
58.12.9	USSR	58.12.9 vetoed by 1:8:2	DPRK & ROK entry

3. COMMENTS

It is clear from above data that the only obstacle for preventing ROK's admission during the period was the exercise of veto power by USSR. (Note that change in Chinese representation at UN took place in 1971.)

Presently, North Korea is contending that the entry of either or both of two Koreas into the UN would perpetuate national division. Ironically, it was North Korea, with the assistance of USSR, that first put forth the idea of simultaneous entry of South and North Korea.

Such an about-face in North Korea's position was in response to the announcement of ROK's new policy on North Korea. In June, 1973, ROK dropped its longstanding opposition to North Korea's UN membership in favor of simultaneous separate membership of both Koreas which would be an interim measure pending reunification.

ELIGIBILITY OF THE REPUBLIC OF KOREA FOR UNITED NATIONS MEMBERSHIP

1. Provisions of the Charter

Paragraph 1 of Article 4 of the UN Charter provides that "Membership in the United Nations is open to all other peace-loving States which accept the obligations contained in the present Charter and, in the judgement of the Organization, are able and willing to carry out these obligations."

2. Actions of the UN General Assembly on ROK Eligibility: 3 Resolutions

Resolution 296G (IV) of 22 November 1949 determined that "the Republic of Korea is, in its judgement, a peace-loving State within the meaning of Article 4 of the Charter, is able and willing to carry out the obligations of the Charter, and should therefore be admitted to membership in the United Nations.

Particularly, the same resolution based its actions on the advisory opinion of the ICJ of 28 May 1948 which declared that "a State was not juridically entitled to make its consent to the admission dependent on conditions not expressly provided by paragraph 1 of Article 4."

Resolution 1017 A (XI) of 9 February 1957 reaffirmed that "the ROK is fully qualified for admission to membership in the United Nations."

Resolution 1144A (XII) of 25 October 1959 again reaffirmed that "the ROK is fully qualified and should be admitted to membership in the UN."

3. ICJ Advisory Opinion of 28 May 1948 in response to the UNGA request of 17 November 1947 for advisory opinion
(Excerpts)

"The requisite conditions are five in number: to be admitted to membership in the UN, an applicant must (1) be a State; (2) be peace-loving; (3) accept the obligations of the Charter; (4) be able to carry out these obligations; and (5) be willing to do so.

"To warrant an interpretation other than that which ensues from the natural meaning of the words, a decisive reason would be required which has not been established. Moreover, the spirit as well as the terms of the paragraph preclude the idea that considerations extraneous to these principles and obligations can prevent the admission of a State which complies with them.

"For these reasons, the Court is of opinion that a member of the UN -- on the admission of a State to membership in the UN, is not juridically entitled to make its consent to the admission dependent on conditions not expressly provided by paragraph 1 of the said Article ...."

4. Growing Support at UNGA for ROK Membership in the UN

UNGA Session No. of Supporters	32 (77)	33 (78)	34 (79)	35 (80)	36 (81)	37 (82)	38 (83)	39 (84)	40 (85)	41 (86)
ROK	4	0	1	0	6	5	4	26	38	34
DPRK	1	1	2	1	0	1	0	0	0	3
Neutral	0	0	0	0	0	0	0	1	0	2
Total	5	1	3	1	6	6	4	27	38	39

UNGA Session No. of Supporters	42 (87)	43 (88)	44 (89)
ROK	38	38	48
DPRK	4	4	3
Neutral	1	0	2
Total	43	42	53

* Comments

- Counting is based on the specific reference made during the UNGA General Debate.

- Support for ROK means a statement in favor of either single Rok membership or the simultaneous separate membership of both Koreas. Support for DPRK means a statement in favor of single membership of unified Korea.

- Before 1984, ROK did not launch a particular diplomatic campaign for its UN membership.

- Countries supporting North Korean position:
  1988 - Laos, Vietnam, Cuba, Mozambique
  1989 - Laos, Cuba, Mali

5. New Developments Relating to the Universality Principle

In October, 1989, during the 44th session of the UNGA, an aide-memoire was circulated by USSR as a UNGA document which emphasized, among other things, the realization of the universality principle and the desirability of participation by all members of the world community in international organizations.

6. ROK's Place in the World

A. Diplomatic Relations (Details are attached as separate sheet)

As of August, 1990, ROK maintains diplomatic relations with 141 countries, most of which are UN members (North Korea maintains diplomatic relations with 105 countries. 83 countries have diplomatic ties with both Koreas.

B. Participation in International Organizations

- United Nations
  Observer since 1949
  Member of the Asian Group and the G-77

- Member of most inter-governmental organizations, including 15 UN Specialized Agencies

- Executive Board Member of the following:
  UNESCO, UNEP, UNICEF, UNIDO, FAO, IAEA, IFAD, ITU, WIPO, etc.

C. Economic Strength of ROK

	Figures as of 1989	Ranking in the World
Populations	42 mil	22nd
GNP	US$211.9 bil	13th
Per Capita GNP	US$4,968	30th
Trade (total)	US$123.8 bil	12th
Export	US$ 62.4 bil	13th
Import	US$ 61.5 bil	13th

D. Contribution to International Peace and Cooperation

The Seoul Olympics was one of the most successful ever staged, Athletes of 160 countries met in sporting arenas for the first time in 12 years, transcending differences in ideology and social systems. The success of the event further demonstrates the ability and the will of the people of the Republic of Korea to contribute to peace and harmony within the world community.

NORTH KOREA'S NEW FORMULA FOR THE SO-CALLED 'SINGLE SEAT MEMBERSHIP'

A. Facts

North Korean President Kim Il-Sung, during his policy speech before the first session of the Ninth Supreme People's Assembly on 24 May 1990, made a very important reference to the question of UN membership of South and North Korea.

The relevant part of his reference is as follows:

"The United Nations, whose mission is to safeguard peace and justice, must helop to settle the Korean question peacefully and impartially. It should not allow itself to be used to delay the reunification of Korea. From a desire to put an end to national division and achieve reunification, the Government of our Republic has always maintained that Korea must enter the United Nations as a unified country.

"If the North and the South are to join the UN before Korea's reunification is achieved, they must not hold two separate seats but enter it jointly as one member in favor of the reunification cause."

(See the attached text of Kim Il-Sung's speech, which was distributed as a document of the UN Security Council dated 29 May 1990.)

At this stage, the details of North Korea's proposal on joint UN membership are not known. However, in an apparent follow-up to Kim Il-Sung's foregoing address, both the North Korean Ambassador and Deputy Ambassador to the United Nations remarked during Associated Press interviews on 24 and 25 May 1990, respectively, that the new formula for single seat membership includes: (1) use of a single State name, national flag and national anthem; (2) alternating representation between head of the two Korean missions while keeping both missions as they are; (3) after admission to the UN, abstentions on controversial issues not agreed upon between the two sides.

Prior to Kim Il-Sung's (new) formula for single seat UN membership of the two Koreas, North Korea has maintained a position that Korea should enter the UN as a unified country under the name of the Democratic Confederal Republic of Koryo. Therefore, it has rejected any possibility of either independent South Korean membership or simultaneous North and South Korean UN membership prior to reunification.

B. Rebuttal

Leaving aside political and practical questions, this proposal presents a number of legal and technical difficulties.

Article 4 of the Charter provides that Membership in the United Nations is open to "States." The commonly understood criteria for statehood are (a) a permanent population, (b) a defined territory, (c) a government, and (d) a capacity to enter into relations with other States. There exists no "state of Korea" which meets these criteria. To admit a single "Korea" as a Member before unification would be to ignore the reality in the Korean peninsula and would not be in accord with the Charter.

A number of related legal problems also arise. Credentials must be issued by the Head of State or Government or by the Minister for Foreign Affairs. "Korea" would not have either of these. A single "Korean" Membership in the UN could also create problems over the present North and South Korean Membership in UN Specialized Agencies and other international organizations. There may also be difficulties over treaties to which North and South Korea are now party, and other international obligations.

It is also evident that two sides are not likely to reach any workable agreement reconciling vast differences in their policies as a result of sharing a single seat. This will make membership itself far from meaningful.

- 10 -

0154

ASSESSMENT OF THE POSITION OF USSR & PRC ON ROK ONLY OR BOTH KOREAS' SEPARATE MEMBERSHIP IN THE UNITED NATIONS

1. USSR

Under the new international environment and, more specifically, with the continuing improvement of relations between ROK and USSR, as epitomized by ROH-Gorbachev summit in San Francisco on 4 June 1990, opinions are growing that USSR is not likely to exercise its veto power against ROK admission.

There is increasing evidence to support those optimistic views, especially from Soviet communist party, press, and various government-sponsored institutes.

Even the Soviet Government made it clear, through its aide-memoire of October 1989 (A/44/645), that all States in the international community should be admitted to the UN and other international organizations in accordance with the principle of universality.

However, USSR Government seems to maintain a position that prior agreement should be reached between two Koreas on their UN membership issues and that, at this point in time, it is not prepared to support the ROK only membership. This circumstance does not rule out the possibility of Soviet abstention in actual voting on the ROK application, particularly when the South-North dialogue remains deadlocked indefinitely by North Korean intransigence.

The Soviet attitude will be affected, to a substantial degree, by the pace of improvement of its relations with ROK in the months ahead. (Recent developments are attached)

2. PRC

Both officially and unofficially, PRC Government has expressed views that it opposes ROK only membership because of its consideration for North Korea. Particularly, return to the conservative policy since the Tiananmen Square incident tends to make it more difficult to change its pro-North tilt.

However, it is felt that PRC wishes to avoid a situation in which it alone is forced to veto ROK admission. In other words, in case USSR is certain to refrain from the exercise of veto on ROK admission, it could affect PRC's decision, particularly in light of the growing mood of cooperation with UNSC.

PRC's attitude will be also affected, though slowly, by the improvement of its relations with ROK, hopefully with Beijing Asian Games in September as a turning point.

* MAJOR DEVELOPMENTS BETWEEN USSR AND ROK SINCE 1989

- Consular Relations

89.11. Agreement on the exchanges of consular departments in both capitals (not full-fledged consular relations)

90.2.3 Actual establishment of consular departments

- First Summit Meeting and Follow-up Measures

90.6.4 in San Francisco, both Presidents agreed to improve bilateral relations in every aspect

90.8 ROK Government delegation visited USSR at the invitation of Deputy Prime Minister of USSR and discussed a wide-ranging issues of economic cooperation, establishment of diplomatic relations, etc.

90.9 Return visit to ROK by USSR delegation to follow up on the Moscow meeting.

- Trade

	1988	1989
ROK Export to USSR	US$ 26 mil	US$207 mil
ROK Import from USSR	US$178 mil	US$391 mil
Total	US$204 mil	US$599 mil

- Intergovernmental Agreements on Air Service (90.3), Maritime Transport (89.5)

- Exchange of People

	USSR Visit to ROK No. of Persons	ROK Visit to USSR No. of Persons	Total
1987	313	80	393
1988	1,879	356	2,235
1989	1,995	1,940	3,935

(Including cabinet ministers, parliamentarians, businessmen, academicians, reporters, sports people.)

* MAJOR DEVELOPMENTS BETWEEN PRC AND ROK

- No progress has been made in the establishment of official relations, particularly since Tiananmen Square incident.

  * PRC still opposes any official relations with ROK, insisting on the exchanges of non-governmental trade offices which could perform some consular functions.

  * ROK maintains that consular functions are prerogatives of the government and, thus, requires some sort of official relations.

- Ever-Growing Trade

	1988	1989
ROK Export to PRC	1.7 bil	1.44 bil
ROK Import to PRC	1.4 bil	1.7 bil
Total	3.1 bil	3.1 bil

- Surge in the Number of Visitors

	1988	1989
ROK to PRC	5,750	13,000
PRC to ROK	3,610	9,000
Total	9,360	22,000

- Scope of Economic Cooperation

  * Private investment, charter flight (since 89.8), direct maritime transport (since 89.4)

- Major Occasion: Beijing Asian Games (90.9.22 - 10.7)
  * ROK will send a large-scale delegation and tourists
  * Some ROK diplomats are now staying in Beijing in the capacity Olympic attaches.

EXERCISE OF VETO POWER BY USSR & PRC

YEAR	APPLICANT	VOTING RESULTS AT UNSC
1946	Jordan	9:1 (USSR):1
	Ireland	9:1 (USSR):1
	Portugal	9:2 (USSR)
1947	Italy	9:1 (USSR):1
	Austria	8:1 (USSR):2
	Finland	9:2 (USSR, Poland)
1948	Ceylon	9:2 (USSR, Ukraine)
1949	Rep. of Korea	9:2 (USSR, Ukraine)
	Nepal	9:2 (USSR, Ukraine)
	Portugal, Jordan Italy, Finland, Ireland, Austria, Ceylon	9:2 (USSR, Ukraine)
1952	Libya	10:1 (USSR)
	Japan	10:1 (USSR)
	Vietnam, Laos, Cambodia	10:1 (USSR)
1955	Rep. of Korea, Vietnam	9:1 (USSR):1
	Jordan, Ireland Portugal, Italy, Austria, Finland, Ceylon Nepal, Libya, Cambodia, Japan, Laos	10:1 (USSR)
	Spain	9:1 (USSR):1
1957	Rep. of Korea, Vietnam	10:1 (USSR)
1958	Rep. of Korea, Vietnam	9:1 (USSR):1 8:1 (USSR):2
1960	Mauritania	8:2 (USSR, Poland):1

1961	Kuwait	10:1 (USSR)
1972	Bangladesh	11:1 (PRC):3

Footnotes

- PRC exercised veto power only once in 1972.
- Since early 1970s, veto power has not been exercised by USSR and PRC perhaps because applicant States were mostly less controversial newly independent States or prior agreement could be reached between USSR and the rest of permanent members of the UNSC, as in the case of admission of two Germanies on 18 September 1973.

DIPLOMATIC RELATIONS OF SOUTH AND NORTH KOREA

As of 15 August 1990

Region	States with which the Republic of Korea maintains diplomatic relations exclusively (58)	States with which North Korea maintains diplomatic relations exclusively (22)	States with which both South and North Korea maintain diplomatic relations (83)
ASIA	Bhutan, Brunei Darussalam, China (Rep. of), Fiji, Japan, Kiribati, Myanmar (Union of), New Zealand, Philippines, Samoa, Solomon Islands, Tonga, Tuvalu (13)	China (P. R.), Kampuchea, Laos, Vietnam (4)	Australia, Bangladesh, India, Indonesia, Malaysia, Maldives, Mongolia, Nauru, Nepal, Pakistan, Papua New Guinea, Singapore, Sri Lanka, Thailand, Vanuatu (15)
EUROPE	Belgium, France, Germany (FR) Greece, Ireland, Italy, Luxembourg, Netherlands, Spain, Turkey, United Kingdom, Vatican City (12)	Albania, Germany (D. R.), U. S. S. R. (3)	Austria, Bulgaria, Czechoslovakia, Denmark, Finland, Hungary, Iceland, Malta, Norway, Poland, Portugal, Rumania, Sweden, Switzerland, Yugoslavia (15)
THE AMERICAS	Antigua, Argentina, Bahamas, Belize, Bolivia, Brazil, Canada, Chile, Commonwealth of Dominica, Costa Rica, Dominican Republic, Ecuador, El Salvador, Grenada, Guatemala, Haiti, Honduras, Panama, Paraguay, St. Kitts-Nevis, St. Vincent, United States of America, Uruguay (23)	Cuba (1)	Barbados, Colombia, Guyana, Jamaica, Mexico, Nicaragua, Peru, St. Lucia, Surinam, Trinidad & Tobago, Venezuela (11)

0162

Region	States with which the Republic of Korea maintains diplomatic relations exclusively	States with which North Korea maintains diplomatic	States with which both Sout and North Korea maintain diplomatic relations
MIDDLE EAST	Bahrain, Iraq, Israel, Kuwait Oman, Qatar, Saudi Arabia, U. A. E. (8)	Afghanistan, Egypt, Syria Yemen (S) (4)	Algeria, Iran, Jordan, Lebanon, Libya, Mauritania, Morocco, Sudan, Tunisia, Yemen (North) (10)
AFRICA	Djibouti, Swaziland (2)	Angola, Benin, Burundi, Mali, Mozambique, Seychelles, Tanzania, Togo, Zambia, Zimbabwe (10)	Botswana, Burkina Faso, C. A. R., Cameroon, Cape Verde, Chad, Comoros, Ivory Coast, Equatorial Guinea, Ethiopia, Gabon, Gambia, Ghana, Guinea, Guinea-Bissau, Kenya, Lesotho, Liberia, Madagascar, Malawi Mauritius, Namibia, Niger, Nigeria, Rwanda, Sao Tome and Principe, Senegal, Sierra Leone, Somalia, Uganda, Zaire, Congo (32)

NB) 1. Total number of states with which the Republic of Korea and North Korea maintain diplomatic relations:

- The Republic of Korea - 141
- North Korea - 105

2. The Republic of Korea has consular relations with Egypt.

0163

UNITED
NATIONS

S

Security Council

Distr.
GENERAL

S/20812
28 August 1989

ORIGINAL: ENGLISH

NOTE BY THE PRESIDENT OF THE SECURITY COUNCIL

The attached letter, dated 25 August 1989, was addressed to the President of the Security Council by the Permanent Observer of the Democratic People's Republic of Korea to the United Nations. In accordance with the request contained in the letter, the text is being circulated as a document of the Security Council.

89-20414 1066e (E)

/...

0164

Annex

Letter dated 25 August 1989 from the Permanent Observer of the Democratic People's Republic of Korea to the United Nations addressed to the President of the Security Council

I have the honour to forward to you a statement dated 21 August 1989 by the spokesman for the Foreign Ministry of the Democratic People's Republic of Korea.

I request that this letter, together with the enclosed statement of the spokesman for the Foreign Ministry of the Democratic People's Republic of Korea, be circulated as a document of the Security Council.

(*Signed*) Gil Yon PAK
Ambassador

Enclosure

Statement dated 21 August 1989 by a spokesman of the Foreign Ministry of the Democratic People's Republic of Korea

The south Korean authorities are again running a high fever in the moves to legalize the permanent division of the country with the approach of this year's session of the General Assembly of the United Nations.

The south Korean authorities are now sending "special envoys" and "missions" to different countries to beg for "separate entry into the United Nations", saying that south Korea alone should "enter the United Nations", since the "simultaneous entry of the north and the south" into it was thwarted by the opposition of the Korean people and the world's people.

Now the desire of the entire Korean nation to remove the tragedy of the nation caused by division as early as possible and realize the reunification of the country is more ardent that ever before.

The people in the northern half of the country have made all their patient efforts to achieve the independent and peaceful reunification of the country from the first days of the division of the country.

Today the south Korean people's movement for national reunification has definitely turned into a movement of the majority, not of the minority, and debates on reunification through confederation based on the three principles of national reunification are daily growing in depth in the political and public circles and other strata of people in south Korea. In face of this stark fact, the south Korean authorities can no longer ignore the mode of reunification through confederation.

The reunification of Korea is by no means a matter of the distant future, but a realistic one on the order of the day. It is also an urgent task of the time whose realization is wanted by all the peace-loving people of the world.

At this moment the south Korean authorities are clamouring about "separate entry into the United Nations", a variant of "simultaneous entry into the United Nations", according to the United States "two Koreas" policy. This cannot but be an act woefully lacking in common sense which totally shuns the desire of the Korean nation for reunification and the unbiased public opinion of the world.

As for the question of entry into the United Nations, it is an internal affair of the Korean nation which should be resolved by the north and the south through dialogue and negotiation.

We also want to enter into the United Nations and hope for its early realization. But the issue of admission of Korea to the United Nations is a crucial matter concerning the rise and fall of the nation. It is a matter of principle which must be studied in direct connection with the reunification of the country under all circumstances. Therefore, we, out of the unanimous desire of the whole nation for reunification, have consistently maintained the principled stand that Korea must enter the United Nations with one nomenclature and one seat after it is reunified through confederation.

If reunification is achieved through the development of north-south dialogue, the problem of our country's admission to the United Nations will be settled of its own accord.

If the south Korean authorities try to "enter into the United Nations" in defiance of the desire of the nation for reunification, their treacherous act will bring the grave consequence of legalizing the division of the country in the international arena.

Nevertheless, the south Korean authorities are persistently trying to realize the "separate entry of south Korea into the United Nations". With this they reveal their own nation-splitting nature by themselves.

The attempt of the south Korean authorities to become a "United Nations Member" cannot be justified either in view of the will of the Korean nation for reunification and the principle of national self-determination or in light of the Charter of the United Nations and the resolutions of the United Nations General Assembly.

The south Korean authorities are of course, to blame for it. But no less blameable are the outside forces inciting them to gain "entry into the United Nations".

All facts show that encouraging or sympathizing with south Korea's moves for "entry into the United Nations" is an interference in the internal affairs of our nation and a reactionary act aggravating tensions and putting a spoke in the wheel of reunification.

Our stand regarding the problem of the entry into the United Nations is a stand for détente, reconciliation and reunification, whereas the south Korean authorities' position is one for tension, confrontation and division.

If the south Korean authorities continue to seek "United Nations membership" and go in for division, defying the aspiration and will of the whole nation for reunification and the world people's desire for Korea's reunification, they are bound to meet with condemnation from our people and the world people.

We express the hope that all the forces of the world supporting the cause of the independent and peaceful reunification of Korea will manifest understanding and support for the just stand of ours concerning the problem of entry into the United Nations.

The dialogue between the north and the south must be one not for maintaining division, but for finding a practical solution to the reunification question. It must not be a dialogue which reflects only the will of the government authorities or any specially limited sections, but a dialogue of the whole nation which provides a democratic representation of the will of all political parties, social organizations and people from all social strata. Both parties to the dialogue must approach the dialogue with a sincere attitude to settle the reunification question of the country by uniting and co-operating with each other. They must refrain from clouding the atmosphere of the dialogue or laying an artificial obstacle to it.

The Government of the Republic will make every possible effort to see that the north-south dialogue, now in a state of interruption, is resumed and produces good results, and to expand and develop the dialogue for Korea's reunification in different forms.

Fifth, a nationwide united front for the country's reunification must be formed.

All the Koreans must unite on the principle of placing the common interests of the nation above all else, irrespective of their class, ideology, political view and religion. No class and no social section should place the interests of their own class above the national interests or set the struggle for social and class interests against the struggle for national reunification.

All the groups and organizations which are fighting for national reunification must co-operate and unite with one another and form a nationwide united front comprising all political parties, social and other organizations and public figures from different strata of the north, the south and abroad.

The patriotic efforts and distinguished services rendered by the people from all walks of life in the noble cause of national reunification will be highly appreciated in the future by the unified fatherland and after reunification, too, the entire Korean nation should make common cause at all times to build a new, prosperous country.

UNITED NATIONS

S

Security Council

Distr.
GENERAL

S/20858
21 September 1989

ORIGINAL: ENGLISH

NOTE BY THE PRESIDENT OF THE SECURITY COUNCIL

The attached letter, dated 20 September 1989, was addressed to the President of the Security Council by the Permanent Observer of the Democratic People's Republic of Korea to the United Nations. In accordance with the request contained in the letter, the text is being circulated as a document of the Security Council.

89-22286 1056g (E)

/...

Annex

Letter dated 20 September 1989 from the Permanent Observer of the Democratic People's Republic of Korea to the United Nations addressed to the President of the Security Council

I have the honour to forward to you a memorandum of the Ministry of Foreign Affairs of the Democratic People's Republic of Korea dated 19 September 1989.

I request that this letter, together with the enclosed memorandum of the Ministry of Foreign Affairs of the Democratic People's Republic of Korea, be circulated as a document of the Security Council.

(Signed) PAK Gil Yon
Ambassador

Enclosure

Memorandum dated 19 September 1989 of the Ministry of Foreign Affairs of the Democratic People's Republic of Korea on membership in the United Nations

The Democratic People's Republic of Korea is fully eligible for membership in the United Nations as it is an independent State which represents the will of the entire Korean people and which was founded by democratic elections in which the entire people in the north and the south of Korea participated.

Therefore, since its foundation, the Government of the Democratic People's Republic of Korea has respected the Charter of the United Nations, the aim of which is to preserve international peace and security and develop friendly relations among nations, and desired to be admitted into this Organization.

However, the membership of Korea in the United Nations cannot be conceived apart from the issue of national reunification since the country is divided and its reunification is a national task of top priority.

The Government of the Democratic People's Republic of Korea has viewed the question of its membership in the United Nations from the angle of reunification. In other words, it wishes to enter the United Nations with a single State name after the establishment of a north-south confederation.

The south Korean authorities, however, refuse to acknowledge this desire and speak of "simultaneous membership in the United Nations" and "separate membership in the United Nations".

If the north and the south of Korea are admitted into the United Nations separately, this will result in freezing the status quo of Korea, artificially divided by foreign forces, under international recognition.

1. The south Korean authorities' demand for "simultaneous membership in the United Nations" and "separate membership in the United Nations" of the north and the south of Korea is utterly unreasonable.

(a) The argument of "simulataneous membership in the United Nations" and "separate membership in the United Nations" is above all a contravention of the Charter of the United Nations.

- It contravenes paragraph 1, Article 1 of the Charter of the United Nations, which stipulates that one of the purposes of the United Nations is "to maintain international peace and security".

In order to achieve global peace and security, it is imperative to achieve the peace and security of each country and nation. If a country or nation is not at peace, it will inevitably disturb other countries and cause them apprehension.

The long-standing division of the Korean nation, which has lived historically on one and the same territory as a homogeneous nation increases not peace, but constant instability on the Korean peninsula, thus endangering peace and security in Asia.

If Korea enters the United Nations separately under the present conditions, the Korean peninsula as a single entity will be permanently bisected and reduced to a hotbed of tension, thus disturbing international peace and security.

- It conflicts with paragraph 7, Article 2, of the Charter of the United Nations, which stipulates non-interference in the internal affairs of nations, as follows:

> "Nothing contained in the present Charter shall authorize the United Nations to intervene in matters which are essentially within the domestic jurisdiction of any State or shall require the Members to submit such matters to settlement under the present Charter."

The question of Korea's reunification is an internal question which can and must be solved by the Korean people themselves without any foreign interference.

The question of the membership in the United Nations is an internal affair of the nation, to be solved by discussions between the north and the south since it is directly related to the reunification of Korea.

If any third party demands membership in the United Nations before the north and the south of Korea have come to an agreement, this is an interference in Korea's internal affairs and cannot be tolerated.

(b) The concept of "separate membership in the United Nations" contravenes the resolution and decision adopted by the General Assembly.

- It is contradictory to the decision on the Korean question adopted at the twenty-eighth session of the General Assembly.

During its twenty-eighth session, the General Assembly, at its 2181st meeting, on 28 November 1973, noted with satisfaction the adoption of the north-south joint statement of 4 July 1972 and unanimously adopted a decision urging the north and the south to resume their dialogue, widen their many-sided exchanges and co-operation in keeping with the spirit of the joint statement in order to bring about the independent and peaceful reunification of the country as soon as possible.

It contravenes resolution 3390 B (XXX) on the Korean question adopted at the thirtieth session of the General Assembly. This resolution reaffirmed the hope for the earliest independent and peaceful reunification of Korea in accordance with the north-south joint statement of 4 July 1972.

(c) The principle of universality cannot be applied to a country where a question of reunification arises as a result of its temporary division.

During its tenth session, the General Assembly, at its 552nd plenary meeting, adopted resolution 918 (X) which "requests the Security Council to consider, in the light of the general opinion in favour of the widest possible membership of the United Nations, the pending applications for membership of all those eighteen countries about which no problem of unification arises". For this reason, the proposal for membership in the United Nations of south Korea and Viet Nam (Republic of Viet Nam) made by China (the then Republic of China) was rejected.

At its 1842nd meeting, on 26 September 1975, the Security Council recognized that the proposal for membership in the United Nations submitted by south Korea was contrary to resolution 918 (X), adopted by the General Assembly at its tenth session, and the decision on the Korean question, adopted at its twenty-eighth session, and did not even place it on its agenda.

This shows that the principle of universality is not applicable to a country where the question of reunification is still a pressing issue. Universality must be applied in conformity with the wishes and interests of the Government and people of the country concerned. The entire Korean people, in view of their burning desire for reunification, do not want admission to the United Nations since this will perpetuate the country's division.

(d) The argument of "separate membership in the United Nations" also contravenes the desire of the Korean people for the independent and peaceful reunification of Korea.

By making public a joint statement on 4 July 1972, the north and the south of Korea confirmed the principle of reunification, reflecting the desire of the Korean people to achieve the country's reunification independently, peacefully and on the basis of great national unity and solemnly declared it both at home and abroad.

The request for implementing this principle of reunification is also reflected in the resolution and decision of the General Assembly.

Korea's reunification is a national issue, to be settled by the people in the north and the south of Korea in accordance with this principle.

Today, the choice between demanding membership in the United Nations of the north and the south under a single State name after establishment of a confederation in accordance with the principle of reunification, or seeking "simultaneous membership in the United Nations" and "separate membership in the United Nations", while avoiding the principle and proposal of reunification, serves as a touchstone which discerns whether one truly desires reunification or schemes for permanent division.

It is a sophism and a mockery of the Korean people's desire for reunification to allege that the simultaneous membership in the United Nations of the north and the south would increase the chances for dialogue and co-operation and promote the possibility of peaceful reunification.

The reason why the north-south dialogue has not made progress is not because they have not entered the United Nations but because the south Korean authorities have faced the dialogue from the point of view of division from the beginning. It is an act of throwing a wet blanket over the Korean people's earnest desire for reunification and the north-south dialogue to speak of the problem of "membership in the United Nations" when this desire has become more intense than ever before, when reunification is not a matter to be resolved in the distant future but a matter of immediate solution and when the north-south dialogue is becoming increasingly important.

If the north and the south enter the United Nations prior to reunification, the United Nations will rather turn into a forum for the north-south confrontation.

2. Korea must enter the United Nations after its reunification.

The fair way for Korea to gain admission to the United Nations is to enter that Organization with a single State name and one seat after the reunification of the country through a confederation.

This is the stand consistently maintained by the Government of the Democratic People's Republic of Korea: to enter the United Nations from the viewpoint of reunification.

The applications for membership in the United Nations by the Government of the Democratic People's Republic of Korea in 1949, 1952 and 1957 represented the steps taken, on the basis of a realistic analysis of the forces in the United Nations at that time, in order to prevent south Korea from obtaining separate membership in that body.

The south Korean authorities refer to admission to the specialized agencies and affiliated organizations of the United Nations as the condition for membership in the United Nations in order to rationalize their own entry into that Organization.

Admission into the United Nations is different from entering the specialized agencies and affiliated organizations of the United Nations because the former is essentially different from the latter.

Switzerland is not a State Member of the United Nations, but has been admitted to the specialized agencies and affiliated organizations of that body.

The south Korean authorities theorize that the way the German Democratic Republic and the Federal Republic of Germany entered the United Nations and the unification of Tanganyika and Zanzibar after their separate entry into the United Nations could be applied to Korea.

This is nothing but a forced allegation that stems from a way of thinking of those who are seeking to divide the Korean nation without a detailed and realistic study of the problems involved.

As everyone knows, the Korean question is totally different from the German question, and the unification of Tanganyika and Zanzibar for their mutual benefit after their separate entry into the United Nations can by no means be applied to the case of the north and the south of Korea.

If the problem of Korea's membership in the United Nations is really to be solved on the basis of the desire for reunification then, from the viewpoint of ensuring world peace and security or that of the character of the Korean question, the north and the south must form a confederation and enter the United Nations afterwards.

The Government of the Democratic People's Republic of Korea will in the future, too, strive hard to facilitate the north-south dialogue and enter the United Nations after achieving the reunification of the country through a confederation.

The Government of the Democratic People's Republic of Korea hopes that all peace-loving Governments will express support to and understanding of its endeavours to form a confederation and enter the United Nations under a single State name and one seat.

UNITED
NATIONS

S

Security Council

Distr.
GENERAL

S/21315
29 May 1990

ORIGINAL: ENGLISH

NOTE BY THE PRESIDENT OF THE SECURITY COUNCIL

The attached letter, dated 25 May 1990, was addressed to the President of the Security Council by the Permanent Observer of the Democratic People's Republic of Korea to the United Nations. In accordance with the request contained in the letter, the text is being circulated as a document of the Security Council.

90-13470 2033a (E)

- 32 -

/...

0176

Annex

Letter dated 25 May 1990 from the Permanent Observer of the Democratic People's Republic of Korea to the United Nations addressed to the President of the Security Council

I have the honour to forward to you the summary of the policy speech entitled "Let Us Bring the Advantages of Socialism in Our Country into Full Play" (part of national reunification) of the great leader President Kim Il Sung of the Democratic People's Republic of Korea delivered at the first session of the Ninth Supreme People's Assembly on 24 May 1990.

I request that this letter, together with the enclosed summary of the policy speech (part of national reunification) be circulated as a document of the Security Council.

(*Signed*) PAK Gil Yon
Ambassador
Permanent Observer

Enclosure

Summary of policy speech of President Kim Il Sung on the reunification of Korea

Achieving the self-determined, peaceful reunification of the country is the most pressing task for the Government of our Republic and the entire Korean nation.

The proposal for founding a Democratic Confederal Republic of Koryo put forward by the Government of our Republic on the basis of the three principles of independence, peaceful reunification and great national unity which was agreed upon and made public at home and abroad jointly by the north and the south is the most reasonable and realistic reunification proposal which makes it possible to reunify the country independently and peacefully as well as impartially without one side conquering the other or being conquered, in the circumstances in which different ideologies and systems exist in the north and the south. This proposal envisages that our country, after reunification, will not become a satellite of any other country but will develop into a neutral nation which will not join any political and military alliance or bloc. Therefore, it not only meets all Koreans' desire for independence but also accords with the wishes of the peoples of neighbouring countries and the peace-loving people throughout the world.

For the cause of national reunification to be achieved as soon as possible in keeping with the pressing desire of the entire nation, correct solutions must be found to the following issues:

First, tension on the Korean peninsula must be eased and peaceful climate for the country's reunification be created.

For the relaxation of tension and for secure peace, the north and south must adopt a non-aggression declaration guaranteeing that both sides refrain from invading each other, the Democratic People's Republic of Korea and the United States must sign a peace agreement, armed forces in the north and the south must be reduced drastically and nuclear weapons and foreign troops be withdrawn from south Korea.

The withdrawal of the United States forces from south Korea will accord with the trend of the times towards peace and détente and also with the interests of the American people.

If the United States cannot withdraw all her troops from south Korea at once, she will be able to do so by stages.

Second, the barrier of division must be removed and free travel and full-scale open door effected between the north and the south.

We will warmly welcome the visit to the north by broad sections of people and social figures from different quarters in south Korea, give a hearty welcome to our fellow countrymen from the south with a feeling of kinship and ensure their personal safety thoroughly. We will also allow the people in the north to visit the south without any restraint and provide them with every convenience.

If the south Korean authorities really wish to help towards national reconciliation and the country's reunification, they must begin with pulling down the concrete barrier they themselves have built, abolish evil laws which hinder contact and reunion for national reunification and must take practical measures to effect free travel and full-scale open door.

Third, the north and the south must develop foreign relations on the principle of creating an international climate favourable to the self-determined, peaceful reunification of the country.

In their foreign relations the north and the south must always attach prime importance to the common interests of the nation and develop these relations so as to create a favourable international climate for preventing the perpetuation of national division and bringing national reunification sooner. In the international arena the north and the south must avoid confrontation and competition which impair national dignity and allow foreign forces to profit from such a situation. They must team up with each other to defend common national interests and bring honour to the nation.

Those countries which are concerned about the Korean question must also feel their responsibility for the continuing tragedy of division in Korea and make a due contribution to finding a solution to the Korean question. The United States, as a country which is directly responsible for the Korean question, must play a positive role in realizing Korea's reunification, and other countries concerned, too, must not follow the divisive policy of the United States or be implicated in it, but maintain the principled attitude which is helpful to the reunification of Korea.

We must sharpen our vigilance against the revival and the wild reinvasion scheme of the Japanese militarists who imposed innumerable misfortunes and disasters on the Koreans and the peoples of many other Asian countries.

The United Nations, whose mission is to safeguard peace and justice, must help to settle the Korean question peacefully and impartially. It should not allow itself to be used to delay the reunification of Korea. From a desire to put an end to national division and achieve reunification, the Government of our Republic has always maintained that Korea must enter the United Nations as a unified country.

If the north and the south are to join the United Nations before Korea's reunification is achieved, they must not hold two separate seats but enter it jointly as one member in favour of the reunification cause.

Fourth, we must develop the dialogue for national reunification.

The only way to settle the national reunification question peacefully by incorporating the will of the whole nation is to develop dialogue.

/...

The dialogue between the north and the south must be one not for maintaining division, but for finding a practical solution to the reunification question. It must not be a dialogue which reflects only the will of the government authorities or any specially limited sections, but a dialogue of the whole nation which provides a democratic representation of the will of all political parties, social organizations and people from all social strata. Both parties to the dialogue must approach the dialogue with a sincere attitude to settle the reunification question of the country by uniting and co-operating with each other. They must refrain from clouding the atmosphere of the dialogue or laying an artificial obstacle to it.

The Government of the Republic will make every possible effort to see that the north-south dialogue, now in a state of interruption, is resumed and produces good results, and to expand and develop the dialogue for Korea's reunification in different forms.

Fifth, a nationwide united front for the country's reunification must be formed.

All the Koreans must unite on the principle of placing the common interests of the nation above all else, irrespective of their class, ideology, political view and religion. No class and no social section should place the interests of their own class above the national interests or set the struggle for social and class interests against the struggle for national reunification.

All the groups and organizations which are fighting for national reunification must co-operate and unite with one another and form a nationwide united front comprising all political parties, social and other organizations and public figures from different strata of the north, the south and abroad.

The patriotic efforts and distinguished services rendered by the people from all walks of life in the noble cause of national reunification will be highly appreciated in the future by the unified fatherland and after reunification, too, the entire Korean nation should make common cause at all times to build a new, prosperous country.

UNITED
NATIONS

S

Security Council

Distr.
GENERAL

S/20830
5 September 1989

ORIGINAL: ENGLISH

NOTE BY THE PRESIDENT OF THE SECURITY COUNCIL

The attached letter dated 5 September 1989 from the Permanent Observer of the Republic of Korea to the United Nations was addressed to the President of the Security Council. In accordance with the request therein contained, the letter is being circulated as a document of the Security Council.

89-21009 1186j (E)

Annex

Letter dated 5 September 1989 from the Permanent Observer of the Republic of Korea to the United Nations addressed to the President of the Security Council

Upon instructions from my Government, I have the honour to transmit to you a document dated 5 September 1989 on the position of the Republic of Korea on the question of its United Nations membership.

It would be highly appreciated if you would have this letter and the enclosed document circulated as a document of the Security Council.

(Signed) Sang Yong PARK
Ambassador

Enclosure

Position of the Republic of Korea on the question of its United Nations membership

The Republic of Korea was inaugurated following the general elections held in May 1948 under the observation of the United Nations pursuant to General Assembly resolution 112 (II) of 14 November 1947. The United Nations General Assembly declared, through its resolution 195 (III) of 12 December 1948, that "there has been established a lawful Government (the Government of the Republic of Korea) having effective control and jurisdiction over that part of Korea ... and that this is the only such Government in Korea."

In 1949, the Republic of Korea applied for membership in the United Nations. The Korean application was discussed in the Security Council. Nine members of the Council supported a draft resolution recommending the admission of the Republic of Korea to the United Nations, but no recommendation was made to the General Assembly because of the opposition of one permanent member. The same year, the General Assembly, through its resolution 296 G (IV) of 22 November 1949, determined that "the Republic of Korea is, in its judgement, a peace-loving State within the meaning of Article 4 of the Charter, is able and willing to carry out the obligations of the Charter, and should therefore be admitted to membership in the United Nations."

In subsequent years, the Republic of Korea renewed its applications several times. Member States friendly to the Republic of Korea also sponsored the Korean applications. Each time, the admission of the Republic of Korea was blocked in the Security Council. In 1957, the General Assembly, through its resolution 1144 A (XII) of 25 October 1957 reaffirmed that "the Republic of Korea is fully qualified for and should be admitted to membership in the United Nations."

Since 1973 the Republic of Korea has publicly declared that it is not opposed to North Korean membership in the United Nations. The Republic of Korea believes that the admission of the Republic of Korea and the Democratic People's Republic of Korea to the United Nations, as a *modus vivendi* pending unification, would help to increase opportunities for contacts and co-operation between the two Koreas and create an environment conducive to the sustained inter-Korean dialogue for the peaceful resolution of the Korean question.

President Roh Tae Woo of the Republic of Korea, in his address at the United Nations General Assembly on 18 October 1988, expressed the sincere hope of the Republic of Korea that North Korea would participate fully in the international community, allowing South and North Korea to work towards mutual trust and co-operation in the best common interest of the entire Korean nation.

The North Korean allegation that admission of the two Koreas to membership in the United Nations would perpetuate the division of the country is contradictory to the continued North Korean pursuit of a *de facto* two-Korea policy. For instance, North Korea has joined most of the United Nations specialized agencies of which the Republic of Korea has long been a member, and is participating together with the Republic of Korea in the work of the Asian Group and the Group of 77 within the United Nations system. North Korea has acceded to several international treaties and conventions to which the Republic of Korea is already a signatory. North Korea is maintaining diplomatic relations with as many as 72 countries which have diplomatic relations with the Republic of Korea.

Thus, the North Korean argument against the admission of both Koreas into the United Nations can not stand the test of reality. It should be noted that North Korea itself applied for admission into the United Nations in 1949 and 1952. On behalf of North Korea, a permanent member of the Security Council proposed the simultaneous admission of both Koreas in 1957 and 1958. None of these applications was acted upon favourably in the Security Council.

It is an anomaly in the history of the United Nations that a country such as the Republic of Korea has been kept out of the world body for more than 40 years against the aspirations of its people. In fact, the birth and early history of the Republic of Korea are directly related to important actions of the United Nations. Therefore, the principle of universality further justifies the admission of the Republic of Korea. Universality of membership remains a fundamental feature of the United Nations.

The Republic of Korea, with a population of over 42 million and the world's tenth largest trade volume, maintains diplomatic relations with most of the States Members of the United Nations. It has continued to make contributions to the goals of the United Nations through its participation in many executive bodies of international organizations in the United Nations system. Currently, the Republic of Korea is an executive board member of the United Nations Educational, Scientific and Cultural Organization (UNESCO), the United Nations Environment Programme (UNEP), the United Nations Children's Fund (UNICEF), the United Nations Industrial Development Organization (UNIDO), the Food and Agriculture Organization of the United Nations (FAO), the International Atomic Energy Agency (IAEA), the International Fund for Agricultural Development (IFAD), the International Telecommunication Union (ITU) and the World Intellectual Property Organization (WIPO).

The Seoul Olympiad was one of the most successful ever to be staged, in which the best athletes of 160 countries met in sporting arenas for the first time in 12 years, transcending differences in ideology and social systems. It further demonstrates the ability and the will of the people of the Republic of Korea to contribute to peace and harmony within the world community.

The Republic of Korea is a peace-loving country. It is fully qualified to become a State Member of the United Nations. The Republic of Korea is prepared and willing to join the United Nations at an early date to do its due part in the interest of promoting world peace and international co-operation.

UNITED
NATIONS

S

Security Council

Distr.
GENERAL

S/20956
9 November 1989

ORIGINAL: ENGLISH

NOTE BY THE PRESIDENT OF THE SECURITY COUNCIL

The attached letter dated 9 November 1989 from the Permanent Observer of the Republic of Korea to the United Nations was addressed to the President of the Security Council. In accordance with the request contained in the letter, the text is being circulated as a document of the Security Council.

89-28030 1559a (E)

/...

Annex

Letter dated 9 November 1989 from the Permanent Observer of the Republic of Korea to the United Nations addressed to the President of the Security Council

Upon instructions from my Government, I have the honour to forward to you the document entitled "The principle of universality and the United Nations membership of the Republic of Korea".

It would be highly appreciated if you would have this letter and the enclosed document circulated as a document of the Security Council.

(*Signed*) Sang Yong PARK
Ambassador

Enclosure

The principle of universality and the United Nations membership of the Republic of Korea

[9 November 1989]

I

During the current session of the General Assembly, a particularly positive development has attracted the attention of the international community. A great many delegations have advocated or expressed their support for the principle of universality with respect to membership in the United Nations and other international organizations. The Republic of Korea welcomes this development in the belief that it is conducive not only to enhancing further the prevailing international climate of détente and co-operation but also to the early realization of its United Nations membership.

Nearly 50 delegations, in their statements during the general debate in the General Assembly, expressed their support for the admission of the two Koreas into the United Nations, simultaneously or separately, in conformity with the principle of universality. The number of States supporting the position of the Republic of Korea on the question of its United Nations membership is rapidly increasing. A total of 18 delegations, including several non-aligned and Socialist States, have newly expressed such support at the current General Assembly session. It should not be overlooked that there are many other delegations which maintain the same support, although they did not repeat it in public this time.

Special note is also taken of the recent General Assembly document containing an aide-mémoire of a permanent member of the Security Council on the role of the United Nations. The document emphasizes, among other principal policy elements of States towards the United Nations, the realization of the principle of universality and desirability of participation by all members of the world community in international organizations. The Government of the Republic of Korea views such developments as significant and encouraging. These should be regarded as a testimony to the fact that the legitimate right of the Republic of Korea to United Nations membership is recognized by most nations.

II

The position of the Republic of Korea on the question of its United Nations membership was elaborated in document S/20830 dated 5 September 1989. The essence of the position of the Republic of Korea is that the entry of both South and North Korea into the United Nations is desirable as an interim measure pending reunification of the nation. United Nations membership of both Koreas will in no way serve to perpetuate the national division, as contended by North Korea, but rather will help to ease tension and promote peace on the Korean peninsula, thus bringing about a more favourable environment for peaceful reunification. If North Korea is unwilling or not yet ready to join the United Nations, the Republic of Korea, fully qualified for and long desiring membership in the United Nations, should be admitted to the world body without further delay.

/...

The Charter of the United Nations stipulates that "Membership in the United Nations is open to all other peace-loving States which accept the obligations contained in the present Charter and, in the judgement of the Organization, are able and willing to carry out these obligations." It runs counter to this provision of the Charter and the principle of universality that the Republic of Korea has not been admitted to the United Nations against its wish. Under this anomalous situation, the Republic of Korea has been deprived of its opportunity and right to make more positive contributions to the international community.

The Republic of Korea takes this opportunity to reaffirm its desire to join the United Nations and thereby contribute to international co-operation under the enhanced prestige and authority of the world body. In view of the recent positive developments in the United Nations in favour of Korea's membership and the principle of universality, the Korean Government believes that the time is ripe for serious reconsideration of the question of its membership.

The Government of the Republic of Korea expresses its strong hope that all the States Members of the United Nations, including the permanent members of the Security Council, will recognize the need for favourable re-examination of the question of Korea's membership, so that the Republic of Korea will be able to take its rightful seat in the United Nations as early as possible and assume its due role in the work of the Organization in the pursuit of international peace and prosperity.

정리보존문서목록

기록물종류	일반공문서철	등록번호	2020090092	등록일자	2020-09-18
분류번호	731.12	국가코드		보존기간	영구
명 칭	남북한 유엔가입, 1991.9.17. 전41권				
생 산 과	국제연합1과	생산년도	1990~1991	담당그룹	
권 차 명	V.39 각종 연설문				
내용목차	* 계기별 이상옥 외무부장관 연설문 - 헌정회(전현직 국회의원 친목단체) 연설 - 부산 세계교류협회 창립 만찬회 - 한국지역정책연구소 주최 조찬회 - 국방대학원 강의 - 한국방송기자클럽 주최 오찬회 - 관훈클럽 및 한국언론학회 주최 심포지움 - 한국 신문편집인협회 초청 조찬간담회 * 오재희 주일본대사 '아시아조사회' 초청 강연				

0001

긴급

분류기호 문서번호	구일 202- 37	협조문용지 ( )	결재	담 당	과 장	국 장
시행일자	1991. 2. 28.					
수 신	수신처 참조	발 신	구주국장 (서명)			
제 목	헌정회 참석 장관님 연설					

장관님이 3월초 전.현직 국회의원 친목단체인 헌정회에 참석하여 우리 외교의 기본방향 설명에 이어 아래 주요 외교 사안을 중심으로 연설할 예정인 바, 귀국 소관사항에 대하여 우리 외교정책에 대한 국민의 이해를 제고하기 위한 교육적인 의미가 포함될 수 있도록 서술식(1-2페이지 정도)으로 작성, 당국으로 3.5(화) 오전까지 송부하여 주시기 바랍니다.

- 아 래 -

1. 한.미 관계
2. 한.일 관계
3. 북방외교
   가. 한.소 관계
   나. 한.동구권 관계
   다. 한.중 관계
4. 대 EC 외교

0002

/ 계 속...

5. 유엔 가입문제

6. 한.ASEAN 관계(아.태 경제협력 포함)

7. 경제.통상 외교

8. 남북대화 현황 및 홍보문화 외교

9. 기타 포함될 필요가 있다고 판단되는 사항. 끝.

수신처: 정특반장, 아주국장, 미주국장, 국제기구조약국장,

국제경제국장, 통상국장, 정보문화국장, 동구1과, 동구2과

0003

협조문용지

분류기호 문서번호	국연 2031-57	( )	결재	담 당	과 장	국 장
시행일자	1991. 3. 2.			김승재	(서명)	(서명)
수 신	구주국장	발신	국제기구조약국장			(서명)
제 목	헌정회참석 장관님 연설					

대 : 구일 202-37 (2.28)

대호 장관님의 헌정회연설 내용중 당국소관사항을 별첨 제출합니다.

첨 부 : 유엔가입문제 1부. 끝.

0004

유엔加入 問題

ㅇ 오늘날 國際社會에는 和合과 協力을 바탕으로 새로운 國際秩序가 形成되고 있고, 이에 따라 유엔의 中心的 役割도 더한층 強化되고 있음. 國際平和維持와 安全保障을 第 1次的 任務로 하고 있는 유엔은 最近 걸프事態의 解決 및 中東地域의 平和回復을 위해 일련의 迅速하고도 効率的인 措置를 취함으로써 그 權能에 대한 國際的 期待를 더욱 提高시켰음.

ㅇ 우리의 유엔加入問題는 실로 1948年 政府樹立이래 重要한 對外政策 課題의 하나로서, 40餘年이나 지난 오늘에 이르기까지 아직 解決하지 못한 宿願 外交課題임.

ㅇ 우리政府는 基本的으로 하루빨리 南北韓이 함께 유엔에 加入하여 7,000만 한民族이 國際社會에서 責任있는 構成員으로서 合當한 몫을 다해야 한다는 立場임. 이러한 우리의 유엔加入 立場은 國際社會에서 全幅的인 支持를 받고 있으며, 昨年度 유엔總會에서 韓半島問題를 言及한 基調演說을 행한 國家中 약 2/3가 우리의 立場을 支持한 事實에서도 이는 극명하게 立證된 바 있음.

ㅇ 우리는 昨年度에 南北高位級會談等 北韓과의 對話를통하여 北韓側이 統一이 될때까지 暫定措置로서 우리와 함께 유엔에 하루속히 加入할 것을 勸誘하고,

0005

특히 加入後에도 統一指向的 特殊 關係를 發展시켜 나가기 위한 方案을 協議할 것을 꾸준히 說得한 바 있음.

o 그러나 遺憾스럽게도 北韓은 前例도 없고 많은 法的, 現實的 問題点을 가지고 있는 單一議席加入案을 固執할 뿐, 아무런 態度의 變化도 보이지 않고 있을 뿐임. 最近에는 第 4次 南北高位級會談을 一方的으로 中斷시킨데 이어, 北韓 外交部 名義의 備忘錄을 유엔安保理事會에 配布하여 우리의 正當한 유엔加入 立場을 歪曲.誹謗하는등 우리의 진지한 說得努力을 無意味하게 했을 뿐만 아니라, 全世界의 輿望에도 逆行하는 措置도 서슴치 않고 있음.

o 우리는 지금도 南北韓이 다함께 유엔에 加入하기를 希望하고 있지만, 北韓이 끝내 응하지 않을 경우에는 北韓이 우리와 함께 유엔에 加入하지 않는다는 理由로 우리의 유엔加入을 더이상 미룰 수는 없는 立場임. 앞으로 이와같은 基本立場下에서 政府는 友邦國과의 緊密한 協調下에 今年中에 우리의 유엔 加入이 實現되도록 多角的인 外交努力을 傾注해 나갈豫定임.

o 우리의 유엔加入은 政府의 努力만으로 實現될 수는 없는 것임. 따라서 헌정회會員 여러분들을 包含한 國民 各界 各層의 아낌없는 支持와 聲援을 바탕으로 今年中에는 우리나라가 160번째 유엔會員國이 될 수 있을 것으로 期待함.

0006

이러한 實質關係의 持續的 增大를 바탕으로 韓.中 兩國은 昨年 10月에 貿易代表部를 相互 交換 開設하여 비자발급과 兩國 政府間 協議채널 기능을 수행하기로 合意하였으며, 이에따라 우리는 駐북경 代表部를 91.1.30 이미 開設하였고, 中國側도 駐서울 代表部의 開設 準備를 위하여 實務要員들이 2月末에 서울에 入京, 現在 活動中입니다.

政府로서는 貿易代表部 開設이 兩國間 人的.物的 交流 增大를 위한 중요한 契機가 됨은 물론, 兩國間 政治的 關係 設定을 위한 基盤을 마련한 것으로 보고 그간 增大되어 온 兩國間 實質的 協力 關係를 더욱 强化해 나가면서 앞으로 對中國 關係 正常化를 繼續 推進해 나갈 豫定입니다.

(유엔 加入 問題)

다음은 우리의 유엔 加入問題에 대해 說明드리겠습니다.

우리의 유엔 加入問題는 실로 1948年 政府樹立이래 중요한 對外 政策 課題의 하나로서, 40餘年이나 지난 오늘에 이르기까지 아직 解決하지 못한 宿願 外交課題입니다.

오늘날 國際社會에는 和合과 協力을 바탕으로 새로운 國際秩序가 形成되고 있고, 이에 따라 유엔의 中心的 役割도 더한층 強化되고 있으며, 國際平和 維持와 安全保障을 第1次的 任務로 하고 있는 유엔은 最近 걸프 事態의 解決과 中東地域의 平和回復을 위해 일련의 迅速하고도 效率的인 措置를 취함으로써 그 權能에 대한 國際的 期待를 더욱 提高시킨 바 있습니다. 우리가 아직도 유엔에 加入하지 못하고 있는 것은 오늘날 國際社會의 現實에 비추어 볼 때 매우 부자연스러운 일입니다.

우리 政府는 基本的으로 하루빨리 南北韓이 함께 유엔에 加入하여 國際社會에서 責任있는 構成員으로서 合當한 몫을 다해야 한다는 立場입니다. 이러한 우리의 유엔 加入 立場은 國際社會에서 壓倒的인 支持를 받고 있습니다.

우리는 昨年 9月이래 南北 高位級會談等 北韓과의 對話를 통하여 南北韓이 다 함께 유엔에 加入할 것을 勸誘해 왔으나, 遺憾스럽게도 北韓은 前例도 없고 많은 法的, 現實的 問題點을 가지고 있는 單一議席加入案을 固執할 뿐, 기존의 非妥協的인 態度에 아무런 변화도 보이자 않고 있습니다. 北韓은 南北韓이 함께 유엔에 加入하는 것은

分斷을 영구화한다는 主張을 되풀이 하고 있으나 이는 南北예멘, 東西獨 統一에서 보는 바와 같이 統一에 도움이 되면 되었지 障碍가 될 수 없다는 것은 分明한 일입니다. 우리는 北韓이 우리의 유엔 加入을 극력 反對하고 있는 底意를 분명히 알아야 하겠습니다. 이와 같은 北韓의 立場을 支持하는 國家는 한 나라도 없다는 점을 보더라도 北韓의 主張이 얼마나 非現實的이고 터무니 없는 것인지를 알 수 있을 것입니다.

우리는 지금도 南北韓이 다함께 유엔에 加入하기를 希望하고 있습니다만, 北韓이 끝내 응하지 않을 경우에는 우리의 유엔 加入을 더이상 미룰 수는 없다고 봅니다. 앞으로 이와 같은 基本立場下에서 政府는 友邦國과의 緊密한 協調下에 今年中에는 우리나라가 160번째 유엔 會員國이 될 수 있도록 모든 努力을 기울이고자 합니다.

(韓·日 關係)

다음은 韓.日 關係에 대하여 간단히 말씀드리면, 작년 5月 盧泰愚 大統領의 訪日과 今年 1월 카이후 總理의 訪韓은 韓.日 兩國間의 不幸했던 과거를 淸算하고 未來指向的 友好 協力關係를 構築하기 위한 基盤을

연세대 일

韓.中關係 現況과 展望

(慶北大學校 環太平洋 研究所/外交安保研究院 共同主催

學術會議에서의 李相玉 外務部長官 基調演說)

1991. 5. 20.

外　　　務　　　部

0010

김익동 총장님, 이우영 소장 그리고 학술회의 참석자 여러분,

오늘 경북대학교 환태평양 연구소와 외무부 외교안보연구원이 공동주최하는 학술회의에서 韓中關係 現況과 展望에 대해 말씀드리게 된 것을 매우 기쁘게 생각하며, 이런 기회를 마련해 주신 경북대학교측에 감사드리는 바입니다.

(韓半島 周邊情勢 槪觀)

오늘날 全般的인 國際情勢는 理念的 對立에 기초한 東西 冷戰體制의 對決 構圖가 瓦解되고 和解와 協力의 趨勢가 증대하고 있으며, 걸프전 이후에는 미국 주도하의 新國際秩序 形成의 움직임이 두드러지면서, 그 변화의 여파는 동북아에도 적지않게 미치고 있습니다. 이러한 상황하에서 최근의 東北亞 情勢 특히 한반도를 위요한 주변 강대국들간의 역학관계를 살펴 볼때 지난 1-2년간의 情勢 變化의 幅과 速度는 우리 자신들도 놀랄 정도라고 하겠습니다.

21세기를 앞두고 冷戰體制의 유물인 한반도 문제의 해결없이는 아태지역의 平和와 繁榮을 기약할수 없다는 인식이 확산되고 있으며, 한반도 주변 4강인 美.日.中.蘇의 對南北韓 關係의 재정립을 불가피하게 하고 있습니다.

우리로서도 한.소관계 正常化에이어 韓.中關係 正常化를 摸索하는 등 주변 4강과의 역동적인 다각 외교시대를 맞이하고 있습니다.

美國은 아.태지역에서의 기존 戰略的 優位를 계속 유지하면서 주변정세의 변화에 대한 대응의 필요성을 인식하고 걸프전이후 한층 고양된 국제적 지위를 바탕으로 기존 友邦國들과의 協調體制를 강화시키고 있으며, 蘇聯은 유럽에서 성공적으로 정착되고 있는 유럽안보협력회의(CSCE) 체제를 거울삼아 아시아에서의 集團安保體制 구상을 제창하는 한편, 광대한 시베리아 개발 계획을 중심으로 太平洋 經濟圈에의 進出을 모색하면서 동북아시아 지역의 주요세력으로서 影響力을 增大시키기 위한 노력을 경주하고 있습니다.

한편, 日本은 막대한 經濟力을 발판으로 對北韓 修交 交涉과 對蘇 關係改善 및 對中協力 增進을 추구하면서 동북아 지역에서의 國際政治的 影響力을 增大시키려고 부심하고 있으며, 中國도 改革.開放 經濟政策의 지속적 추진과 적극적 對外政策을 통하여 천안문사태 이후 악화된 國際的 地位의 修復 및 나아가서 동북아시아에서의 地域 强國의 역할을 하기 위해 부단히 노력하고 있다고 하겠습니다.

이러한 과정에서 우리는 그간 北方外交를 積極的으로 展開한 결과, 거의 모든 東歐圈과의 關係를 正常化 시킨데 이어 소련과도 지난해 9월 修交를 했고, 3차에 걸친 頂上會談을 통하여 相互 善隣 協力關係를 착실히 발전시켜 오고있습니다.

또한, 작년 3월에는 아시아 社會主義 國家와는 처음으로 몽골과 修交를 하였고 중국과도 작년 10월 貿易代表部 交換設置 合意를 통해 關係正常化를 향한 하나의 기틀을 마련하였습니다.

아울러, 우리정부는 韓半島의 平和 및 安定 維持와 統一達成을 위해서는 韓.美間 友好協力 關係를 근간으로 하는 安保體制의 維持가 필수적이라는 인식하에 미국, 일본 등 전통적인 우방국과의 紐帶를 强化하고 있습니다.

한편, 북한은 對南 基本路線을 견지하면서도 심화되는 경제적 어려움과 外交的 孤立을 타개하기 위해 불가피하게 서방국가들에 대한 접근을 시도하고 있으며, 특히 日本과의 修交와 美國에 대한 接近努力의 加速化는 北韓의 開放 可能性과 관련하여 주목을 끌고 있습니다.

이러한 急激한 變化의 시기에 즈음하여 우리 外交를 돌이켜보건대 우리는 그동안 어려운 對內外的 여건속에서도 우리정부와 온 국민이 합심하여 이룩한 國力의 伸張을 바탕으로 우리나라의 外交的인 活動領域과 역할을 擴大시키면서 質的, 量的으로 커다란 성장을 이루어 왔습니다.

특히, 지난달에는 서울에서 유엔 아시아.태평양지역 경제사회이사회 (ESCAP) 總會를 開催하였고, 금년 11월에는 亞太 經濟協力 閣僚會議 (APEC)를 주최하게 됨으로써 아태 지역 협력 증진을 위해 重要한 役割을 수행하는 등 亞.太時代라고 불리우는 21세기를 앞두고 우리의 國際的 位相을 크게 고양시키고 있습니다.

이와같은 최근의 國際情勢 변화와 한국의 國際的 位相向上등을 背景으로 본인은 韓.中 關係의 現況과 兩國關係 發展의 必要性 그리고 앞으로의 兩國關係 展望에 대하여 말씀드리고자 합니다.

(韓.中 關係의 現況)

여러분들도 잘 아시다시피 韓.中 兩國은 地理的으로 隣接하여 수천년에 걸친 歷史를 통해 密接한 關係를 가져 왔습니다.

韓.中 兩國은 儒教 文化를 바탕으로 고유의 學問과 文化藝術을 각기 발전시켜 오는 한편 緊密한 文化的 交流를 통해 서로간에 많은 정신적인 영향을 미침으로써 양국 국민들의 文化的 共感帶를 넓혀 왔음은 새삼 설명드릴 필요도 없을 것입니다.

시대에 따라 불행했던 역사를 가진 적이 있었으나, 본질적으로 中國과 한반도는 동북아지역 安定의 축으로서 그 선린우호 협력관계는 공존공영을 위해 필요 불가결한 것입니다.

韓國이 日本에게 國權을 상실하여 일제의 식민지 통치하에 있었을 때에는 中華民國 정부와 국민이 망명중이던 우리 애국지사들의 임시정부 수립을 비롯한 獨立運動을 적극 支援하였고, 제2차 대전후의 국제질서를 논의한 카이로회담 등에서 우리의 자주 독립을 위해 많은 협조를 제공해 주었으며, 우리 국민들은 아직도 이에 대하여 깊은 감사의 뜻을 지니고 있습니다. 이러한 어려운 시기를 거치면서 그후 우리와 中華民國은 友好協力關係를 繼續 發展시켜 왔던 것입니다.

제2차세계대전이 끝나면서 한반도가 남.북으로 분단된채 東西冷戰이 격화된 가운데 북한의 남침으로 韓國戰爭이 勃發하였을때는 유엔안보이사회의 결의에 따라 다수의 유엔회원국들이 참전하여 우리를 도와준 반면에, 中華人民共和國은 北韓을 支援하기 위해 군대를 파견함으로써 우리와 중국과의 敵對關係가 深化되고 兩國關係는 큰 傷處를 입게 되었던 것입니다.

- 4 -

0014

韓.中 兩國 關係는 1980년대에 들어와서 냉전체제의 변화에 따른 全世界的인 和解와 協力의 雰圍氣와 우리의 北方社會主義 諸國에 대한 積極的인 關係改善 努力 및 中國 自體의 改革.開放 政策의 추구 등의 결과로 상호 교류와 교역이 시작되어 실질적인 관계가 발전됨으로써 작년 10월에 형식상으로 大韓貿易振興公社(KOTRA)와 中國國際商會(CCOIC)간의 약정을 통해 양국간 무역대표부를 서울과 북경에 相互 設置키로 合意하였으며, 이에따라 우리는 금년1월 북경에 무역대표부를 개설하였고, 중국측도 금년 4월 서울에 대표부를 개설하는 등 肯定的 變化의 움직임을 보여왔습니다.

韓.中間의 交易은 1980년대초 소규모의 間接交易이 시작된 이래 매년 증가되어 89년에는 31억불, 90년에는 38억불로 急增하여 韓中 양국은 相互 제7위의 交易 相對國이 되었습니다. 이러한 貿易의 增加趨勢는 앞으로도 계속되리라고 전망되고 있으며, 90년도만 하더라도 中國과 北韓間의 7억불미만의 년간 무역규모와는 큰 對照를 이루고 있습니다.

우리의 중국에 대한 民間 投資도 90년말까지 총 66개 사업에 대해 81백만불 상당의 投資가 許可되는등 꾸준한 增加趨勢를 보이고 있으며 投資規模의 多樣化, 投資地域의 擴大 傾向을 보이고 있습니다.

兩國間 相互 人的交流面에 있어서는 4년전인 87년에 1,700명에 불과하였던 韓.中間 相互 訪問者의 數가 90년에는 57,000명으로 크게 增加하였고, 訪問의 目的도 친척 방문, 교원 및 학생연수, 商用 및 스포츠교류 등으로 多樣化되어 가고 있어 韓.中間 實質交流가 어떻게 擴大되어 가고 있는지를 잘 보여주고 있습니다.

특히 최근에는 우리나라의 監査院長이 아시아 最高會計檢査機關機構(ASOSAI) 總會 및 執行理事會 참석을 위해, 노동부차관이 아.태지역 노동장관 회의(CAPLAM) 참석을 위해 각각 北京을 訪問하였고, 중국에서도 劉華秋 外務次官이 ESCAP 總會 參席을 위해 서울을 방문하는 등 兩國 정부 高位人士들의 相互 訪問도 增加되고 있습니다.

中國은 지난 86 서울아세안게임과 88서울올림픽때 대규모의 선수단을 서울에 派遣하여 우리가 아세안게임과 올림픽을 成功的으로 開催하는데 기여하였으며, 90 北京아세안 게임에는 우리도 대규모 선수단을 參加시키는 한편, 우리의 아세안게임 개최 경험전수 등 이웃으로서의 諸般 協調를 아끼지 않음으로써 兩國間 協力 雰圍氣를 高揚시킨 바 있었습니다.

그외에도 韓.中間에는 89.4부터 海運直航路를 開設한 이후에 작년 9월부터는 仁川과 山東省의 威海市間에 旅客船 運航이 시작되어, 조만간 仁川-天津間 취항으로 擴大될 예정이며, 兩國間 漁業協力을 위하여 89년말까지 3차의 民間漁業會談을 개최하여 해상사고 처리에 관한 合意書가 署名되었으며, 머지않은 장래에 兩國間 전반적인 漁業協力 增進을 위한 會談을 開催하는 문제가 현재 檢討되고 있는 중입니다.

그러나, 이러한 實質關係의 發展에도 불구하고, 韓中關係가 아직까지도 政府間 公式關係에까지 이르지 못하여, 여타 北方社會主義 國家들과의 관계발전 속도보다 지연되고 있는 것은 中國이 처한 國內外的 여건과 중국과 北韓간의 特殊關係에 그 主要原因이 있다고 하겠습니다.

v 中國은 基本的인 政治體制를 維持해 가면서 經濟開放과 改革을 追求하는 과정에서 89년 6월 天安門 事態라는 國內의 격동을 겪게 되었고, 아직도 그 後遺症이 완전히 治癒되지 않았으며 對外政策 遂行에 있어서도 어려움을 겪은 바 있습니다.

얼마전 中國의 李鵬 總理가 北韓을 訪問하였습니다만, 한국 전쟁을 통해 중국과 북한간에는 "脣亡齒寒"이라고 불리우는 특별한 관계를 형성하게 되었습니다.

중국으로서는 우리와의 관계를 너무 急速히 發展시키면 그들의 전통적인 對北韓 關係에 영향을 주어 결과적으로는 중국자신의 對外關係가 不安定하게 되지 않을까 하는 憂慮를 갖게 된 것으로 생각됩니다.

(韓.中 關係 發展의 必要性과 展望)

그러나, 이러한 韓.中關係의 制約要因에도 불구하고 본인은 앞으로 韓.中關係가 계속 擴大 發展되어 正常化 되는 것은 必然的인 것으로 보고 있습니다.

첫째, 韓.中 兩國間의 關係發展과 正常化는 韓半島 平和와 安定의 維持 및 平和的 統一에 寄與하게 될 것입니다.

韓半島의 平和와 安定은 韓.中 兩國의 利益에도 符合되는 것이며, 양국간 관계 정상화는 나아가 東北亞 地域의 恒久的인 平和와 安定構築을 위해서도 필수적인 것입니다.

둘째, 韓.中 兩國間의 經濟 및 貿易構造도 相互 補完性과 큰 發展 潛在力을 갖고있어 앞으로 양국간의 經濟協力, 貿易 등 호혜적인 實質協力 關係의 擴大發展은 두나라 모두가 바라고 있으며 또한 必要로 하는 것입니다.

지난 4월초에는 北京에서 開催된 北京國際展覽會에 우리의 기업들이 대거 參與하여 中國 사람들의 큰 關心을 끌은 바 있었으며, 5월 하순에는 中國側의 많은 人士들이 參席한 가운데 서울에서도 中國國際商會의 商品展示會가 開催될 豫定입니다. 이러한 대규모 상품전시회의 交換 開催는 양국 무역대표부의 相互 設置와 더불어 兩國間 交易伸張에 크게 도움이 될 것입니다.

셋째, 韓.中 兩國間의 關係發展과 正常化는 亞.太地域內에서의 經濟協力을 더욱 强化시키는데 기여할 것입니다. 최근 ESCAP에서는 域內 國家間 地域經濟協力 活性化가 優先的인 事業으로 대두되고 있으며, 내년 북경에서 개최될 예정인 ESCAP 總會는 바로 이 案件을 主題로 다루게 됩니다.

中國은 광대한 자원과 최대의 인구를 가진 국가로서 地域經濟協力 體制에 적극 參與할 意思를 가지고 있는 바, 이미 太平洋 經濟協力委員會 (PECC)에 參與하고 있으며, 또한 亞.太 經濟協力(APEC) 閣僚會議에도 參加하길 원하고 있습니다. 韓國은 금년 11월초 서울에서 開催되는 APEC 閣僚會議 議長國으로서 中國, 臺灣, 홍콩의 APEC 참가를 위해 가능한 方案을 마련코자 多角的인 接觸을 하고있는 중입니다.

넷째, 한.중 관계의 正常化는 兩國 各自의 제3국과의 기존 同盟關係에 영향을 끼침이 없이 進行될 수 있다는 점을 强調하고자 합니다. 우리는 中國과의 公式關係 樹立을 지향하면서 中國과 北韓間의 正常的인 關係를 損傷시키고자 하는 意圖는 추호도 없으며, 또한 한.중 관계정상화를 통하여 우리가 北韓의 孤立化를 追求하는 것이 아니라는 점은 이미 분명히 한바 있습니다. 오히려 우리는 北韓이 國際社會의 책임있는 일원으로서 합당한 행동과 役割을 해 주기를 원하고 있습니다.

우리는 韓.中 關係正常化가 한.중 양국의 共同利益일 뿐만 아니라, 國際社會의 時代的 要請이라는 認識下에 앞으로 한.중 양국간의 實質的인 協力 關係를 계속 擴大해 가면서, 多角的인 外交 努力을 傾注해 나갈 것입니다.

(유엔加入 問題)

이러한 努力과 관련, 본인은 이 기회를 빌어 우리의 유엔加入 問題에 대해 몇말씀 드리고자 합니다.

韓國은 自由와 平和를 愛好하는 民主國家로서 유엔憲章에 規定된 유엔會員國으로서의 資格을 충분히 갖추고 있습니다. 특히 4.300만의 인구, 국민 총생산 규모가 세계 제15위권이며, 또한 세계 제12위권의 交易國으로서 현재 148개국과 外交關係를 維持하고 있는 우리나라가 아직도 유엔에 加入하지 못하고 있는 것은 非正常的인 일이 아닐 수 없으며, 이는 유엔의 普遍性原則에 어긋나는 것입니다. 우리나라가 하루빨리 유엔에 加入하여 國際平和와 繁榮을 위해 應分의 役割과 寄與를 하는것은 國際社會가 바라고 있는 바입니다.

그간 우리는 통일이 될때까지 暫定措置로서 南北韓이 같이 유엔에 加入하도록 諸般努力을 다해 왔으나, 북한은 여러분도 잘 아시다시피 南北韓이 유엔에 同時加入하면 國土分斷이 永久化 된다는 理由로 反對하여 왔고, 특히 작년 5월에는 南北韓이 單一議席으로 유엔에 加入하자는 안을 내놓았습니다.

그러나, 독일과 예멘의 例에서 본바와 같이 유엔加入이 統一過程을 促求하는 것이지 統一을 防害하지 않는다는 것은 立證된 바 있으며, 또한 北韓이 主張하고 있는 單一議席 加入案이 현실적이 아니라는 점은 이미 國際社會에서 널리 指摘된 바 있습니다.

남북한이 유엔에 함께 들어가 유엔헌장을 준수하는 가운데 相互間에 和解와 協力을 增進하는 것이 韓半島의 平和와 安定 뿐만 아니라, 궁극적으로 平和的 統一을 促進하게 될 것입니다.

따라서 우리는 앞으로도 南北韓이 유엔에 같이 加入할 수 있는 방향으로 계속 努力해 나가고자 합니다마는, 北韓이 끝까지 유엔에 加入할 意思가 없거나 준비가 되어있지 않다면 우리만이라도 금년내 유엔에 加入하는 것이 금후 北韓의 유엔加入의 길을 열어주게 된다고 보고 있으며, 우리는 이미 이와같은 우리의 확고한 뜻을 友邦國 뿐만 아니라 中國側에게도 전한 바 있습니다.

中國側도 南北韓이 유엔에 同時加入하는 것을 바라고 있고, 이를 위해 南北韓이 協議를 계속해 주기를 希望하고 있는 것으로 알려져 있습니다.

우리는 남북한의 유엔加入이 韓半島의 平和와 安定, 나아가 平和的인 統一에도 크게 기여할 것이기 때문에 남북한의 유엔가입은 中國의 利益에도 符合된다는 점을 中國側도 잘 認識하고 있을 것으로 믿고 있습니다. 따라서, 우리로서는 유엔안보리 상임이사국의 일원인 中國이 南北韓의 유엔加入 實現을 위하여 協調해 주기 바라고 있으며, 만일 北韓이 끝내 加入을 원하지 않는다면 우리만이라도 유엔에 加入할 수 있도록 肯定的인 태도를 취해 줄 것을 期待하고 있습니다.

- 10 -

0020

최근 걸프事態에서 잘 나타난 바 있듯이 오늘날 유엔의 役割과 重要性이 크게 提高되고 있는 國際狀況下에서 우리의 유엔가입은 國際平和와 繁榮을 위해 韓國이 應分의 役割을 해주기를 기대하는 國際社會의 輿望에도 符合하는 것입니다.

이러한 점에 비추어서도 우리는 유엔加入 問題에 대한 中國側의 理解와 協調를 期待하고 있으며, 금년에 우리의 유엔加入이 實現된다면 이는 韓半島와 東北亞地域의 平和와 安定構築을 위한 중요한 계기가 될 것으로 믿고 있습니다.

이상으로 오늘 學術會議의 主題와 關聯하여, 韓.中關係의 現況과 展望, 그리고 유엔加入 問題에 대한 본인의 所見披瀝을 끝마치고자 합니다.

政府는 국제정세의 큰 변화속에서 우리의 外交目標 達成을 위해서 계속하여 最大限의 努力을 다해 나가겠습니다마는, 효과적인 外交政策 遂行은 항시 國民的인 理解와 支持를 바탕으로 해야 한다고 믿고 있습니다. 앞으로도 이러한 外交目標 達成을 위해 여러분의 끊임없는 聲援이 있으시기를 바랍니다.

감사합니다.

亞·太地域協力과 우리의 役割

— 釜山 世界交流協會 創立 晩餐會에서의 李相玉 外務部長官 演說文 —

1991. 5. 30.

外　務　部

0022

亞·太地域協力과 우리의 役割

— 釜山 世界交流協會 創立 晩餐會에서의 李相玉 外務部長官 演說文 —

1991. 5. 30.

外　務　部

0023

존경하는 박남수 회장님과 왕상은 이사장님, 釜山 世界交流協會 회원 여러분, 그리고 귀빈 여러분,

오늘 釜山 世界交流協會가 창립되는 이 중요한 모임에 초청되어 아시아·太平洋 協力과 韓國의 役割에 관한 말씀을 드리게 된 것을 큰 기쁨으로 생각하며 國際化時代를 맞이하여 世界交流協會가 韓國에서는 처음으로 오늘 이곳 釜山에서 創設되는데 대하여 축하의 말씀을 드리는 바입니다.

특히 太平洋을 향한 우리나라의 관문이라고 할 수 있는 이곳 부산에서 우리나라의 21세기를 향한 아시아·太平洋 協力政策에 관하여 말씀드릴 수 있게 된것은 매우 뜻깊은 일 이라고 생각하며, 이 기회를 빌어 박회장님과 왕이사장님을 포함한 주최측 여러분께 재삼 심심한 감사의 말씀을 드립니다.

(亞·太地域 協力의 背景)

오늘날 세계의 많은 지도자들과 석학들은 다가오는 21세기

가 "아시아 · 太平洋 時代" 또는 "太平洋時代"가 될것으로 예견하고 있습니다. 실로 아시아 · 太平洋 地域은 최근 세계에서 가장 급속한 경제성장을 이룩하여 왔고 앞으로도 계속 가장 활력이 넘치는 지역으로서 世界 經濟의 中心이자 牽引車가 될 것으로 기대되고 있습니다.

잘 아시다시피 亞 · 太地域은 세계 인구의 약 40%에 달하는 19억의 인구와 총 육지 면적의 1/4을 점하고 있으며, 무한한 潛在力과 力動的인 發展의 힘을 갖고 있는 지역입니다.

亞 · 太地域이 세계 경제에서 차지하는 비중은 1980년대 들어와 현저히 증대되어, 오늘날 世界 總生産의 약 50%, 總 交易量의 38%를 차지하기에 이르렀습니다. 현재 EC, 즉 유럽공동체가 세계 총생산에서 차지하는 비중 27%, 세계 총교역에서 차지하는 비중 42%와 비교하여 볼 때, 亞 · 太地域은 현재의 추세를 유지할 수 있다면 앞으로 EC를 상회하는 世界經濟의 中心圈으로 부상할 것으로 전망되고 있습니다.

지난 20여년간 亞·太地域 國家間의 交易도 급격히 증가하여 1989년 현재 역내 국가간 交易依存度는 67%로 1992년 시장통합을 앞두고 있는 EC의 58%를 이미 상회하고 있습니다.

세계 최대의 경제대국인 미국의 경우에도 주요 수출대상국중 상위권 8개국이 亞·太地域에 집중되어 있으며, 1989년 현재 太平洋國家와의 교역량은 4,600억불에 달하여 대서양을 사이에 둔 교역을 큰 폭으로 상회하고 있습니다.

그러나 다른 한편 亞·太地域은 오랜 세월동안 다양한 인종과 종교, 문화와 역사가 공존하여 왔으며, 이념과 사회체제는 물론 경제발전 단계와 산업구조가 서로 相異한 나라들이 함께 竝存하고 있는 것도 현실입니다.

이렇듯 亞·太地域 고유의 다양성과 이질성에도 불구하고 이지역 국가들은 최근에 성취한 고도성장을 지속시키고 점증하고 있는 相互依存關係를 효율적으로 관리하여 이지역의 계속적 번영과 발전을 달성함에 있어서 역내 국가간의 相互

理解와 긴밀한 協力이 필요하게 되었다는 것을 절감하게 되었으며, 이러한 지역차원의 협력이야말로 오늘날 亞・太地域의 時代的 要請이요 歷史的 課題로서 인식되기에 이르렀습니다.

(亞・太地域 協力의 發展)

아시아・太平洋 國家間의 본격적인 지역협력 논의는 유럽에서 EC가 발족된후인 1960년대 중반에 이르러 주로 이지역의 학계 및 경제계를 중심으로 거론되기 시작하였으며 1967년에 처음으로 민간 기업인을 중심으로한 太平洋 經濟協議會(PBEC)가 창설되었습니다. 그 이듬해에는 학계 중심으로 太平洋 貿易開發 會議(PAFTAD)가 창립되었으며, 1980년에 이르러 호주, 일본이 주동이 되어 정부, 학계, 경제계의 3원적 협력기구인 太平洋 經濟協力會議(PECC)가 창설되어 비정부 차원에서의 역내 협력이 본격화 되었습니다.

이렇듯 亞・太地域 協力은 주로 非政府間 協力體들에 의하여 1960년대부터 1980년대 중반까지 추진되어 왔습니다만, 앞서 말씀드린 바와 같이 최근 세계 및 亞・太地域의 경제적 여건이 급속히 변화함에 따라 1980년대 후반부터 政府次元의 地域 協力體를 창설할 필요성이 본격적으로 논의되기에 이르렀습니다.

이러한 움직임을 배경으로 하여 1989년 1월 호주의 호크 수상이 방한했을때, 盧泰愚 大統領과 동 수상간에 亞·太地域의 협력을 발전시키기 위한 정부차원의 틀이 필요하다는 점에 합의가 이루어졌고, 그후 韓·濠 兩國이 주가 되어 역내 국가간의 막후 교섭이 진행 되었습니다. 그 결과 그해 11월 호주 캔버라에서 한국, 호주, 미국, 일본, 카나다, 뉴질랜드 및 아세안 6개국등 아·태지역 12개국의 외무장관 및 경제각료 26명이 참석한 가운데 第1次 亞·太 經濟協力(APEC) 閣僚會議가 출범됨으로써 아·태지역 정부간 협력의 歷史的 序章이 열리게 된 것입니다.

(APEC-亞·太 經濟協力 閣僚會議)

오늘날 APEC이라고 불리우고 있는 亞·太地域 經濟協力은 그간 1989년과 1990년 각각 호주 및 싱가폴에서 열린

- 5 -

0028

두차례의 각료회의를 통하여 일단 年例 閣僚級 會議의 형태로 정례화 되었으며, 금년 11월에는 서울에서 제3차 각료회의가 열리고, 내년에는 태국에서, 1993년에는 미국에서 제4차 및 제5차 회의가 각각 개최될 예정입니다. 12개국 각료들은 그간 亞·太 經濟協力을 추진하는데 있어서 기초가 될 기본목표에 관하여 합의하였는데, 域內의 持續的 成長과 發展에 기여를 할 것과, 域內 多様性과 參加國 立場을 同等하게 尊重하면서 共同理解와 相互 利益을 추구할 것, 그리고 GATT 체제하의 多者 交易을 더욱 강화하는데 기여할 것 등이 그 주요한 내용입니다.

이러한 기본목표에 입각하여 작년 제2차 각료회의에서는 GATT 체제하의 世界 貿易自由化를 지지하고 우루과이라운드의 早期 妥結을 촉구하는 특별선언이 채택된 바 있으며, 그밖에도 참가국간의 구체적인 우선협력사업으로서 교역, 투자, 기술이전, 인력자원개발, 에너지, 전기통신등 7개 분야를 선정하여 分野別로 協力事業을 구체적으로 추진하기로 하였습니다. 우리나라는 금년도 議長國으로서 이들

각종 사업 추진을 종합적으로 조정하는 역할을 수행하고 있으며, 아울러 오는 11월 서울에서 열릴 각료회의 준비를 위한 高位實務會議를 지난 10월과 금년 3월 각각 서울과 제주도에서 주최하여 준비에 박차를 가하고 있습니다.

이렇듯 亞·太 協力이 정부차원에서 본 궤도에 오르고 있는 것과 관련하여, APEC 12개국 각료들은 이 지역에서 중요한 經濟實體로 등장한 중국, 대만, 홍콩의 APEC 참가가 바람직하다는 인식하에 議長國인 韓國으로 하여금 이 3자와의 참가 협상을 추진토록 위임하였으며, 이에 따라 우리 정부는 그동안 세차례에 걸쳐 중국, 대만, 홍콩 대표와 협의를 갖는 등 필요한 협상을 계속하고 있습니다.

금년 第3次 亞·太 閣僚會議는 여러면에서 아·태지역 뿐아니라 전세계의 이목을 집중시키는 계기가 될 것으로 예상되고 있습니다.

중국, 대만, 홍콩의 서울 각료회의 참가가 실현될 경우 그 政治的·經濟的 意義에 비추어 APEC의 발전단계에서 하나의 중요한 계기가 될 것은 말할 것도 없으며, 금번 서울 각료회의가 시기적으로 우루과이 라운드 협상의 마무리 단계에 열리게 되고, 1992년 EC의 市場單一化를 앞두고 대두되고 있는 地域主義 動向의 와중에 열리게 된다는 점에서 APEC의 현재와 장래 진로에 관하여 참가 각료들간의 폭넓고 심도 있는 토의가 이루어질 것으로 예상되고 있기 때문입니다.

우리나라가 第3次 亞·太經濟協力 閣僚會議의 議長國이 되어 미국, 일본, 아세안등 12개국 각료들이 참석하는 금번 회의의 준비와 진행을 주도하게 된 것은 이지역에 있어서의 韓國 外交의 높아진 위상을 얘기해 주는 것인 동시에, 우리 외교의 책임 또한 무거워지고 있음을 말해 주는 것이라 하겠습니다.

지난 4월 서울에서 유엔 亞·太地域經濟社會理事會(ESCAP) 제47차 총회가 개최되어 地域 經濟協力에 관한 서울 선언과 서울 행동강령이 채택된 것은 이 지역에서의 우리나라의 役割의 重要性을 잘 말해주는 것이었습니다.

앞으로 ESCAP도 UN차원에서 亞·太地域 經濟協力의 促進을 위하여 그 나름대로 중요한 기여를 할 것이 기대됩니다. 정부로서는 한국의 이러한 위상과 책임에 합당한 역할을 감당하도록 최선의 노력을 경주할 예정입니다.

(亞·太地域의 安保와 地域協力)

오늘날 아시아·태평양 지역의 특징이 高度成長과 繁榮이라는 경제적 측면에서 두드러지고 있다는 점을 감안할때, 이 지역에서의 地域協力 構想이 먼저 경제 협력면에서 시작되어 추진되고 있는 것은 자연스러운 현상이라 하겠습니다.

그러나 동서 냉전의 종결과 세계적인 데탕트 추세를 배경으로 유럽에서 급속한 진전을 보이고 있는 地域安保 協力은, 작년 11월 파리 정상회담을 계기로 유럽安保協力會議(CSCE)와 在來式 武器減縮(CFE)협상을 본 궤도에 오르게 하였습니다. 이러한 추세는 아시아·태평양지역에도 적지 않은 영향을 끼치고 있어, 비단 경제협력 뿐 아니라 이 지역에서의 安保協力 可能性이 점차 논의의 대상으로 등장하고 있는 것이 오늘날의 추세라 하겠습니다.

더구나 냉전후기의 새로운 國際秩序 形成過程에서 걸프 전쟁이 갑자기 발발하여 세계를 위기로 몰고간 현상은 냉전 질서 붕괴이후의 세계 질서의 불안정성을 말해주는 것이며, 그때문에 앞으로 亞·太지역에서도 多者的 安保協力을 모색하는 추세가 증대될 가능성을 예견케 해주고 있습니다.

이미 오래전부터 아세아 집단안보구상을 제시해 온 소련이 최근에와서 東北亞에서의 軍縮關係 論議, 亞·太 外務長官 會議의 1993년 개최등 일련의 구체적 제의를 하였고, 호주, 카나다, 몽골등도 亞·太地域 또는 小地域(sub-regional) 차원의 安保協力을 모색하는 대화를 제의한 것등은 이러한 추세를 반영해 주는 것이라 하겠습니다.

그러나 유럽에서와는 달리 亞·太地域에는 역사적, 문화적 다양성과 경제발전 수준의 차이등이 엄존하고 있고, 軍事的 非對稱性도 두드러질 뿐아니라, 한반도, 캄보디아와 같은 주요지역 분쟁이 아직도 남아 있고 역내 모든 국가간 관계도 정상화 되어 있지 않기 때문에 地域次元의 安保協力을 추진할 여건이 아직 형성되어 있지 않은 것으로 평가되고 있습니다.

앞으로 지역분쟁이 해결되고 역내 국가간 관계도 모두 정상화되어 필요하고도 충분한 여건이 조성되는 시기에 가면 이지역의 多者的 安保協力 모색을 위한 대화가 가능해 질 것으로 전망됩니다.

1988년 10월 盧泰愚 大統領께서 유엔총회 연설을 통하여 제시하신 東北亞 平和協議會의 구상은 이와 비슷한 맥락에서 장차 한반도와 동북아 지역에서 전개될 남북한과 주변 4강간의 역학 관계를 염두에 둔 外交戰略 構圖를 제시하신 것이라고 할 수 있으며, 앞으로 남북한 관계 진전과의 관련에서 모든 관계 당사국과의 협의하에 단계적으로 추진하게 될 것입니다.

- 11 -

0034

(亞·太 協力의 將來와 韓國의 役割)

잘아시는 바와 같이 한국의 외교는 지난 40여년간 냉전 체제하에서 주로 미국등 西方陣營과 親西方的 第3世界를 대상으로 전개되어 왔습니다. 그러나 1985년 소련의 고르바쵸프 등장이래 미·소간 데탕트와 냉전종식의 새로운 국제 환경 변화에 따라 6공화국 출범후에는 盧泰愚 大統領의 7.7 선언을 시발점으로 하여 과감한 北方外交를 전개한 결과 소련을 비롯한 대부분의 동구제국 및 몽골등과 외교관계를 수립하고 중국과도 무역대표부 상호 개설에 합의하는 등 우리 外交의 地平線은 크게 확대되었습니다.

이제 중국, 월남등 몇몇 남은 국가와의 관계만 정상화되면 우리의 北方外交는 성공리에 끝나고 그 내실을 기하는 단계로 접어들게 됩니다. 앞으로는 다가오는 21世紀 太平洋 時代를 앞두고 아시아·太平洋 地域이 우리 외교의 주무대의 하나가 될 것으로 전망되고 있으며, 이러한 관점에서 볼때 우리 정부가 일찌기 아·태지역에 눈을 돌려 APEC을 통한 亞·太 協力의 태동과정에서 주역의 하나로서 참여할 수 있게 된것은 매우 의미 깊은 일이라 하겠습니다.

더구나 우리나라 경제는 1990년대와 2000년대에 있어서도 대외 지향적으로 지속적 성장을 계속해야 되기 때문에 우리의 앞마당이라 할 수 있는 아시아・태평양지역에서의 能動的인 外交와 經濟協力을 통하여 韓國의 政治的 位相과 응분의 發言權을 확보하면서 동시에 교역, 투자의 확장과 자원의 안정적 확보 및 지역경제와의 유기적 관계 강화등 經濟的 實益도 아울러 추구해나가지 않으면 안될것 입니다.

그와 동시에 한국 경제가 지니고 있는 특유의 중간적 위치를 최대로 활용하여, 우선 APEC을 통하여 亞・太 經濟協力이 世界主義와 多者主義를 지향하는 開放的 地域 協力體로서 진로를 정착하도록 노력해 나가야 할 것이며, 地域安保協力次元에서도 미국등 우방과의 雙務的 安保協力 體制를 기반으로 하여 東北亞와 亞・太地域에 미래지향적인 안보협력의 틀이 모색되도록 창의력 있는 외교를 전개 해 나가야 할 것 입니다.

오늘날 세계는 냉전후기와 걸프전쟁 이후 새로운 국제질서의 형성이라는 커다란 숙제를 안고 진통하고 있습니다. 이 과정에서 하나의 時代的 必要性에 의하여 태동된 亞·太地域 協力은 우리에게 새로운 도전과 기회를 제공하고 있습니다. 한국은 그의 신장된 국력과 국제적 위상에 걸맞는 능동적이고 창의적인 외교를 전개함으로써 이러한 도전과 기회에 적극 대응해야 할 것이며 명실공히 21세기 태평양시대를 주도하는 국가의 하나로서 응분의 역할과 기여를 해야할 것 입니다.

우리정부가 年內 유엔加入 실현을 위해 노력을 경주하고 있는 것도 바로 이러한 맥락의 하나입니다. 바로 그저께 北韓이 외교부 성명을 통하여 정식으로 유엔加入 申請書를 제출할 것이라고 발표한 것은 환영할 만한 일이 아닐 수 없읍니다. 北韓이 이번에 방송을 통하여 밝힌 바 대로 유엔가입 신청서를 제출, 우리와 함께 나란히 유엔가입을 실현하게 되면, 이는 韓半島 및 東北亞 地域의 平和와 安定의 정착에 큰 전기가 될 것이며, 남·북한의 관계에도 肯定的인 變化를 가져올 것으로 기대됩니다.

이와 관련, 우리는 北韓이 ESCAP에도 가입하여 우리와 함께 亞·太 地域 經濟協力 過程에도 동참하게 되기를 희망하고 있습니다.

한반도의 안정과 평화는 궁극적으로 東北亞와 亞·太地域 全體의 安定과 協力增進에 긴요한 만큼 아·태지역 협력의 발전을 위한 우리의 역할은 더욱더 중요한 것이라고 하겠습니다.

이러한 韓國外交의 전개과정에서 무엇보다도 중요한 것은 온국민의 뒷받침과 협조를 얻는 것이라고 확신합니다. 특히, 여러분과 같이 國民輿論의 형성을 위해 결정적 역할을 하실 수 있는 사회 각계 각층의 指導層 人士들께서 民間外交 次元에서 하실수 있는 역할은 지대한 것이라 하겠습니다. 그런점에서 앞으로 21세기 亞·太 外交의 적극적 전개를 눈앞에 두고 부산 世界交流協會가 창립된 것은 참으로 시의적절하고 매우 고무적인 일이라 아니할 수 없습니다. 앞으로 본 협회와 임원 및 회원 여러분께서 우리의 외교를 뒷받침 해주시고 民間外交를 창달시키기 위하여 큰 활약과 기여를 해주실 것을 기대하면서 오늘의 말씀을 마치고자 합니다.

감사합니다.

南北韓의 유엔同時加入이 韓半島 및 東北亞秩序 再編에 미칠 影響

-韓國地域政策硏究所 主催 朝餐會에서의 李相玉 外務部長官 演說文-

1991. 6. 13.

外 務 部

0040

南北韓의 유엔同時加入이 韓半島 및 東北亞秩序 再編에 미칠 影響

-韓國地域政策硏究所 主催 朝餐會에서의 李相玉 外務部長官 演說文-

1991. 6. 13.

外　　務　　部

0041

尊敬하는 송용식 理事長님,
그리고 아침 일찍 이자리에 參席해 주신 귀빈 여러분!

오늘 韓國 地域政策硏究所의 초청을 받아 "南北韓의 유엔同時加入이 韓半島 및 東北亞秩序 再編에 미칠 影響"에 관하여 말씀드리게 된 것을 매우 기쁘게 생각합니다.

잘 아시다시피 北韓은 지난 5.27日字 외교부 성명을 통하여 유엔加入을 申請하기로 決定하였음을 발표하였습니다. 이와 같은 북한의 決定에 대하여 우리는 물론 國際社會에서 놀라움과 함께 歡迎의 뜻을 표한 바 있습니다. 북한의 決定을 계기로 유엔과는 特殊한 關係를 가져왔던 우리가 不遠 北韓과 함께 유엔에 加入할 수 있게 된것은 참으로 感懷가 깊은 일이 아닐수 없습니다.

돌이켜보면, 대한민국 정부는 1948년 유엔總會의 決議에 의하여 實施된 總選擧를 통해 樹立되었으며, 또한 政府樹立直後 總會決議를 통하여 韓半島의 唯一한 合法政府로 인정을 받았습니다. 뿐만 아니라 1950년 北韓의 南侵으로

0042

발발한 3년간의 韓國戰爭時에는 유엔安保理事會의 決議에 의하여 16개국으로부터 派兵되어 구성된 유엔軍이 北韓의 侵略을 擊退하고 우리를 共産化의 威脅으로부터 구해주는데 커다란 역할을 수행하였습니다. 또한 유엔은 戰爭後 폐허가 된 우리나라를 현재와 같은 자유롭고 繁榮된 社會로 發展 시키는데 크게 기여하였으며, 현재도 유엔軍司令部는 韓半島의 休戰體制를 지켜나가는데 重要한 役割을 맡고 있습니다.

北韓이 유엔에 加入키로 결정한 것은 南北韓 相互間의 關係에 있어서 뿐만 아니라 韓半島 周邊情勢에 있어서도 매우 중요한 變化의 可能性을 시사해 주고 있다고 생각합니다. 그와같은 變化 可能性에 대한 언급을 하기 전에 우선 北側이 왜 이 時點에서 유엔加入問題에 대한 종래의 態度를 變化하였는가에 대하여 살펴보고자 합니다.

북한은 南北韓의 유엔加入이 分斷을 固着化, 永久化 한다고 主張하였고, 작년 5월부터는 南北韓이 單一議席으로 유엔에 가입해야 한다고 強辯하여 왔습니다. 그러나 北側의

分斷固着化 論理는 작년에 독일과 예멘의 統一過程을 통하여 現實的으로 그 說得力을 완전히 상실하고 말았으며, 또한 소위 單一議席 加入案도 유엔憲章 規定에 배치될 뿐만 아니라 선례도 없는 非現實的인 提案에 불과하여 國際社會에서 外面을 당하고, 심지어 그들의 傳統的인 友邦國인 中國과 蘇聯으로부터도 支持를 받지 못하였던 것은 잘 알려진 바와 같습니다.

한편, 우리政府는 6共和國 출범이래 7.7宣言을 통하여 南北韓 關係의 새로운 章을 열고자 하는 意志를 闡明하였고, 성공적인 서울올림픽을 개최하여 東西和解의 분위기를 造成한 가운데 적극적인 北方外交를 통하여 괄목할만한 成果를 거두었습니다. 알바니아를 제외한 모든 東歐圈國家 및 蘇聯과 外交關係를 맺고, 中國과도 貿易代表部를 상호 交換 設置할 정도로 外交多邊化를 이룩한 韓國이 금년중 유엔加入을 實現하겠다는 意志를 강력히 表明하고, 絶對多數 國家들이 우리의 유엔加入을 支持하고 있는 것을 인식하게된 北韓으로서는 만약 우리만이 먼저 유엔에 加入하게될

- 3 -

0044

경우 국제사회에서의 孤立이 더욱 심화될 것으로 판단하게 되었으리라 봅니다.

北韓의 經濟事情은 급격히 惡化되고 있으며 최근 소련 및 중국으로 부터의 원조가 감소하게 되자 經濟難局을 타개하기 위해 日本및 西方諸國으로부터의 협력과 支援을 절실히 必要로 하게 되었고, 이에 따라 北韓은 國際社會의 큰 關心事로 부각된 유엔加入問題와 核安全 協定締結問題에 대하여 態度를 變化하지 않을 수 없는 狀況에 이르게 되었습니다.

북한이 經濟難 解消를 더욱 절실히 必要로 하는 이유로는 權力世襲問題와도 관련이 있다고 보여집니다. 즉 북한은 새로운 指導體制의 원만한 確立을 위해서는 주민들의 經濟的 苦痛을 경감시켜야 할 必要性을 통감하고 있으리라는 측면도 看過할 수 없습니다.

우리의 유엔加入問題에 있어 작년에 美國 부쉬 大統領이 최초로 유엔 總會演說에서 우리의 立場을 公開的으로,

그리고 단호하게 支持한 것과 함께 특히 북한을 한번도 방문한 적이 없는 蘇聯의 最高指導者가 修交후 불과 반년만인 지난 4월 訪韓하여 역사적인 제주도 韓·蘇頂上會談을 가진 것은 北韓에게 큰 충격을 준 것으로 보여집니다.

이와함께 우리와의 實質協力 關係를 增大해 온 중국으로서도 우리의 유엔加入에 관한 國際的인 支持 雰圍氣를 認識하게 되었으며, 이 문제에 대하여 보다 現實的인 視角을 갖게 되었다고 봅니다. 지난 5월 이붕 中國 총리의 訪北時 무슨 이야기가 北韓側에게 傳達되었는지 정확히 말씀드리기 어렵습니다만, 적어도 중국측이 韓國의 유엔加入 申請이 있을 경우 拒否權을 行使하지 않을 것임을 시사하였다고 듣고 있으며, 이것이 北韓의 態度變化에 큰 影響을 미쳤을 것으로 생각됩니다.

이상과 같은 북한측 態度變化의 背景에 대한 분석에 이어, 다음으로 유엔加入이 우리에게 있어서 어떠한 意義를 갖는가를 잠시 살펴보고자 합니다.

- 5 -

0046

北韓의 유엔加入問題에 대한 態度變化는 우리의 北方外交가 남북한 관계 차원에서 거둔 최초의 可視的 成果로서 이는 韓半島의 平和와 安定을 공고히 하고 統一外交 전개를 위한 새로운 與件造成에도 기여할 것으로 믿고 있습니다.

이와 더불어 유엔加入으로 南北韓의 國際的 地位가 다같이 向上될 것입니다. 남북한은 걸프사태이후 그 地位가 크게 提高된 유엔의 會員國으로서 주요 國際問題에 관한 意思決定 과정에 참여하게 됨은 물론, 國際社會에서 應分의 역할 수행이 가능하게 됩니다.

나아가 남북한은 유엔體制內에서 相互 接觸과 交流 및 協力을 증진 함으로써 남북한 관계를 安定的으로 發展시키는데 기여할 것이며, 궁극적인 平和統一을 促進할 수 있는 계기도 마련할 수 있을 것으로 기대합니다.

한편 우리의 유엔加入 실현은 지난 40여년동안 宿願이었던 外交課題를 解決한다는 의미는 물론, 유엔을 통하여 새로운 世界秩序 形成과 東北亞 秩序 再編過程에 우리가 능동적으로 참여하는 立地를 더욱 강화하고, 우리의 對外關係 發展에 있어서 質的 變化와 새로운 跳躍의 발판을 마련하게 될 것으로 믿고 있습니다.

다음에는 南北韓 유엔加入이 韓半島 및 東北亞 秩序再編에 미칠 影響에 대하여 간략히 살펴보고자 합니다.

北韓은 5.27日字 외교부 성명에서 北韓의 유엔加入 決定이 일시적 難局打開 조치임을 強調한 바 있습니다. 따라서 북한이 우리와 함께 유엔에 加入키로 決定하였음에도 불구하고 南北韓 關係에 대한 從來의 政策을 根本的으로 修正하였다고는 아직 보기 어렵습니다. 오히려 北韓은 유엔加入을 前後하여 內部體制 結束 강화의 필요에 따라 統一優先을 強辯하면서 공세적인 對南宣傳, 煽動 戰術을 구사할 가능성이 없지 않다고 보며, 南北韓 不可侵宣言, 韓半島 非核地帶化, 美軍撤收등 선전적 차원에서 對南攻勢를 強化할 가능성도 예상됩니다.

그러나 北韓은 우리와 함께 유엔에 加入함으로써 中長期的으로는 南北韓間의 平和共存을 받아들이는 방향으로 路線轉換이 불가피할 것으로 전망되며, 이는 韓半島情勢의 긍정적 發展에 必須不可缺한 요소로 작용할 것으로 期待됩니다.

또한 유엔가입은 南北韓과 韓半島 周邊 4強과의 관계에 있어 매우 의미있는 關係進展을 豫告하고 있다고 봅니다.

이러한 점에 비추어 오는 7월초 노태우 大統領께서 美國과 카나다를 訪問하게 된것은 참으로 시의 적절하다고 생각합니다. 年初에 韓·日間 頂上會談이 있은 다음, 4월에는 제주도에서 역사적인 韓·蘇 頂上會談이 있었습니다. 또한 지난 3월에는 美·日間 頂上會談이 있었고, 4월에는 日·蘇 頂上會談이, 5월에는 中國總理의 北韓訪問 및 中國 黨總書記의 蘇聯訪問이 있었습니다.

이러한 일련의 周邊 各國 首腦의 움직임은 동북아지역에서도 和解와 協力의 새로운 國際秩序 創出을 향한 다각적인 外交努力이 시작되고 있음을 의미한다고 믿습니다.

유엔가입이 실현되면 韓·中間의 修交도 促進될 수 있을 것으로 展望됩니다. 금번 北韓의 유엔加入決定 過程에서 보인 中國의 現實直視 路線은 향후 韓·中 修交에 있어서 새로운 가능성을 보여주고 있다고 하겠습니다. 우리로서는 앞으로 中國側과의 實質的 關係를 계속 증진해 나가면서 韓·中 修交가 결코 중국과 북한간의 旣存 關係를 해치지 않으며, 韓半島는 물론 東北亞地域의 平和와 安定에도 크게 기여하게 되리라는 점을 계속 強調해 나가고자 합니다.

앞서 言及한 바와 같이 최근 北韓은 外交的 孤立과 經濟的 困境을 打開하기 위하여 日本과의 修交와 美國 및 西歐諸國과의 關係改善을 서두르고 있습니다.

北韓이 유엔加入問題에 대한 態度 變化에 이어 核非擴散條約(NPT) 加入國으로서 義務事項인 國際原子力機構(IAEA)와의 核安全協定을 受諾할 意思를 표명한 것은 국제사회의 注目을 받고 있습니다.

北韓이 核安全協定을 지체없이 締結하고 이를 성실하게

履行하여 북한의 核武器 開發에 관한 國際社會의 憂慮를 解消시키는등 국제사회의 責任있는 一員으로 행동하게 된다면 日·北韓 修交와 美·北韓 關係改善에도 도움이 될것입니다.

우리로서는 日·北韓 修交와 美·北韓 關係改善이 韓半島의 平和와 安定에 기여하는 方向으로 추진되도록 美國 및 日本과 긴밀한 協議를 계속해 나가고 있습니다.

우리는 유엔加入을 통하여 南北韓이 對外關係에 있어서 오랜 消耗的 對決狀態를 終熄할 수 있게 되기를 바라고 있으며, 유엔體制內에서 協力관계를 발전시킬 수 있기를 期待하고 있습니다. 우리가 南北韓 유엔大使間의 協議를 提議한 것도 바로 그러한 理由때문이며, 유엔을 통한 相互 協力關係의 發展은 平和的인 統一過程을 促進하게 될것으로 믿고 있습니다.

우리는 금번 北韓의 유엔加入 決定을 보면서 國民的 支持와 理解속에서 정당한 原則을 흔들림없이 지키면서 融通性있는 外交를 펼쳐 나가는 것이 중요하다는 점을 다시한번 認識하게 되었습니다.

유엔加入은 그 自體가 目的이 될수는 없습니다. 유엔加入은 우리民族의 自尊과 位相을 높이고 南北韓間의 和解와 協力을 증진하는 契機가 되어야 하고, 우리의 궁극적 목표인 韓半島의 統一과 韓民族 全體의 繁榮으로 가는 中間段階가 되어야 한다고 생각하며, 그것은 南北韓이 유엔會員國으로서의 地位를 어떻게 活用하는가에 달려있다고 믿고 있습니다.

感謝합니다.

韓國의 外交政策

-李相玉 外務部長官 國防大學院 講義-

1991. 6. 24

外 務 部

0053

韓國의 外交政策

-李相玉 外務部長官 國防大學院 講義-

1991. 6. 24

外 務 部

0054

目　　次

0055

韓半島 周邊情勢와 우리의 外交環境이 構造的으로 變化하고 있는 狀況下에서 오늘 國防大學院에서 "韓國의 外交政策"이라는 主題로 말씀드리게 된것을 매우 기쁘게 생각하며, 이런 기회를 마련해 주신 國防大學院側에 感謝드리는 바입니다.

I. 韓半島 周邊情勢의 變化와 韓國의 外交

(韓半島 周邊情勢의 變化)

지금 世界는 理念的 對立에 기초한 美·蘇 兩極體制下의 冷戰構造가 무너지면서 和解와 協力의 雰圍氣가 強化되고 있으며, 특히 걸프戰 以後에는 美國 主導下의 新國際秩序 形成의 움직임이 두드러지면서 美·蘇間의 新데탕트의 構造化 趨勢와 中·蘇 和解등 變化의 여파가 東北亞에도 서서히 미치고 있습니다.

美國, 日本, 中國, 蘇聯의 4強勢力이 交叉하는 東北亞地域에서는 安保環境이 複雜하고 다양한 관계로, 美·蘇間의

協調를 바탕으로 한 脫冷戰 趨勢가 유럽에서와 같은 속도로는 나타나지 않고 있으나 지난 1-2년간에 걸쳐 상당한 情勢變化가 이루어지고 있다고 생각됩니다.

美國은 亞·太地域에서의 戰略的 優位를 계속 維持하면서 周邊情勢의 變化에 對應할 必要性을 認識하고 걸프戰 이후 한층 고양된 國際的 地位를 바탕으로 기존 友邦國들과의 協調體制를 強化하고 있습니다. 蘇聯은 유럽에서 성공적으로 定着되고 있는 유럽안보협력회의(CSCE) 체제에 準하는 아시아에서의 地域安保體制 構想을 提唱하는 한편, 광대한 시베리아 개발 계획을 중심으로 太平洋 經濟圈에의 參與를 摸索함으로써 東北아시아 지역의 主要勢力으로서의 影響力을 維持하기 위한 努力을 傾注하고 있습니다.

한편 日本은 막대한 經濟力을 발판으로 對蘇 關係改善 및 對中協力 增進을 追求하면서 對北韓 修交交涉에도 나섬으로써 東北亞 地域에서 國力에 相應하는 政治的 影響力을 維持하기 위하여 부심하고 있습니다. 中國도 改革·開放 經濟政策의 持續的 推進과 積極的 對外政策을 통하여 천안문

사태 이후 실추된 國際的 地位의 修復 및 나아가서 아시아 地域에서의 發言權 強化를 위해 부단히 努力하고 있는 형편입니다.

(韓國의 外交)

이렇듯 急速한 國際情勢 변화의 조류속에서 우리는 6共和國 出帆以後 北方外交를 積極的으로 展開한 結果, 알바니아를 除外한 모든 東歐圈과의 關係를 正常化 시킨데 이어 蘇聯과도 지난해 9月 修交를 했고, 3次에 걸친 頂上會談을 통하여 相互 善隣協力關係를 착실히 發展시켜 오고 있습니다.

또한, 작년 3月에는 아시아 社會主義 國家와는 처음으로 몽골과 修交를 하였고 中國과도 작년 10月 貿易代表部 交換設置 합의를 통해 關係正常化를 향한 하나의 기틀을 마련하였습니다. 北韓의 傳統的 盟邦이었던 蘇聯 및 中國과의 關係深化는 北韓의 孤立을 위한 것이 아니라 平和統一로 가기 위해 거쳐야될 첫단계로서 南北韓間의 平和共存關係를 構築하는데 有利한 國際的 與件을 造成하는 것을 目標로한 우리의 多角的인 外交努力의 結實이라 할 수 있으며, 결국 韓半島에서도 冷戰體制의 瓦解와 平和秩序의 胎動이 시작되고 있음을 意味하는 것이라 할 것입니다.

이러한 東北亞에서의 새로운 秩序形成 過程에서 韓半島의 平和 및 安定 維持와 統一達成이 가장 核心的인 問題가 되어 있음은 말할 나위도 없습니다. 우리 政府는 韓半島 問題를 풀어나가는데 있어 韓·美間 友好協力關係를 근간으로 하는 安保體制의 維持가 필수적이라는 인식下에 美國을 중심으로한 傳統的 友邦國과의 紐帶를 근간으로 力動的인 多角外交를 展開하고 있습니다.

美·日·中·蘇間의 데탕트 趨勢와 韓·蘇修交, 韓·中關係 正常化 摸索, 日·北韓 修交交涉, 美·北韓 接觸등의 事態進展은 冷戰體制의 遺物인 韓半島 問題의 解決을 促進하는 要素로 登場하고 있으며, 南北韓과 이들 4強間의 關係 再調整과 再定立을 不可避하게 하고 있습니다.

이러한 동북아 周邊情勢의 變化와 우리 北方外交의 진척은 또한 北韓의 對外政策 變化를 불가피하게 하는 要因으로 作用하고 있습니다. 北韓은 對南基本路線을 堅持하면서도 深化되는 經濟的 어려움과 外交的 孤立을 打開하기 위해 日本과의 修交와 美國과의 關係改善을 위한 努力의 加速化 등 西方國家들에 대한 접근을 試圖하고 있습니다. 최근 北韓이 우리와 함께 유엔에 가입키로 政策을 修正한 것도 이러한 試圖의 反映이라 볼수 있으며 따라서 올가을 南北韓의 유엔가입은 韓半島 및 東北亞 地域의 平和와 安定의 定着에 큰 轉機를 마련해 줄 뿐아니라 南北韓의 相互間의 關係에도 肯定的인 변화를 가져올 것으로 期待됩니다.

Ⅱ. 2000年을 向한 外交政策 方向

이상 말씀드린바와 같이 우리의 周邊情勢와 外交環境이 變化하고 있는 가운데 우리 外交도 그동안 어려운 對內外的 與件속에서 政府와 온 國民이 합심하여 이룩한 國力의 신장을 바탕으로 그 活動의 領域과 役割을 크게 擴大시키면서

- 5 -

0060

質的, 量的으로 刮目할 만한 成長을 이룩하여 왔습니다.

冷戰體制下에서 주로 西方陣營과 親西方 第3世界 國家들을 對象으로 展開되어온 우리 外交가 오늘날에는 모든 國家를 대상으로 高次元의 外交를 展開해야 되는 多角外交時代로 進入하고 있으며, 이에따라 外交的 挑戰과 함께 새로운 機會에 直面하고 있습니다.

이와같은 狀況을 背景으로 今年初에 政府는 2000年을 向한 基本 外交政策 方向으로 다음 네가지를 設定하였습니다.

첫째는, 東北亞와 韓半島에서의 平和構造 定着을 위한 努力입니다. 90年代 아세아·太平洋地域 및 동북아에서의 새로운 國際秩序 形成過程에 能動的으로 參與하면서 韓半島의 緊張緩和와 平和定着을 우선적 目標로 韓·美 및 美日間 安保協力體制를 根幹으로 하여 새로운 地域 安保協力體制의 틀을 마련하는 外交的 努力을 傾注하고자 합니다.

둘째는, 統一實現을 위한 國際的 與件을 造成하는 것으로서 韓半島 周邊情勢 變化를 統一與件 造成에 有利하도록

活用할 수 있는 폭넓은 外交戰略의 樹立, 施行에 만전을 기해 나가고자 합니다.

韓半島 統一達成을 위하여는 우리의 確固한 安保體制의 維持와 北韓의 對南政策 路線의 變化가 必須的임을 감안하여, 南北韓 유엔가입이 實現된 후의 狀況下에서 北韓의 變化와 開放을 促進시키기 위한 多角的 外交努力을 展開하도록 하겠습니다.

세째는, 先進經濟 進入을 위한 實利經濟外交의 強化입니다. 脫冷戰時代를 맞아 國際關係가 經濟爲主로 옮겨가면서 經濟實益을 중심으로 國家間 關係가 協力과 統合, 競爭과 摩擦이 交叉하는 關係로 發展되고 있는 現實을 감안하고, 특히 多者主義 보다는 一方的 雙務的 保護主義에 依存하는 趨勢에 對處하기 위하여, '갓트'를 중심으로한 다자적 自由貿易 體制의 暢達을 위한 各國과의 協力을 強化하고, 우루과이 라운드의 成功的 妥結을 위한 協力에 積極 參與하도록 하겠습니다.

- 7 -

0062

한편, 最近 擡頭되고 있는 地域經濟 블럭化 傾向에 對處하여 아시아·太平洋 地域 協力을 開放的으로 發展시키는 努力이 필요하다는 認識下에 APEC(亞·太經濟協力)의 發展에 主導的으로 參與하고, 90年代 後半에는 OECD에 加入하여 先進經濟圈 進入을 實現하고자 합니다.

넷째는, 國際的 地位向上에 相應하는 國際的 役割 遂行입니다. 우리의 國力伸張으로 國際的 位相이 提高되고 北方外交의 成功과 유엔가입으로 우리의 外交地平이 대폭 擴大됨에 따라, 國際社會에서의 새로운 責任과 役割이 要求되고, 폭넓은 國際協力關係의 設定 必要性이 提高되고 있으며, 軍縮, 人權등 汎世界的 問題 解決에의 參與와, 後發開途國에 대한 支援 및 國際機構에 대한 분담금 增大等 國際的 기여를 擴大해 나가고자 합니다.

특히, 環境問題가 政治, 經濟的으로 90年代의 主要 世界問題로 擡頭되고 있는 만큼, 1992年 브라질에서 開催 예정인 "유엔 環境과 開發 會議"에 積極 參加하고, 環境汚染産業등

規制가 새로운 貿易障壁으로 되고 있음에 事前 對備하면서, 마약 및 테러등 國際社會 공동의 問題解決에도 能動的으로 參與해 나가고자 합니다.

Ⅲ. 主要 外交課題

이상 말씀드린 外交環境의 變化와 基本 外交政策 方向에 입각하여 政府가 금년도에 推進하고 있는 主要 外交課題에 관하여 槪略的으로 說明드리겠습니다.

(유엔加入 問題)

먼저, 南北韓 關係와 直接關聯된 外交問題로서, 유엔가입 문제와 北韓의 核開發問題에 대하여 살펴보고자 합니다.

北韓은 지난 5.27자 外交部 聲明을 통하여 北韓도 今年에 유엔加入 申請을 하기로 決定했음을 發表하였습니다.

北韓側이 그간 계속 강력히 反對해오던 南北韓 유엔 同時加入을 갑작스럽게 받아들이지 않을 수 없었던 理由를 分析해 보면,

첫째로 우리政府의 成功的인 北方外交의 推進으로 우리의 對外政策에 대한 國際的인 支持基盤이 擴大되었고 그 結果 우리의 유엔가입에 대한 國際的 支持 雰圍氣가 압도적으로 擴散된 반면 北韓의 單一議席 加入案은 全的으로 外面당하게 된 점입니다.

둘째로 韓·蘇 修交 및 3次에 걸친 韓·蘇 頂上會談의 結果로 蘇聯이 유엔가입 관련 우리의 立場을 支持하게 되었으며, 中國도 최근 韓·中間의 實質關係 增進과 우리의 유엔가입에 대한 國際的 支持雰圍氣를 의식하여 北韓이 期待하던 安保理事會에서의 拒否權 행사에 의한 韓國 加入 沮止에 難色을 表明하게 된 점입니다.

세째로는 政府가 今年內 우리의 유엔가입 實現 意志를 早期에 闡明함으로써 우리정부의 年內 유엔가입 推進政策이 確固不動하다는 점이 알려짐에 따라 우리 友邦國과 主要非同盟國들이 과거 어느때보다도 積極的으로 우리의 유엔가입에 대한 支持와 協調를 하게 되었다는 점입니다.

넷째로 北韓이 그간 南北韓의 유엔가입을 反對하는 最大의 名分으로 내세웠던 소위 分斷固着化 論理가 東西獨의 統一과 南北예멘의 統一實現으로 그 說得力을 완전히 喪失하게 되었고, 北韓도 우리의 유엔 加入을 더이상 沮止 내지는 遲延시킬 수 없다는 판단에 도달했을 것으로 생각됩니다. 따라서 韓國이 먼저 유엔에 先加入할 경우 北韓의 外交的 孤立은 더욱 深化될 뿐이며, 차후에 유엔에 加入하려 했을때 과연 아무런 障碍없이 加入이 可能할 것인가에 대한 불안감도 增大하였고, 또한 南北韓 유엔 同時加入이 實現될 경우 北韓이 經濟的 困境을 벗어나기 위해 切實히 必要로 하는 日·北韓 修交와 對西方 關係改善이 加速化 될 것이라는 計算도 했을 것으로 짐작됩니다.

南北韓이 유엔에 同時加入하게 되면 韓半島 平和構築 및 統一外交를 위한 유리한 與件이 造成됨은 물론, 東北亞地域의 安定과 協力을 위한 토대 마련에도 寄與하게 될 것으로 期待되고 있습니다.

특히 南北韓의 國際的 地位가 向上됨으로써, 主要 國際問題에 관한 意思 決定에 있어서 參與는 물론 國力에 合當한 國際社會內 役割과 寄與가 可能하게 될 것입니다.

政府는 유엔가입으로 南北韓이 유엔체제내에서 相互 交流와 協力을 增進하여 窮極的인 平和統一을 促進할 수 있는 契機를 마련할 수 있을 것으로 期待하고 있으며, 南北關係의 새로운 轉換點을 摸索하는데 注力해 나갈 것입니다.

(北韓의 核武器 開發問題)

다음, 最近 신문지상 報道를 통해 잘 알고 계시리라 믿습니다만, 北韓의 核武器開發 問題에 관하여 살펴보겠습니다.

北韓은 1985年 核擴散防止條約(NPT)에 加入한 以來 6年이 넘도록 條約上義務인 國際原子力機構(IAEA)와의 核安全協定 締結을 遲延해 오면서, 한편으로는 2-3기의 원자로와 核再處理 공장등 核武器 製造의 基礎가 되는 諸般施設을 建設해 온 것으로 알려져 있습니다.

北韓이 核武器 製造能力을 갖추게 되면 이는 韓國에 대한 심각한 安保威脅이 될것은 말할것도 없고 그 結果 韓半島 및 東北亞에서 核武器를 包含하는 새로운 軍備 競爭이 誘發 되고 南北韓間 緊張이 더욱 고조될 뿐 아니라 日本을 비롯한 東北亞 全域의 安全과 平和에 대한 重大한 威脅要因이 될 것입니다.

美國은 물론 日本, 蘇聯, 濠洲, 카나다等 많은 나라들이 北韓에 대하여 國際原子力機構와 核安全協定을 締結할 것을 強力히 促求해온 것은 바로 北韓의 核開發이 갖는 이러한 심각한 問題點을 잘 認識하고 있기 때문이라 할 것입니다. 이러한 意味에서 政府는 最近 北韓이 核安定協定 締結에 대한 意思를 IAEA측에 通報한 것을 일단 肯定的인 方向으로의 始發로서 評價하고 있습니다.

그러나 北韓은 NPT條約上의 義務와는 連繫될 수 없는 韓半島의 非核地帶化等 前提條件을 버리지 않고 있어 尙今도 그 眞意가 不透明한 狀態입니다.

0068

政府로서는 일단 IAEA와 北韓의 核安全協定締結 協議過程을 예의 주시하고, 우선 北韓이 지체없이 核安全協定을 締結하고 核燃料 再處理를 包含한 모든 核施設에 대한 効果的인 査察을 受諾하는지를 確認하면서 北韓의 核武器 開發을 沮止하기 위한 外交的 努力을 계속해 나갈 것입니다.

(韓·美 安保協力體制 維持)

政府는 韓半島의 安保 狀況, 우리가 追求하고 있는 공통의 政治, 經濟理念 그리고 우리의 對外指向的 經濟成長에 있어서의 美國의 比重等을 감안하여 韓·美間의 友好協力關係를 우리외교의 기축으로 삼아 더욱 強化, 發展시켜 나갈 方針입니다.

兩國 關係는 政治, 外交, 安保, 通商等 제분야에서 기본적으로 未來指向的이며 建設的인 方向으로 發展하고 있으나, 最近 通商等 一部 分野에서 利害關係의 相衝과 摩擦等 國家間 關係 擴大 過程에서 흔히 나타날 수 있는 現象이 수반되고 있습니다.

그러나 最近 韓·美 兩國 政府는 駐韓美軍 規模 및 役割의 調整, 龍山基地 移轉 및 駐韓美軍地位協定(SOFA) 改正과 아울러 通商懸案, 航空協定 改正等 問題를 하나씩 착실하게 解決해 나가는 共同努力과 걸프戰에서의 協力을 통하여 兩國關係를 보다 成熟된 同伴者的 協力關係로 發展시켜 나가고 있습니다.

韓·美 通商關係에서는 다른 어느나라와 마찬가지로 利害關係의 調整을 통해 懸案을 解決하면서 合意한 事項은 誠實히 履行해 나감으로써 相互 信賴하는 互惠的 關係를 發展시켜 나갈 것입니다. 아울러 우리의 通商政策과 制度에 대한 透明性을 提高하는 同時에 問題發生 素地가 있는 分野에 관해서는早期 警報體制를 確立하여 不必要한 摩擦과 誤解를 事前에 相互 豫防하도록 必要한 措置를 취하고 있습니다.

곧 있게될 盧大統領의 美國 訪問은 最近 東北亞 地域에서의 各國間 頂上會談등 활발한 움직임과 새로운 世界秩序 形成等 우리의 對外 環境이 급속히 變化하고 있는 狀況하에

- 15 -

0070

서 韓半島의 平和와 安定을 鞏固히 하고 平和統一 基盤을 造成하는 한편 韓·美間의 安保協力을 包含한 未來指向的인 協力體制를 強化, 發展시켜 나가는 契機로서 매우 중요한 意義가 있다고 생각됩니다.

政府로서는 韓·美關係의 強化가 우리외교의 가장 重要한 課題라는 基本 認識에 立脚하여 7月初의 韓·美 頂上會談이 兩國關係의 發展은 물론 東北亞 및 亞·太地域의 地域的 問題와 汎世界的 問題에 이르기까지 虛心坦懷하게 協議하는 機會가 되도록 準備하고 있습니다.

(韓·日 友好協力 強化)

다음은 韓·日 關係의 發展입니다만, 現在의 韓·日 友好協力 關係는 各分野에 걸쳐 過去 그 어느때보다 緊密하고 未來指向的인 關係로 發展하고 있다고 하겠습니다.

특히 昨年 5月 盧大統領의 訪日과 今年 1月 카이후 首相의 訪韓으로 韓·日 兩國은 未來指向的 友好協力關係를

構築하기 위한 基盤을 마련하였으며, 카이후 首相 訪韓時 兩國 頂上間에 合意한 "韓·日 友好協力 3原則"은 21世紀의 兩國間 協力에 관한 方向을 提示한 것으로서, 今後의 韓·日關係를 이끌어 나가는데 있어서 重要한 指針이 될 것으로 評價됩니다.

* 韓·日 友好協力 3原則

① 韓·日 兩國의 同伴者關係 構築을 위한 交流, 協力과 相互 理解의 增進

② 亞·太地域의 平和와 和解, 그리고 繁榮과 開放을 위한 貢獻 強化

③ 汎世界的 諸問題의 解決을 위한 建設的 寄與의 增大

한편 日本·北韓間 關係에 대하여 우리정부는 日·北韓 修交가 韓半島의 平和와 安定에 寄與하는 方向으로 推進되기를 바라고 있으며, 日·北韓 關係는 南北對話를 包含한 韓半島 情勢 全般에 重要한 影響을 미칠 것임에 비추어, 日本側에 대해 우리 立場을 最大限 留念하여 北韓과의 修交를 推進해 줄것을 要請하고 있습니다.

* 對日要求 5個事項(90. 10. 8 盧大統領 提示)

① 政府間 충분한 事前協議 維持

- 經濟規模등 細部事項 包含

② 南北韓間 對話 및 交流의 意味있는 進展 考慮

③ 北韓의 IAEA 核安全協定 締結 促求

④ 修交以前 對北韓 補償 및 經協不可

- 北韓의 軍事力 增強에 不連繫 保障

⑤ 北韓의 開放化 및 國際社會 協力 誘導

이에 대해 日側은 그간의 修交交涉 過程에서 우리측과의 緊密한 協議를 維持하면서, 北韓에 대해 核安全協定 締結 및 意味있는 南北對話 姿勢를 促求하는등 우리의 基本 立場을 충분히 留念하여 北韓側과의 對話에 임하고 있습니다.

(아시아 隣邦外交 強化)

政府는 또한 아시아·太平洋 地域 隣邦과의 既存 友好協力關係 強化도 꾸준히 推進해 나갈 것입니다.

아시아·太平洋 地域은 우리의 앞마당으로 비유될 수 있는 이웃이며, 이 地域 國家들은 다가오는 아시아·太平洋時代의 平和와 繁榮을 위한 重要한 協力의 파트너임은 두말할 나위가 없겠습니다. 그 한가지 예로 80年代에 들어와서 우리나라와 ASEAN 6個國間에는 相互 經濟協力 增進의 必要性에 대한 認識이 더욱 深化되었으며, 이에따라 最近 韓·ASEAN間에 全面的 對話協議關係 設定에 合意하게 되고 그 結果 今年 7月로 豫定된 ASEAN 擴大 外務長官會談 즉, ASEAN 6個國과 韓, 美, 日等을 包含한 7個 對話協議國間의 外務長官會談에도 參與할 豫定으로 있습니다.

한편, 今年 11月에는 서울에서 APEC, 즉 亞·太 經濟協力을 위한 域內 12個國間의 제3차 閣僚會議를 우리나라가 主催할 豫定으로 있습니다. APEC閣僚會議는 89年 11月 發足된 亞·太地域 最初의 經濟協力을 위한 閣僚級 會議로서 89年 1月 호크 濠洲 首相의 訪韓時 盧大統領과 同 首相간 合意에 따라 共同 推進하여 마침내 結實을 보게 된 것입니다.

작년 싱가폴에서의 제2차 閣僚 會議에 이어 今年에 韓國이 세번째의 主催國이 되었습니다만, 政府는 APEC을 통한

亞·太地域 協力過程에 主導的으로 參與하여 우리의 外交的 位相을 높이는 한편 交易, 投資의 擴張과 資源의 安定的 確保 및 地域 經濟와의 有機的 關係 強化等 經濟的 實益을 追求하고자 합니다. 특히 今年에는 議長國인 우리나라가 委任을 받아 中國, 대만, 홍콩의 APEC 參加問題를 놓고 3者와 個別協商을 벌이고 있어 이들 3者의 參加에 관한 合意가 이루어질 경우 이들의 올가을 서울 閣僚會議 參加가 實現될 可能性도 있어 注目되고 있습니다.

우리는 伸張된 國力과 國際的 位相에 걸맞는 能動的이고 創意的인 外交를 展開하여 21世紀 太平洋時代를 主導하는 國家의 하나로서 應分의 役割과 寄與를 하도록 할 것입니다.

(韓·蘇 實質協力關係 增進)

政府는 그동안 韓·蘇修交와 3차에 걸친 兩國 頂上會談의 成果를 바탕으로 南北韓關係의 改善과 韓半島 安定維持를 위한 蘇聯의 建設的인 寄與를 確保하는 한편 韓·蘇兩國間 實質協力 關係를 發展시켜 나가도록 努力하여 왔습니다.

특히 지난 4월의 濟州島 頂上會談은 蘇聯의 最高 指導者가 歷史上 처음으로 韓半島를 訪問하여 우리나라 大統領과 會談한 것으로서 北方外交의 成功과 우리나라의 드높아진 國際的 位相을 世界에 다시한번 確認시켜주는 契機가 되었습니다.

兩國 頂上間의 빈번한 會談을 통해 兩國間 外交, 經濟, 社會, 文化等 諸般 分野에서 協力關係가 빠른속도로 進展되고 있고 특히 經濟的 相互 補完性을 활용한 貿易, 科學技術, 資源 分野의 協力을 擴大시킬수 있는 基盤이 構築되고 있으며, 蘇聯은 過去와 같은 一方的인 北韓支援 立場에서 韓國과의 關係發展을 重視하는 段階로 發展함으로써 韓半島 平和와 安定에 寄與하고 있는 것으로 評價됩니다.

蘇聯은 現在 市場經濟體制로의 이행 過程에서 어려운 국면을 맞고 있으나 世界 最大의 資源 保有國이며, 人口 3億의 광대한 市場으로서 經濟構造나 産業技術面에서 經濟協力의 큰 潛在力을 保有하고 있습니다. 政府는 韓・蘇 兩國間의

交易量을 今年에 15억불, 그리고 90年代 中盤에는 100억불 수준으로 擴大하는 것을 目標로 諸般 努力을 傾注할 생각입니다.

(韓·中 關係 正常化 推進)

다음으로 韓·中關係의 改善은 歷史的·地理的으로 오랜 세월에 걸쳐 가까운 이웃이었던 兩國間의 關係를 正常化 시킨다는 側面에서 뿐만 아니라 東北亞의 平和 構造 定着과 韓半島의 平和 및 統一 基盤을 마련하는데 寄與한다는 점에서도 重要한 意味를 지니고 있다고 봅니다.

이에따라 政府는 中國과 關係正常化를 위한 雰圍氣를 造成하기 위해 實質的인 分野에서부터 꾸준한 努力을 기울여 왔으며, 그 結果 兩國間의 交易과 經濟協力 및 人的交流가 刮目할 만큼 伸張되어 왔습니다. 그 實例로 兩國間 人的交流는 90年中 57,000餘名에 이르고 年間 交易量도 38억불을 넘어서게 되었습니다.

이러한 實質關係의 持續的 增大를 바탕으로 韓·中 兩國은 작년 10月 서울과 北京에 貿易代表部를 相互 開設하기로 合意하였으며, 이에따라 今年初 兩國 首都에 貿易代表部가 各各 開設되어 交易 및 經濟關係 增進은 물론 査證發給을 비롯한 諸般業務를 遂行하고 있습니다.

政府로서는 이와같은 貿易代表部 開設이 兩國間 人的·物的交流를 더욱 增大시킴으로써 政治的 關係 發展을 위한 基盤을 마련하고 있는 것으로 보고 兩國間 實質的 協力 關係를 더욱 強化해 나갈 것이며, 南北韓 유엔가입에 이어 國際情勢가 全般的으로 韓·中 關係 正常化에 有利하게 展開될 것으로 期待하고 있습니다.

(EC와의 協力 講究)

다음으로 政府는 統合歐洲와의 實質關係를 深化시켜 나가기 위한 外交活動도 더욱 활발히 推進하고자 합니다.

EC 諸國은 1992年의 經濟統合을 前後하여 國際社會에서

보다 強力한 發言權을 確保하여 急變하는 國際情勢에 共同으로 對應하면서 政治, 經濟的 共同繁榮을 追求하고 있으며 궁극적으로 歐洲의 政治的統合 達成을 目標로 努力하고 있습니다.

이미 EC 會員國은 外交政策 分野에서의 協力을 慣行化하고 있으며 92年度를 目標로 EC域內 市場 單一化에 必要한 立法作業을 進行시켜 나가고 있습니다.

지금까지의 進陟狀況으로 보아 EC는 앞으로 統一된 獨逸을 主軸으로 하여 歐洲自由貿易聯合(EFTA), 東歐圈, 그리고 지중해국가까지 포용하는 巨大한 經濟圈으로 擴大될 可能性이 큰 것으로 전망되며, 그 경우 國際社會에서 統合된 유럽의 政治, 經濟的 發言權과 役割이 일층 提高될 것이기 때문에 우리가 이러한 움직임에 能動的으로 對處해 나갈 경우 政治·經濟的으로도 相互 利益이 되는 緊密한 紐帶關係를 發展시켜 나갈수 있을 것으로 豫想 됩니다.

따라서 政府는 EC의 動向과 政策을 면밀히 파악하여 對應

方案을 講究하는 한편, EC 執行委 및 EC 會員國들과의 緊密한 協議를 통해 서로의 利益을 가져오는 實質協力關係의 토대를 마련하는 努力을 계속해 나가고자 합니다.

지금까지 韓半島 周邊情勢의 變化와 이에 對應하는 우리의 基本 外交政策 方向 및 당면한 主要 外交課題들에 관해 간략히 말씀드렸습니다. 이러한 外交政策의 成功的 遂行을 위해서는 外務部의 努力은 물론 政府 各 部處의 폭넓은 理解와 協調가 필요함은 두말할 나위가 없으며, 汎國民的이고 超黨的인 支持를 얻어 推進되어야 할 것으로 생각됩니다. 그런 점에서 오늘 이자리에 계신 여러분들의 우리 外交遂行에 대한 폭넓은 理解와 積極的인 支援을 付託드리면서 우리 外交政策에 대한 概略的 說明을 끝내고자 합니다.

感謝합니다.

- 25 -

0080

기안용지

분류기호 문서번호	국연 2031- 26867 (전화:)	시 행 상 특별취급	
보존기간	영구·준영구. 10. 5. 3. 1	장 관	
수 신 처 보존기간			
시행일자	1991. 7. 19.		

보조기관		협조기관	문서통제
국 장	전결		검인 1991.7.19
심의관			
과 장			
기안책임자	여승배		발송인

경 유 수 신 참 조	주유엔대사	발신명의		발송 1991. 7. 19 외무부
제 목	장관님 연설문			

장관님이 91.7.18(목) 한국방송기자클럽 주최 오찬회 참석, 「유엔가입과 남북한 관계」라는 제목으로 연설하였는바, 동 연설문을 송부하니 참고하시기 바랍니다.

첨부 : 연설문 3부. 끝.

0081

심의관: [handwritten signature]

협조문용지

분류기호 문서번호	국연 2031- 295	(2179-80)	결재	담당	과장	국장
시행일자	1991. 7. 18.			[signature]	[signature]	[signature]
수 신	외교안보연구원장 각실.국장	발신	국제기구조약국장	(서명)		
제 목	장관님 연설문					

장관님이 91.7.18(목) 프레스센터에서 열린 한국방송기자 클럽 주최 오찬회에 참석 「유엔가입과 남북한관계」라는 제목으로 연설하셨는 바, 동 연설문 송부하니 참고하시기 바랍니다.

첨부 : 연설문 1부. 끝.

0082

招請狀

0083

모시는 말씀

韓國放送記者클럽이 放送報道 發展을 위하여
發足한지 2年이 되었습니다.
우리나라는 지금 東西冷戰 體制의 崩壞에 따른 韓半島 周邊政勢의 變化속에
民族의 念願인 南北統一의 課題를 達成하기 위해 많은 分野에서 점진적인
成果를 이루어 나가고 있습니다. 특히 올 가을에는 그동안 우리 政府가
推進해온 南北韓 UN加入이 實現될 것으로 보입니다.
韓國放送記者클럽은 李相玉 外務部 長官을 모시고 "UN加入과 南北韓 關係"에 대한
政府의 立場을 들어보는 午餐모임을 마련하였습니다.
바쁘시더라도 參席하시어 자리를 빛내 주시기 바랍니다.

◎ 日 時 : 1991年 7月 18日(木) 낮 12時
◎ 場 所 : 프레스센터 20層 國際會議場
◎ 會 費 : 10,000원

※ 參席與否를 同封한 우편엽서나 電話로
알려주시기 바랍니다.
連絡處 : 735-6437, 731-7572(FAX : 737-9878)

1991. 7. .

韓國放送記者클럽
會長 朴 瑾 淑

0084

유엔加入과 南北韓 關係

-韓國放送記者클럽 主催 午餐會에서의 李相玉 外務長官 演說文-

1991. 7. 18.

外　　務　　部

0085

유엔加入과 南北韓 關係

-韓國放送記者클럽 主催 午餐會에서의 李相玉 外務長官 演說文-

1991. 7. 18.

外 務 部

0086

尊敬하는 朴瑾淑 會長과 韓國放送記者클럽 會員여러분,

오늘 韓國放送記者클럽의 招請을 받아 유엔加入과 南北韓 關係에 관하여 말씀을 드릴 수 있게 된 것을 기쁘게 생각합니다.

특히 지난주말에는 政府가 유엔加入 申請書를 提出할 수 있도록 國會에서 滿場一致로 유엔憲章 受諾 同意案이 通過되어, 40여년 宿願 外交課題이던 유엔加入 實現을 目前에 둔 時點에서 이 問題에 관하여 언급하게 된 것이 더욱 意味가 있다고 생각합니다.

잘 아시다시피 7.8. 北韓은 그들의 유엔加入 申請書를 유엔事務局에 提出 하였습니다. 바로 1년전만하여도 소위 "單一議席 加入案"이라는 것을 提案하고, 우리의 유엔加入 努力이 韓半島 分斷의 固着化를 위한 것이라고 反對하였던 北韓側 態度를 상기해 본다면 참으로 큰 變化라고 하지 않을 수 없습니다.

오늘은 北韓이 과연 어떠한 理由에서 지난 수십년간 고집해 왔던 南北韓의 유엔 同時加入 反對立場을 바꾼 것인지, 그리고 北韓의 立場變化가 韓半島 情勢에 어떠한 影響을 미칠 것이며, 나아가 南北韓 關係는 어떠한 方向으로 展開되어야 할 것인가를 살펴보고자 합니다.

우리는 最近 유럽을 중심으로 形成된 脫冷戰 氣流가 가져온 世紀的 變化를 지켜보면서, 우리가 살고 있는 東北亞地域에는 언제쯤 그러한 和解와 協力의 바람이 불어 올 것인가 하는 기대를 하여 왔습니다. 특히 어느새 半世紀에 다다른 祖國의 分斷現實속에서 우리는 언제나 反目과 對立의 北風으로부터 和合과 信賴의 薰風이 불어오는 韓半島의 봄을 맞이할 것인가 하는 안타까운 마음을 떨쳐버릴 수 없었습니다.

그러나 最近 이 地域에서 일어나는 일련의 움직임을 볼때 그와 같은 脫冷戰 氣流가 마침내 이 地域에도 서서히 影響을 미치고 있다고 생각합니다.

今年初 韓·日 頂上會談을 필두로 4月의 日·蘇 頂上會談과 韓·蘇 頂上會談, 5月에 들어 中國首腦의 北韓 및 蘇聯訪問, 또한 7月初의 韓·美 頂上會談과 美·日 頂上間의 만남등은 韓半島 周邊國家와 南北韓間에도 關係 再定立을 위한 조짐을 보여주고 있습니다.

이러한 상황하에서 北韓은 5月末 유엔加入 決定과 함께 그동안 수년이상 끌어 왔던 國際原子力機構(IAEA)와의 核安全措置協定 署名意思를 表明하였고, 이에 따라 마침내 비엔나에서 IAEA의 核安全協定 文案에 同意하게 되었습니다.

北韓은 또한 일주일전에는, 지난 2月 그들이 一方的으로 中斷했던 南北 高位級 會談을 오는 8月末에 再開하는데 同意해 왔습니다. 北韓 態度의 예측 不可能性과 行動 논거의 非合理性은 어제 오늘의 일은 아니지만, 外樣的으로 나타난 北韓의 態度變化 조짐은 南北韓 相互間의 關係에 있어서 뿐 아니라, 韓半島 周邊情勢에도 重要한 變化의 可能性을 示唆해 준다고 評價됩니다.

韓國放送記者클럽 會員여러분,

北韓은 이미 말씀드린대로 지난 5. 28. 外交部 聲明을 發表하면서 자신의 유엔加入 決定이 우리가 單獨으로 유엔加入을 推進함에 따라 惹起된 一時的 難局을 打開하기 위한 불가피한 措置임을 强調한 바 있습니다.

그러나 北韓은 이와 같은 發表가 있고난 後 불과 열흘이 채 안된 6. 7. 에는 자신들의 유엔加入 決定이 主動的인 措置라고 强調하고, 安保理理事國을 포함한 世界 各國으로부터 支持를 받고 있으며, 나아가 유엔加入이 그들의 國際的 權威를 높이고, 世界 여러나라들과의 關係를 改善시켜 祖國統一에 유리한 環境을 造成할 것이라고 宣傳함으로써 從前의 立場과는 다른 理由를 내세우기도 하였습니다.

우리는 北韓이 유엔加入問題에 대하여 態度를 바꾼 理由를 대략 다음과 같은 것이라고 생각하고 있습니다. 즉, 蘇聯 및 東歐圈의 根本的인 變化와 우리政府의 力動的인 北方外交의 成果와 특히 蘇聯과의 修交 및 韓·中間 實質協力關係

의 增進, 또한 南北韓의 유엔加入이 韓半島의 平和와 統一에도 이바지하게 될 것이라는 確固한 信念下에 積極的으로 展開한 政府의 外交努力과 이에 따른 友邦國과 第3世界 國家의 전폭적인 支持와 協力, 그밖에 北韓側 主張의 非合理性과 非現實性도 빠뜨릴 수 없는 要因이며, 또한 우리 국민들의 아낌없는 支持와 聲援이 있었기 때문에 可能했다고 보고 있습니다.

우리는 北韓의 態度變化를 가져오게 한 對內外的인 要素에서 몇가지 重要한 事實을 發見하게 됩니다. 즉 對外的 關係에서 살펴볼때 北韓과 血盟의 關係를 맺고 있는 中國이라도 大勢의 흐름을 直視할 수 밖에 없다는 것이며, 對內的으로는 北韓의 經濟的 困境이 매우 심각하고 이에 따라 北韓當局者들이 權力世襲을 통한 새로운 指導體制의 원만한 確立을 위해서도 住民들의 經濟的 苦痛을 輕減시켜야 할 必要性을 認識하고 있으리라는 점입니다.

따라서 南北韓의 유엔加入이 곧 北韓의 對南 基本路線 變化를 意味하는 것은 아닙니다만, 결국은 北韓의 對外 및 對南 政策에 있어서도 어쩔 수 없는 變化를 가져올 것으로 展望됩니다. 특히 北韓은 今番 유엔加入을 계기로 그들의 심각한 經濟難 打開를 위하여 盡力할 것으로 豫想되며, 따라서 궁극적으로는 그들 閉鎖社會의 開放을 회피할 수 없을 것으로 보입니다. 또한 北韓은 對南關係에 있어서도 和解와 協力이라는 世界的 潮流에 副應하는 보다 더 現實的인 政策 調整이 不可避 하리라고 豫想됩니다.

以上에서 본바와 같이 北韓의 態度는 周邊狀況 變化에 대한 不可避한 適應이라는 消極的인 側面과 더불어 對南 및 對外關係에 있어서 보다 積極的인 對應을 摸索하는 側面이 있다고 보여집니다.

今後 南北韓關係의 改善과 發展은 南北韓 스스로의 努力에 의해 이루어질 수 밖에 없습니다. 다만 南北韓 關係를 다루어 나감에 있어 우리는 南北韓間의 體制가 相異함을

分明히 認識하고, 보다 客觀的 基準에 따라 北韓의 政治, 外交, 社會, 經濟를 바라볼 수 있는 均衡된 視覺을 가져야 한다고 생각합니다.

韓國放送記者클럽 會員여러분,

지난 7.8. 北韓이 유엔加入 申請書를 提出한데 이어, 우리도 이달말이나 내달초에 加入申請書를 유엔事務總長에게 提出할 것입니다. 同 申請書 提出 以後 8月中旬까지는 安保理事會에서 審議와 勸告決議가 있을 것이며, 그 이후 9.17. 第46次 유엔總會 開幕日에 總會는 南北韓의 유엔會員國 加入을 承認할 것으로 豫想됩니다.

따라서 今年 9月부터는 1945年 分斷以來 온갖 事件으로 점철되어온 南北韓 關係에 있어 南北韓의 유엔會員國 時代가 시작되게 됩니다.

우리는 南北韓이 유엔加入을 통하여 對內外 關係에 있어 오랜 消耗的 對決 狀態를 終熄할 수 있게 되기를 바라고 있으며, 나아가 유엔體制內에서 南北韓間 協力關係를 획기적으로 發展시킬 수 있기를 기대하고 있습니다.

그러나 問題는 北韓의 態度입니다.

北韓이 從來와 같이 유엔에 加入한 以後에도 非妥協的이고 非現實的인 態度를 고집하고 또한 유엔을 새로운 對南誹謗과 中傷의 宣傳場으로 삼고자 한다면, 우리의 그와 같은 소망은 벽에 부딪칠 수 밖에 없습니다.

따라서 우리로서는 北韓이 建設的인 姿勢를 갖도록 하기 위하여 忍耐心을 가지고 努力해야 할 것입니다.

오늘날 유엔은 過去 東西對立下에 큰 나라간의 다툼을 代理하여 舌戰이 벌어지던 때의 유엔이 아니며, 또한 설혹 北韓이 過去와 같은 政治宣傳的 意圖를 가지고 策動을 한다 하더라도 이를 支持하는 勢力은 微微할 뿐 아니라, 그와 같은 試圖는 다시한번 그들 스스로 國際社會에서의 外面과 孤立을 招來할 뿐이라는 점을 認識해야 할 것입니다.

이제 南北韓의 유엔會員國 時代에 들어가게 되는 우리로서는 그 어느때 보다도 南北韓 關係에 있어 原則을 固守하면서 融通性있게 對應하는 姿勢를 가다듬어 나가야 할 것입니다.

韓國放送記者클럽 會員여러분,

일전 어느 모임에서의 演說을 통하여 本人은 유엔加入 自體가 우리의 目的이 될 수 없다고 말한 바 있습니다. 또한 저는 南北韓 유엔加入이 우리 7,000만 韓民族의 自尊과 位相을 높이고, 南北韓間의 和解와 協力을 增進하는 契機가 되어야 함은 물론, 궁극적으로 韓半島의 平和와 統一 및 韓民族 全體의 繁榮으로 가는 中間段階가 되어야 하며, 그것은 南北韓이 유엔會員國으로서 어떻게 行動하는가에 달렸다고 強調한 바 있습니다.

이제 주어진 機會를 어떻게 活用할 것인가 하는 것은 전적으로 우리의 責任입니다. 다만, 우리 혼자만의 게임이 아니라, 北韓이라는 相對와 함께 만들어 나가야 한다는 것이 問題입니다마는, 南北韓의 共存共榮關係를 통한 平和的 統一을

成就해 나감에 있어 유엔會員國 時代가 새로운 轉機를 마련하게 되기를 希望하고 있습니다.

여러분의 변함없는 聲援을 부탁드립니다.

感謝합니다.

팩 시 밀 리 전 송 지

1991. 8. 10

수 신 : 외무부 장관 비서실 민동석 비서관(전화:720-2302, FAX:720-2686)

발 신 : 도산아카데미연구원(담당자 : 안재환 부장)

연 락 처 : (전화)(02)741-7591, (FAX)(02)764-1091

제 목 : 8월 「도산 조찬 세미나」 주제 발표 의뢰

내 용 : 별첨 내용(공문)과 같이 의뢰하오니 이번 8월 도산 조찬 세미나에 이상옥 장관께서 시간을 허락하실 수 있도록 도와주시기 바랍니다.

0097

도 산 아 카 데 미 연 구 원

(종로구 동숭동 1-28, 전화:741-7591, FAX:764-1091)

도인 제91043호 1991. 8. 10

수신 이상옥 장관

참조 비서실장

제목 8월 「도산 조찬 세미나」 주제 발표 의뢰

한국의 외교 정책 수립과 그 수행을 위해 애쓰시는 장관님께 충심으로 경의를 표합니다.

본 연구원은 잘 아시는 바와 같이 우리 민족의 스승이신 도산 안창호 선생의 정신과 철학을 계승 발전시키고자 사단법인 흥사단 부설 연구 기관으로 지난 1989년 6월 3일 설립된 이래, 민족 통일 문제를 비롯한 국가와 사회 발전에 필요한 과제를 연구하고 실천하고자 사업을 전개해 오고 있으며, 매월 한 차례 정기적으로 「도산 조찬 세미나」를 개최하고 있습니다.

장관님께서는 그동안 저희 연구원과 「도산 조찬 세미나」에 많은 관심을 가지고 계신 것으로 알고 있습니다. 항상 바쁘시겠습니다만 이번에 개최하는 8월 「도산 조찬 세미나」에 장관님을 모시고 귀한 말씀을 듣고자 하오니 부디 시간을 허락하여 주시면 감사하겠습니다.

다 음

1. 일 시 : 1991년 8월 21일(수) 오전 7시 ~ 8시 40분
2. 장 소 : 서울힐튼호텔 그랜드볼룸
3. 주제(안) : 남북한 유엔 동시 가입과 한국의 외교 정책 또는 남북한 유엔 동시 가입과 남북 관계의 전망(제목은 협의에 따라 수정하실 수 있습니다)
4. 발표시간 : 40분(발표 주요 내용 원고 준비)
5. 연 락 처 : 도산아카데미연구원 안재환 부장, 전화 : 741-7591(대)

별첨 1. 연구원 설립 및 사업 내용 요약 1장.
2. 도산 조찬 세미나 개최 현황 1장.
3. 도산 조찬 세미나 식순 1장. 끝.

도 산 아 카 데 미 연 구 원 장 류

5 - 1

도산아카데미연구원 설립 및 사업 내용 요약

1. 설 립 일 : 1989년 6월 3일
2. 설립목적 : 도산 안창호 선생의 정신과 사상을 이어받아 민족 통일과 민족 발전에 관한 제반 분야에 대하여 연구하고 우리 민족이 나아갈 방향을 모색, 실천함으로써 민족 사회의 발전에 기여하고자 함에 있음.
3. 주요사업실적 :
   (1) 월례 「도산 조찬 세미나」 기회 : 매월 셋째 수요일, 26회(1989. 6~1991. 7)
   (2) 각종 세미나 개최 : 교육 문제, 통일 문제, 청소년 문제, 흥사단 이념 문제 등
   (3) 「도산의 밤」 개최
   (4) 세미나 종합 보고서 『한국사회의 과제와 발전 방향』 제1집 발간
   (5) 중국 지역 도산 안창호 선생 행적지 및 백두산 답사단 파견
   (6) 『도산아카데미연구논총』 제1집 발간
   (7) 고급 교양 강좌 〈문명론〉 및 〈인생론〉 강좌 개설
   (8) 『도산아카데미연구원 소식』 발간(월간)
4. 「도산 조찬 세미나」 개최 안내
   (1) 개최시기 : 매월 셋째 수요일 오전 7시~8시 40분
   (2) 장 소 : 서울힐튼호텔 그랜드볼룸
   (3) 개최취지 : 한국 사회의 지도급 인사가 가져야 할 올바른 가치관·철학, 사회 문제에 대한 인식, 미래에 대한 비전 등을 갖게 함으로써, 한국 사회의 발전에 능동적으로 대처하고 이바지하고자 함에 있음.
   (4) 참석인원 : 월 평균 100명
   (5) 참가대상 : 기업인, 학계·정계·관계 인사, 사회 단체 임원, 기타
   (6) 진 행 : 발표자(초정자)의 주제 발표, 주제 발표에 대한 토론자 1명(학계 또는 언론계의 주제 관련 분야 전문가)의 토론, 주제 발표자의 토론 내용에 대한 답변, 참석자와의 질의응답
   (7) 소요시간 : 1시간 40분(100분)
   (8) 준비사항 : 주제 발표에 대한 원고 준비

5 - 2

0093

도산 조찬 세미나 개최 현황

(1989.6 ~ 1991.7)

No. 1

회	연월일	주제	발표자	토론자
1	'89. 6/28	세계사의 3대방향과 한민족의 진로	안병욱(흥사단 이사장)	박창희(외국어대 교수) 이항녕(전 홍익대 총장)
2	7/19	통일민주당의 북방정책	황병태(통일민주당 정책위 의장)	정연선(숭실대 교수) 구종서(중앙일보 논설위원)
3	8/23	한국의 정치발전을 위한 나의 구상	이종찬(민주정의당 사무총장)	한승조(고려대 교수) 현소환(연합통신 상무)
4	9/27	한국 경제정책의 과제와 전망	문희갑(대통령 경제수석 비서관)	김광두(서강대 교수) 이 형(한국일보 논설위원)
5	10/18	한국 정치민주화의 과제와 전망	박찬종(국회의원)	안병영(연세대 교수) 유근일(조선일보 논설위원)
6	11/15	한국 민주화와 평화민주당의 진로	김대중(평화민주당 총재)	장을병(성균관대 교수) 최시중(동아일보 논설위원)
7	12/20	국제정세의 변화와 우리의 통일정책	이홍구(국토통일원 장관)	허동찬(재일사학자) 이도형(조선일보 논설위원)
8	'90. 1/17	90년대 한국의 정치발전 방향	이기택(통일민주당 원내총무)	이정복(서울대 교수) 이동화(서울신문 논설위원)
9	2/21	90년대 한국경제와 북방경제교류에대한전망	정주영(현대그룹 명예회장)	안석교(한양대 교수) 김영하(조선일보 논설위원)
10	3/21	90년대 한국의 노동조합운동 방향	박종근(한국노총 위원장)	배무기(서울대 교수) 박노경(전 경향신문 논설위원)
11	4/24	전환기의 대학교육과 90년대 학생운동	박 홍(서강대 총장)	차경수(서울대 교수) 김기순(숭실대 교수)
12	5/16	21세기 통일한국의 가능성과 필요조건	이한빈(국제민간경제 협의회 회장)	전득주(숭실대 교수) 문명호(동아일보 논설위원)
13	6/25	정보화 사회의 과학·기술정책 방향	정근모(과학기술처 장관)	김용준(고려대 교수) 김영우(C.S.T.P 소장)

5 - 3

0100

회	연 월 일	주 제	발 표 자	토 론 자
14	'90. 7/25	생명외경 · 인간존엄과 선악문제	서영훈(흥사단 공의회장)	김태길(서울대 명예교수) 유경환(조선일보 논설위원)
15	8/23	한국의 북방정책과 민족통일에의 전망	김학준(대통령 사회담당 보좌역)	이명영(성균관대 교수) 김낙중(민족통일촉진회)
16	9/19	한국 · 헝가리의 협력증진 방안	H.E.Mr.SANDOR ETERE (주한 헝가리 대사)	임양택(한양대 교수) 구종서(중앙일보 논설위원)
17	10/31	시대적 과제와 북방정책	박철언(국회의원)	허 영(연세대 교수) 최시중(동아일보 논설위원)
18	11/28	한국사회를 어떻게 볼 것인가	김우중(대우그룹 회장)	참석자 전원
19	12/19	우루과이라운드와 한국농협의 과제	한호선(농협중앙회 회장)	허신행(K.A.E.I 원장) 조규진(경향신문 논설위원)
20	'91. 1/16	남북대화의 회고와 전망	홍성철(전 통일원 장관)	참석자 전원
21	2/27	걸프전쟁 이후의 국내외 경제전망	구본호(한국개발연구원 원장)	김태동(성균관대 교수) 변도은(한국경제신문 논설위원)
22	3/20	오늘의 한국사회 무엇이 문제인가	홍남순(변호사)	참석자 전원
23	4/17	대학교육의 발전과 사학의 역할	유승윤(학교법인 건국대 이사장)	참석자 전원
24	5/15	새로운 도약의 길 - 대전 엑스포 '93	오 명(대전세계박람회 조직위원장)	민경휘(산업연구원 부원장) 이재승(한국일보 논설위원)
25	6/19	민족통일의 과제와 도산사상	강영훈(전 국무총리)	참석자 전원
26	7/3	통일환경의 변화와 우리의 대비책	이병룡(민족통일연구원 원장)	하용출(서울대 교수) 정종문(동아일보 논설위원)

5 - 4

0101

도산 조찬 세미나 식순

1. 개 회(07:00)
2. 국민의례
3. 원장 인사말씀
4. 발표자 약력 소개
5. 주제 발표(07:15 ~ 07:55)
6. 주요 참석 인사 소개(조찬 시작)
7. 토론(토론 시간 10분)
8. 발표자 답변
9. 자유 토론(질의응답)
10. 원장 마감 인사
11. 폐 회(08:40)

5 - 5

0102

열다섯번째 세미나

「유엔가입으로 본 남북관계 변화 전망」

招請狀

0103

社團法人 韓國地域[illegible]會研究所

'91. 8. 23
국제기구조약국
기사

초청의 말씀

그동안 안녕하셨습니까

저희 연구소에서는 남북한 동시유엔가입에 따른 새로운 유엔시대를 맞아 남북관계의 변화방향을 진단해 보고자 **「유엔가입으로 본 남북관계 변화 전망」** 이라는 주제로 열다섯번째 세미나를 갖기로 하였습니다.

부디 참석하셔서 좋은 의견을 나눠 주시기 바랍니다.

1991. 8.

社團法人 韓國地域社會研究所
理事長 張 聖 萬 드림

○ 주 제 : **「유엔가입으로 본 남북관계 변화 전망」**
○ 발 표 : **鄭鎔碩 박사(단국대 교수)**
○ 토 론 : 安 秉 俊 교 수(연세대 교수)
文 明 浩 부국장(동아일보)
李 慶 淑 교 수(숙명여대 교수)
李 榮 一 위원장(민자당 광주서구 위원장)
○ 일 시 : 1991년 8월 29일(목) 오후2시
○ 장 소 : 한국프레스센타19층 강당(서울시청뒤)
○ 연락처 : 784-4851

0104

-발표회장 약도-

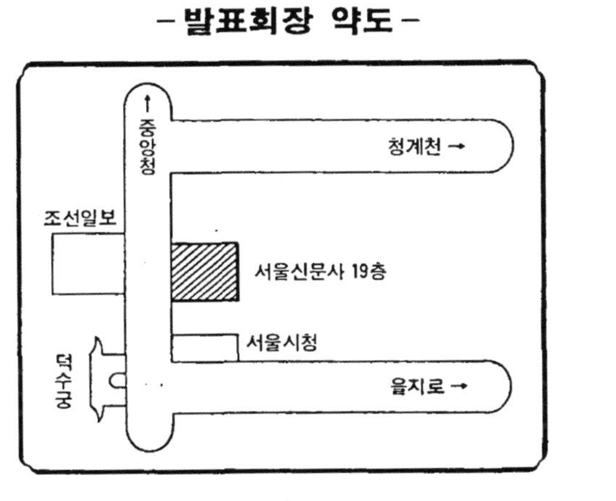

사단법인 **한국지역사회연구소**

서울·영등포구 여의도동 13-2(삼보B/D 201호)

TEL〉 784-4851

부산사무소

TEL〉 324-5455

0105

社團法人 韓國地域社會研究所
서울·영등포구 여의도동 13-2(삼보빌딩201호)
서울 : 784-4851 · 부산 : 324-5455
150-010

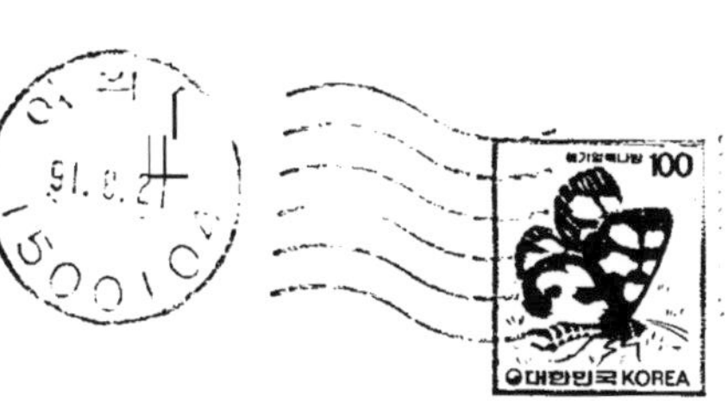

정부종합청사 (외무부)
이 상 옥 장관 貴下

110 - 760

0106

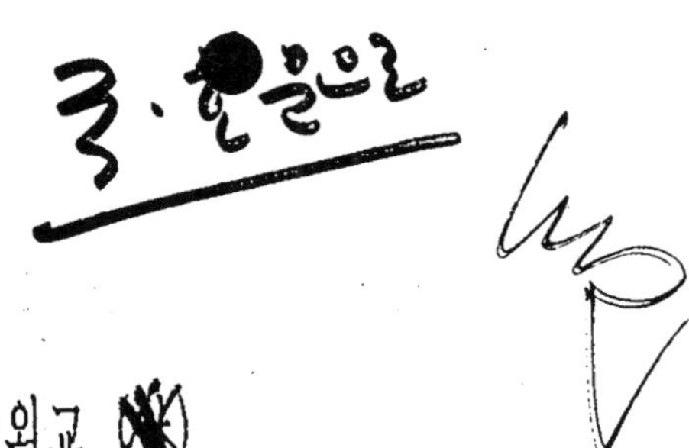

남북한 유엔가입과 한국외교 (안)

- 관훈클럽 및 한국언론 학회 주최
"제 3회 최병우기자 기념 심포지움"에서의
이상옥 외무장관 연설문 -

1991.9.7.(토) 대전

외 무 부

0107

존경하는 관훈클럽 회원여러분,

그리고 한국 언론학회 회원여러분,

오늘 관훈클럽과 한국 언론학회가 공동주최하는 최병우기자 기념 심포지움에서 남북한의 유엔가입과 한국 외교에 관하여 말씀드리게 된것을 기쁘게 생각합니다.

잘 아시다시피 유엔 안전보장이사회는 지난 8.8. 남북한의 유엔가입을 총회에 권고하는 결의안을 투표없이 만장일치로 채택했으며, 이제 마지막 절차로서 총회 결의안 채택만이 남아있읍니다. 오늘부터 열흘후인 9월 17일 제 46차 유엔총회 개막일에 우리나라는 유엔총회의 만장일치 가결로 전회원국의 축복을 받으며 유엔 회원국이 될 예정입니다. 정부수립 43년만의 일로서 큰 감회를 느끼게 되며, 그간 언론에서 많은 관심을 가지고 적극 성원해 주신 데 대하여 이자리를 빌어 깊은 감사를 드립니다.

우리의 유엔가입은 북한의 동시 가입으로 더욱 뜻깊은 것이 되었읍니다. 북한이 오랫동안 견지해 오던 [illegible]의 입장을 바꾸어 우리와 함께 유엔에 가입하는 길을 선택한 것은 북한의 대외정책 노선의 앞으로의 향방과 관련하여 의미있는 일이 아닐수 없읍니다. 이제 우리는 유엔의 테두리를 맴돌던 비정상적인 상황을 바로 잡고, 161번째의 유엔 회원국이 되게 되었읍니다. 그러나 우리의 유엔 가입은 회원국의 하나가 된다는 것 이상의 의미를 가지고 있느 것으로서 앞으로 남.북한 관계개선과 평화통일의 길을 다져 나가는 과정에서도 중요한 의의를 지니는 것이라 생각 됩니다.

남.북한이 동시가입에 이르는 최근의 과정에서 쌍방은 앞날을 위해 유익한 경험을 쌓았읍니다 . 작년에 북한이 단일의석 가입안을 내 놓았을때, 우리는 그들의 제안이 비현실적임에도 불구하고 그들의 진의를 알아 보기 위해 남 북한 주 유엔 대사간 회의을 제안하였고, 이들은 수차례의 회합을 가졌었읍니다. 유엔에서의 양측 유엔 대사간의 직접 회담은 남.북한의 대표부가 설치된 이래 최초의 일이었읍니다. 비록 이때 상호의 주장은 평행선을 달렸으나, 그 만남은 그이후의 또 다른 회합을 위한 마음의 준비가 되었고 선례가 되었읍니다.

유엔 가입을 두고 설왕설래 했던 접촉이 금년에는 남.북한의 유엔 가입절차를 원만히 진행시키기 위한 방안을 협의하기 위한 또 다른 회합으로 이어졌읍니다. 안보리와 총회에서 유엔가입 결의안을 원만히 통과 시키기 위하여 남.북한은 제3자의 중개 없이 상호 제의와 연락으로 참사관급과 대사급 에서 수차의 접촉을 가졌고, 상호 협의를 거쳐 필요한 합의점을 발견하였읍니다.

그간의 접촉과 협의는 비록 유엔가입여부, 유엔가입 절차 진행 문제에 국한된 것이였다고 할지라도 앞날을 위해 중요한 이정표가 될 것으로 믿고 있읍니다.

남.북한간의 정치.군사 문제, 교류. 협력문제등은 고위급 회담에서 다루어지고 있으나, 유엔에서의 제반사항은 양측의 유엔대표부간에 서로 협의 되고 절충 될수 있다고 생각됩니다.

유엔가입을 위요한 남.북한 대표부간의 성과있었던 협의의 전례에 따라, 본인은 남.북한이 유엔 가입후에도 유엔에서 제기되는 안건, 특히 한민족 공동 이해에 관계되는 사안과 한반도의 평화와 안정및 번영에 관한 사안을 위주로 쌍방의 유엔 대사간 협의체를 구성, 운영 하게 되기를 기대하고 있읍니다.

정회원이라는 새로운 자격을 갖춘 남.북한이 유엔에서 활동을 강화해 나가면 서로 많은 공통의 관심사항을 발견하게 될 것이며, 때때로 서로 상반된 견해와 입장을 가지게될 문제에 봉착할 수도 있겠으나, 사안에 따라서는 동일한 이해 관계를 가진 국가들의 그룹에 나란히 속하기도 할 것입니다. 특정 결의안에 대해 공동제안국으로 가담할 경우도 있겠고, 그렇지 않더라도 표결시에 동일한 태도를 보일 경우도 있을 것입니다. 이러한 과정을 통하여 같은 민족으로서 서로의 이해 관계를 조정하고 공동의 입장을 모색하는 귀중한 경험을 쌓을 수 있을 것입니다. 전반적인 남.북한 관계가 발전된다면 필요한 경우에는 남.북한이 공동 발의하여 결의안을 제출할 수도 있겠읍니다.

관훈클럽및 한국언론학회 회원여러분

여러분도 잘 아시다시피, 우리 정부는 제6공화국 주요 외교과제의 하나로서 유엔 가입을 추진한 당초부터 북한과 함께 나란히 유엔에 들어가는 것이 우리가 가장 바라는 바임을 분명히 하였읍니다. 즉, 과거와 같이 북한을 제치고 우리만이 가입하여 국제무대에서 우위를 확보 하고자 한 것이 아니었읍니다.

우리의 1차적 목표는 남.북한 동시 가입으로서 그것이 북한의 반대로 불가능할 때에는 부득불 우리의 선가입을 차선책으로 추진하겠다는 것이었읍니다. 이것은 노대통령의 7.7선언의 논리적인 귀결입니다. 유엔가입후에도 유엔무대에서 북한을 바라 보는 우리의 시각은 변함없이 한민족 공동체 정신에 입각한 것입니다. 상대적으로 우월한 경제력과 외교망을 가지고 우리가 북한을 국제무대에서 압도하거나 당혹시킬 의도는 추호도 없읍니다. 유엔에서의 접촉과 협의 과정의 축적을 통해 상호 신뢰를 구축해 나간다면, 그리하여 서로의 지혜와 역량을 모아 평화와 통일의 기초를 다져나가는데 기여할 수 있다면, 그것이 곧 우리가 바라는 바입니다. 우리는 남.북한 대표부가 서로 노력하여 공존 공영의 국제적 여건을 조성하고 나아가 통일의 날을 앞당기는데 기여하게 되기를 진정으로 기대하고 있읍니다.

과거 동.서독은 기본조약체결에 이어 유엔에 동시 가입한 후 그 이듬해에 상호의 수도에 상주 대표부를 설치한 바 있읍니다. 남.북한간 서울과 평양에 상주 대표부가 설치될 때까지 양국의 주유엔 대표부가 유엔테두리내에서는 그러한 연락과 협의를 위한 상주 채널이 될 수도 있을 것입니다.

남.북한이 정회원으로 유엔에 들어가게 되면 유엔에서 상호 관계가 어떻게 전개 되고, 상호 활동이 어떤 양상을 띌 것인지 우리뿐 아니라 전세계의 관심거리가 되고 있읍니다. 유엔내의 협조적, 화해적, 건설적 분위기는 과거와 같은 냉전적 대립을 배격하고 있읍니다. 그러나 유엔내에서는 아직도 아랍-이스라엘 간의 정치적 대립, 서진국-후진국간의 경제적 이해관계의 대립등 많은 대립과 갈등이 남아 있읍니다. 남.북한간의 유엔에서의 대립은 어떻게 달라질 것인가, 70년대 중반까지의 한국문제 논쟁이 재연될것 인가, ~~70년대 중반이래의 불상정 상태가 그대로 지속될 것인가~~, 아니면 유엔의 고유기능을 살려 유엔내에서 한반도 문제의 건설적인 해결책을 강구하는 평화조성(peace-making)노력이 전개될 것인가등등 여러가지 많은 의문이 제기되고 있읍니다.

현재로서는 이러한 물음에 자신있게 답변하기는 이를지도 모릅니다. 그러나 우리의 입장은 확고합니다. 우리는 유엔에서 동.서 냉전 체제하의 과거와 같은 비생산적인 한국문제의 토의를 원하지 않읍니다. 북한을 약세로 몰아 우리만의 이익이나 우위를 위해 일방적으로 한국문제의 유엔 토의를 재연시킬 의도는 없읍니다.

한반도 문제는 남.북한 직접 당사자간의 대화를 통하여 평화적인 해결을 도모하고자 하는 것이 우리의 일관된 정책입니다. 그러나 이러한 방침이 유엔에서의 건설적인 논의까지도 무조건 배척 하겠다는 것이 아님은 명백 합니다. 만일 남.북한간의 대화와 합의가 선행된다면 그 이행과정에서 필요에 따라 유엔에서 건설적인 논의를 하는것은 얼마던지 좋다고 생각합니다. 상호 신뢰와 성실을 바탕으로 남.북한이 대화와 협의를 통하여 건설적인 조치를 취할 수가 있다면 다른 지역분쟁의 해결 과정에서 본바와 같이 유엔이 그단계에서 유용한 역할을 할 수 있을 것이라고 봅니다.

전세계에서 소용돌이 치고 있는 화해와 협력의 기운에 맞추어, 북한도 접촉과 교류, 대화와 타협의 정신으로 남.북한 유엔시대를 맞이 하기를 우리는 고대하고 있읍니다. 이러한 여건과 분위기를 조성하기 위하여 우리로서는 유엔무대에서 북한을 비난하거나 궁지에 몰아넣는 어떠한 행동도 ~~삼가~~ 자제하고자 하고 있읍니다.

이러한 관점에서 우리는 유엔가입에 즈음하여 북한이 또다시 유엔을 평화공세나 정치 선전장으로 삼고자 하지 않을가 우려 하고 있읍니다. 우리로서는 유엔내 팽배하는 협조적 분위기를 저해치 않고자 최대한의 자제력을 발휘코자 하며, 이러한 우리의 자세를 이미 유엔 주요 회원국에 알리고 있읍니다. 우리가 대승적인 견지에서 협의, 화해, 협력을 추구하고자 하나, 양보하거나 묵인할 수 없는 원칙적인 문제에 대하여 북한이 문제를 제기한다면 우리의 확고한 입장을 밝히고자 합니다.

북한이 만약 1975년까지 유엔총회에서 제기했던 바와 같이 일방적으로 유엔사 해체, 휴전협정의 폐기, 주한 미군의 철수 문제를 다시 제기하여 선전책동을 벌리거나, 나아가 결의안 채택을 시도한다면 우리는 이를 저지하고 단호히 대응할 것입니다. 그러한 시도는 새롭게 태어나고 있는 유엔으로부터도 지탄을 받게 될 것임을 북한은 알아야 할 것입니다.

관훈클럽과 한국언론학회 회원여러분,

유엔가입으로 우리나라의 외교는 본격적인 다자 외교에 진입하게 되었읍니다. 우리는 그간 유엔무대의 가장자리에서 소위 "참관자"에 불과했읍니다. 이제 우리는 유엔에서 토의되는 여러 문제들에 관하여 표결도 하고 결의안을 제출할 수 있으며, 여러회의의 의장, 부의장 또는 사무국의 요직에 후보도 낼 수 있게 되었읍니다.

최근 우리의 다자외교 영역은 크게 넓어졌읍니다. 본인이 지난 7월 우리나라 외무장관으로서는 최초로 참석한 바 있었읍니다만, 우리는 ASEAN의 전면 대화 상대국으로서 미국, 일본, 카나다 호주, 뉴질랜드, EC등과 함께 ASEAN의 확대 외상 회의. 소위 6+7 회의에 정식으로 참가하게 되었읍니다.
우리는 또한 89년이래 창설된 APEC 이라는 아.태 경제협력 각료회의의 금차 의장국으로서 올해 11월 서울에서 제3차 각료회의를 주최하게 됨으로써 21세기 태평양 시대를 앞두고 이지역 다자외교에서 중요한 역할을 하게 되었읍니다.

특히 그동안 중국, 대만, 홍콩의 APEC가입이라는 난제를 놓고 우리나라가 의장국으로서 7개월에 걸쳐 막후 협상을 주도한 결과 마침내 3자 동시가입의 타협안을 성사시킴으로써 한국외교의 기량을 높이 평가 받은바 있읍니다.

우루과이 라운드 다자간 무역 협상이 진행중인 제네바에서는 우리나라가 GATT 체제내의 중요한 세계 교역국가의 하나로서 협상에 적극 참여하고 있읍니다. 이렇듯 수평적으로 우리의 다자 외교 활동의 외연이 확장되고, 동시에 그러한 다자외교의 틀 속에서 우리의 역할과 활동이 더욱 두드러지고 있는 싯점에서 유엔가입은 우리의 외교 활동 무대와 시야를 더욱 넓혀 주는 새로운 외교적 도전과 기회가 아닐 수 없읍니다.

유엔이라는 범세계적인 외교무대에서 우리의 위상과 좌표를 어떻게 설정해 나갈 것인가 하는 것은 우리외교의 과제가 되었읍니다. 많은 회원국 수로 인하여 유엔에서는 비공식 지역 그룹이 운영되어 오고 있으며, 정치적, 경제적 성향이나 위치에 따라 형성되는 각종 그룹이있읍니다.

우리가 속해있던 아시아 그룹에서 우리는 그간 의장국이 될 수 없는 제한된 참여 자격을 가져 왔읍니다. 유엔 회원국이 되고 나면 알파베트 순서에 따라 순환되는 아시아 그룹의 의장직에도 선임될 수 있읍니다. 우리는 유엔시스템에 구성된 개도국의 모임인 77그룹의 회원국 이기도 합니다.

그러나 우리나라는 그 지정학적, 역사적 위치로 인하여 ASEAN, 걸프연안국 협력이사회 (GCC), 이슬람국간 기구, 북구 그룹, 비동맹, EC, NATO등과 같은 동질성 또는 결속력이 강하거나, 공통의 이해 관계가 보다 뚜렷한 각종의 국가 그룹에는 속하여 있지 않습니다.

이러한 현상은 필요시 지지 국가 규합에 불리한 측면이 있는 반면,소속그룹의 집단 행동에 제약을 받지않는 자유로운 측면도 있읍니다. 이러한 상황에서 우리는 사안별로 견해나 이해관계의 강도에 따라, 이합집산하는 국가들과의 연합세력 구축(Coalition-building)에 능동적으로 그리고 유연하게 대처함으로써 우리의 대유엔 외교의 새로운 패턴을 정립해 나가야 할 것입니다.

관훈클럽과 한국언론학회회원 여러분,

냉전의 종식과 더불어 세계 평화와 안전의 유지라는 1차적인 목적을 달성하기 위한 유엔의 역할이 제고되고 있읍니다. 유엔사무총장과 안보리를 중심으로 유엔의 평화유지(peace-keeping)활동은 그 활동 지역과 영역이 해마다 넓어지고 있읍니다. 유엔 평화 유지활동이 회원국에서의 선거 참관과 감시 기능까지 수행한 예를 최근에도 니카라과, 나미비아등지에서 우리는 수차 보았읍니다.

앞으로 우리나라도 상당한 경제력을 갖춘 중진 회원국으로서 이러한 평화유지활동에의 기여를 요청 받게 될 것입니다. 세계70여개국이 전세계에 걸친 13개의 유엔평화 유지활동에 군대를 보내거나 각종 병참지원을 하고 있고, 또한 많은 나라들이 자발적인 기여금을 내고 있읍니다. 한국전쟁 당시 유엔의 도움으로 침략을 격퇴할 수 있었던 우리로서는 앞으로 유엔의 평화유지 활동에 응분의 기여를 해야 할 것이며, 그러한 분야와 방법을 점차적으로 검토해 나가야 할 것입니다.

유엔의 평화.안전유지기능 분야에서 우리의 또다른 당면 관심분야는 군사적 신뢰구축, 생화학 무기 통제,핵 확산금지등 군축. 군비통제 분야 입니다. 특히 북한의 핵무기 개발 문제는 우리뿐 아니라 세계 전체가 당면한 가장 시급한 안보문제로서, 앞으로 IAEA 와의 핵안전 협정체결 동향등 북한의 관련 조치와 행동을 예의주시하면서, 필요한 경우에는 관련국가들과 협의하여 유엔 테두리내에서의 대응 방안도 검토해 나갈 작정입니다.

또한 우리의 유엔 회원국으로서의 위상이 점차 확고해지고 건설적인 활동과 기여 실적이 쌓여 나가면, 우리의 국제적 위상에 걸맞는 위치를 유엔내에서 확보하는 노력을 강화할 생각~~입니다~~. 유엔의 다자간 군축 협상기구인 군축 회의 (Conference on Disarmament)에의 정회원 가입 추진, 나아가 안보리 비상임 이사국 피선, 유엔 경제사회 이사회 이사국 피선등을 추진해 나가고자 ~~하며, 90년대 중반까지 일부 가시적인 결과도 얻을 수 있을 것으로 전망됩니다.~~

유엔에서는 개도국 경제 개발, 외채, 인권, 공해, 마약, 환경등 범세계적으로 공동의 행동으로서만이 해결될 수 있는 많은 중요한 문제가 다루어지고 있음은 널리 알려진 사실 입니다.

우리는 유엔에서 논의되고 있는 이러한 문제들이 국제적으로도 그해결이 시급할 뿐 아니라, 국내적으로도 우리국민의 하루하루 일상생활의 영위와 직접적으로 관련되는 문제라는 것을 염두에 두고 적절하게 효율적으로 대처하고, 그해결책 마련에도 기여해야 할 것입니다. 이러한 관점에서 정부로서도 면밀한 대책을 강구하고 있으며, 그 작은 일례로서 외무부내 환경전담 대사 지명을 들 수가 있겠읍니다.

이렇듯 다자외교 분야는 광범위하고, 우리나라의 국가안위와 우리 국민의 일상 생활에 직결되는 사항인 만큼 최근 정부는 다자외교 체제를 재정비 강화하여 관계부처 간의 긴밀한 협의 체제를 구축하고 유엔, 제네바, 비엔나등 국제기구 소재 우리 외교 공관의 인력 보강과, 외무부의 전담 부서를 개편, 증설하는 조치를 취하기도 하였읍니다.

유엔가입을 계기로 우리의 분담금 납부가 증가 되고 우리의 여타 활동과 기여가 증대됨에 따라 유엔 산하기구 사무국에의 우리나라 국민들의 진출을 적극 도모코자 합니다. 현재 유엔산하 기구와 여타 국제기구에 약 200여명의 우리 국민이 진출해 있읍니만, 앞으로 유엔 본부 사무국도 회원국의 추천에 따라 진출하는 약 2,500명의

사무국직원중에 우리의 유능한 인재가 다수 채용될 수 있도록 적극적인 대책을 마련해 나가고자 합니다.

우리의 다자외교가 성공하기 위해서는 많고 다양한 분야에 걸쳐 제기되고있는 문제의 배경과 핵심, 우리와의 이해관계, 각국의 동향등 여러각도에서 우리국민 각계각층의 깊은 이해와 지지가 긴요함은 자명하다고 하겠읍니다. 다자회의나 협상에 제기되는 문제와 관련하여서는 특히 국내 특정 이해 집단이나 계층의 이해관계를 뛰어 넘고, 또한 근시안적인 단기적 이익에의 집착을 지양하여, 전반적인 우리의 국가이익을 직시하는 가운데 중.장기적인 국가 대계를 세우면서 국제 협력을 도모하는 것이 절실한 것으로 여겨집니다. 앞으로 언론계에서도 보다 큰 관심을 가지고 문제를 제기하고 토론을 유도하여, 민의를 수렴하고 여론을 계도하는데 앞장 서 주시기를 기대합니다.

관훈클럽과 한국언론학회회원 여러분,

남.북한이 별도로 유엔에 가입하게 된 데 대한 우리의 감회는 남다른 것이지만, 유엔가입이 우리외교의 궁극적 목표가 아닌것은 자명합니다. 이제 우리 우리외교의 촛점은 남.북한 공존공영의 시대를 확고히 정착시키는 일방, 평화통일 달성시까지의 시간을 단축하는 노력으로 옮겨가야 할 것입니다. 독일과 예멘의 통일과정과 그 이후를 바라보며 역사적 안목과 예지를 가지고 평화통일로의 길을 착실히 밟아 가야 할 것입니다.

우리는 지난 몇년간 세계를 뒤흔든 변혁을 주시하면서 우리에게 주어진 도전과 기회를 슬기롭게 포착하고 활용 하였읍니다. 정부가 불투명한 여건과 전망속에서 쉽지않은 판단을 내렸읍니다. 어렵게 시작된 남.북 대화를 파탄시키지 않을가, 북한을 더욱 고립시킴으로써 통일의 전망을 보다 어둡게 하지 않을가, 북한에 대한 고려 때문에 중.소가 끝내 반대하지 않을가 등의 엇갈리는 우려 속에서도 노대통령께서는 년내 유엔가입 실현의 결단을 내리셨고, 마침내 남.북한 유엔가입의 결과를 낳았읍니다.

이과정에서 관훈클럽 회원 여러분들이 보도와 사설, 해설과 평론을 통하여 보여주신 격려와 성원은 우리 국내 여론을 수렴하여 국내적 컨센서스를 형성하는데 중요한 역할을 하였읍니다. 그 단합된 힘이 오늘의 결과를 낳은 원동력 이라고 하겠읍니다. 그런점에서 금번 노태우 대통령의 유엔 총회 참석 기회에 범국민적인 사절단이 구성되어 유엔가입의 역사적 현장을 함께 목도할 수 있게 된 것을 매우 기쁘게 생각~~하고 이를 환영하는~~ 하는 바입니다.

남.북한 동시 유엔가입을 눈앞에 두고 우리가 국민 모두와 함께 북방 외교의 또하나의 승리를 축하하면서 한반도 평화통일을 향한 우리의 단호한 결의를 재삼 새롭게 다짐해야 할 것입니다. 우리가 함께 달성한 것은 큰 목표를 향하는 도정 에서의 하나의 중간 과정이며, 우리는 이제 여기서 평화와 통일을 향하여 힘차고 새로운 출발을 해야 할 것입니다.

여러분들께서 그간 정부의 유엔 가입 추진 노력 뿐만 아니라 그밖의 주요 외교 시책과 외교 활동에 대하여 많은 관심과 이해를 베풀어 주시고 성원해 주신데 대하여 다시 한번 감사드리며, 앞으로도 변함없는 격려와 조언이 있으시기를 부탁드립니다.

감사합니다.

관리 번호	91-5243

외 무 부

종 별 :

번 호 : JAW-5761 일 시 : 91 1010 1152

수 신 : 장 관(아일,정특,연일)

발 신 : 주 일 대사(일정)

제 목 : 아시아 조사회등 연설

본직은 10.17. 북해도 신문 초청으로 "남.북 유엔동시 가입과 한반도 정세"제하 연설 예정이며, 10.25. 아시아 조사회(회장: 오오끼다 사부로 전외상) 초청으로 "유엔 가입후의 한반도 정세"제하 연설 예정인바, 동 연설시 중점적으로 홍보할 지침 있으면 회시 바람. 끝.

(대사 오재희-국장)

예고:91.12.31. 일반

아주국 차관 국기국 외정실

PAGE 1

91.10.10 13:03

외신 2과 통제관 BS

0122

발 신 전 보

분류번호	보존기간

번 호 : WJA-4582 911011 1822 ED 종별 :

수 신 : 주 일 대사. 총영사

발 신 : 장 관 (연일)

제 목 : 연설문 송부

본직(외) 10.11. 한국신문편집인협회 초청 조찬간담회에서 시행한 "남북한 유엔가입후 한국외교" 연설문을 별첨 FAX 송부하니 귀업무에 참고바람.

첨부 : 연설문 1부. 끝.

(국제기구국장 문동석)

보안통제	

앙고재	91년 10월 11일	연 과	기안자 성명		과 장	심의관	국 장		차 관	장 관
			송영완			(서명)	전결			(서명)

외신과통제

0123

南北韓 유엔加入後 韓國外交

— 韓國 新聞編輯人協會 招請 朝餐懇談會에서의
李相玉 外務部長官 演說文 —

1991. 10. 11(金)

外　務　部

0124

新聞編輯人協會의 안병훈 會長님과 會員 여러분,

오늘 아침 新聞編輯人協會 會員 여러분들과 南北韓 유엔加入以後 韓國外交에 關하여 意見을 나누게 된 것을 기쁘게 생각합니다.

지난 9月 17日 第46次 유엔總會 開幕日에 우리나라는 유엔의 161번째 會員國이 되었습니다. 우리는 그날 유엔本部앞 國旗揭揚臺에서 우리의 太極旗가 게양되는 순간을 지켜보면서 깊은 感懷에 젖지 않을 수 없었습니다.

실로 우리 政府가 最初의 유엔加入申請을 提出한지 43年만에 우리의 줄기찬 努力이 마침내 그 結實을 이룬 것입니다. 우리의 유엔加入이라는 外交的 宿願課題를 解決하는 데에는 特히 言論界의 支持와 聲援이 큰 밑받침이 되었다고 믿으며, 이 자리를 빌어 다시 한번 感謝를 드립니다.

우리의 유엔加入이 더욱 뜻깊게 된 것은 우리가

바라던 바대로 北韓의 加入이 함께 이루어졌기 때문입니다. 우리는 北韓의 유엔 加入을 歡迎하며, 北韓이 國際舞臺에서 責任있는 一員으로서 우리와 나란히 유엔의 活動에 建設的인 寄與를 함으로써 全體 韓民族의 自尊을 드높이게 되기를 바랍니다. 北韓이 오랫동안 堅持해 오던 유엔同時加入 反對라는 立場을 바꾸어 우리와 함께 유엔에 加入하는 길을 選擇한 것은 앞으로 北韓의 對外政策路線의 方向과 關聯하여 意味있는 것으로 보고 있습니다.

從來 北韓은 그토록 執拗하고 強力하게 유엔 同時加入을 反對해 왔었으나, 結局은 國際的 흐름을 直視하고 現實的인 判斷을 하게 되었습니다. 今番 北韓의 政策變化로 보아 앞으로도 國際的 動向과 趨勢에 따라서는 北韓이 自身의 오랜 立場을 現實的으로 調整해 나갈수 있다는 期待를 불러 일으키고 있습니다.

南北韓의 유엔加入은 單純히 各自가 유엔會員國

이 되었다는 事實에서 뿐 아니라 앞으로 南·北韓 間 關係正常化와 平和統一의 길을 열어 나가는데 있어서 重要한 契機를 마련하였다는 點에서도 그 意義가 크다고 생각합니다.

新聞編輯人協會 會員 여러분,

그간 보다 優勢한 經濟力과 外交網을 土臺로 우리의 國際的 位相이 크게 높아진 反面, 北韓은 自身의 非現實的 政策과 名譽롭지 못한 對外 行動으로 國際的인 孤立을 면치 못하였습니다. 이러한 狀況을 利用하여 우리가 北韓을 排擊한채 우리만의 유엔加入을 追求하지는 않았었습니다. 우리가 追求한 것은 南·北韓의 同時 유엔加入이었습니다.

南·北韓 유엔加入은 盧泰愚 大統領이 重點的으로 追求해 온 北方政策의 論理的인 歸結이었습니다. 北方政策으로 우리가 追求하는 바는 蘇聯과 中

國과의 修交와 關係改善을 通한 北韓의 孤立化가 아니라, 모스크바, 北京을 通하여 平壤으로 가는 길을 開拓하는 것이었습니다.

南·北韓의 유엔時代를 맞이한 지금도 우리가 北韓을 對하는 視角은 마찬가지입니다. 유엔에서의 北韓은 우리가 排斥하거나 制壓할 對象이 아니며, 어디까지나 和解와 協力의 새時代를 함께 열어 가야할 동반자입니다.

이러한 觀點에서 우리는 유엔에서 東·西 冷戰體制下의 過去와 같은 非生産的인 韓國 問題의 討議를 원하지 않습니다. 北韓을 弱勢로 몰아 우리가 一方的으로 韓國 問題의 유엔 討議를 再燃시킬 意圖는 없습니다. 이러한 우리의 姿勢는 우리의 友邦은 勿論, 中國과 蘇聯에 대해서도 今番 뉴욕에서 가진 外務長官會談을 通하여 強調한 바 있습니다.

우리가 우선 바라는 것은 유엔의 南北韓 代表部

— 4 —

0128

가 相互接觸과 協議를 定例化 하는 것입니다. 유엔에서 提起되는 여러가지 案件中 相互 關心事項에 대해, 特히 韓民族 共同利害關係事項이나 韓半島의 平和, 安定, 그리고 繁榮과 밀접히 關係되는 事案을 中心으로 서로 協議하고 立場을 調整해 나갈수 있다면, 이는 南·北韓間의 信賴構築에 기여하면서 對話와 協調의 貴重한 經驗을 提供하게 될 것입니다.

우리의 國家元首가 유엔總會에서의 基調 演說에서 北韓의 유엔加入을 歡迎하고 北韓이 國際社會에서 責任있는 一員으로서 行動과 役割을 해 줄 것을 期待하면서, 北韓을 "朝鮮民主主義人民共和國"으로 呼稱한 것도 이러한 우리의 觀點을 反映한 것입니다. 앞으로도 國際會議에서나 餘他 對外公式文書에 必要한 境遇 우리는 北韓의 正式呼稱을 使用할 것입니다.

이러한 우리의 和解的, 建設的 立場에도 불구하

고 北韓이 過去와 같이 유엔을 僞裝 平和攻勢나 政治 宣傳場으로 삼고자한다면 우리는 이에 確固히 對應하고자 합니다. 1975年까지와 같이 北韓側이 유엔總會에 提起하였던 問題들, 즉 現 休戰協定의 美·北韓間 平和協定으로의 代替, 休戰體制 維持를 爲한 代替措置 없는 駐韓 유엔司의 解體, 駐韓美軍 撤收等을 또다시 유엔에 提起한다면 우리는 이를 斷乎하게 反對할 것입니다.

韓半島에서의 休戰協定은 戰爭의 完全한 終結이 아닌, 軍事的 敵對狀態의 一時的 中止를 爲한 暫定的인 性格을 가지고 있으며, 그 署名者도 雙方의 軍司令官이었습니다. 따라서 이 協定의 代替를 爲해서는 恒久的 平和體制를 構築하기 爲한 實質 當事者間의 政治的 레벨에서의 合意가 先行되지 않으면 안되며, 休戰協定은 바로 이點을 明確히 規定한 條項을 가지고 있습니다.

— 6 —

0130

韓半島에 恒久的인 平和體制를 構築하는 일이야말로 平和的 統一을 達成하는 지름길입니다. 이러한 問題는 1次的으로 實質的인 直接 當事者인 南北韓 當局間 會談에서 眞摯하게 協議되고 解決될 事項입니다. 北韓 當局이 韓國은 休戰 協定에 直接 署名하지 않았다는 理由를 내세워 韓半島 安定과 平和維持에 있어서 核心的인 事項을 美國과 直接 協商하여 解決할 問題라고 固執한다면, 이는 現實과는 너무나 동떨어진 억지에 불과할 것입니다.

유엔軍 司令官이 參戰 16個國과 韓國의 軍隊를 모두 代表하여 休戰協定에 署名한 만큼, 韓國이 當事者가 아니라는 主張은 純粹 法的인 側面에서도 理致에 맞지않는 것입니다. 또한 그러한 主張은 美國으로부터도 전혀 呼應을 받지 못하였으며, 앞으로도 결코 그렇지 못할 것입니다.

新聞編輯人協會 會員 여러분,

유엔加入이 實現된 以來 우리 外交의 力點은 分斷以後 南北韓間의 反目과 對決, 그리고 不信關係를 清算하고 共存共榮의 새時代를 여는 한편, 窮極的인 平和統一 達成時까지의 過程을 短縮하는 데에 있습니다.

한 民族으로서 유엔에 別個의 會員國으로 加入한 것은 平和共存을 通하여서만이 平和統一의 앞날을 당길수 있다는 確固한 現實 判斷과 信念에 따른 것이었습니다. 따라서 비록 南·北韓이 따로따로 加入하였으나, 이는 南·北韓이 統一 意志와 努力을 더욱 새롭게 다짐하는 契機가 되어야 할 것입니다.

지난 9月 24日 유엔總會 基調 演說에서 盧 大統領이 밝힌 韓半島問題 解決 3個 提案은 바로 이러한 方向으로의 우리의 眞摯하고 積極的인 努力을

보여주는 것입니다.

冷戰體制가 終熄됨에 따라 새로운 國際秩序가 形成되고 있고 많은 地域紛爭이 解決되고 있습니다. 이러한 가운데 韓國 問題도 그 窮極的인 解決策을 講究해야 할 것이며, 韓半島 問題라고 해서 解決되지 못할 理由는 없는 것입니다. 그러나 問題의 解決이 時急하다고 하여 한꺼번에 모든 것이 解決될 수 없음은 自明합니다. 盧 大統領의 提案은 平和體制 構築과 平和統一 達成을 爲해 南·北韓이 現實的으로 반드시 거쳐야 할 과정을 提示한 것입니다.

이러한 提議에 대해 北韓이 10月 22日 平壤에서 開催될 豫定인 第4次 南·北 高位級會談에서 肯定的인 立場을 表明하여, 南·北韓 關係의 實質的 進展을 爲한 重要한 契機가 마련되기를 希望하고 있습니다.

이러한 우리의 希望에 비추어 지난 10月 2日 北韓側의 유엔總會 演說 內容은 우리의 期待에 副應하지 못하였습니다. 北韓側은 유엔總會場에서 從來의 硬直된 立場을 그대로 反復하였으며, 特히 世界의 關心이 모아지고 있는 北韓 核問題와 關聯하여, 核武器를 開發할 意思와 能力이 없다고 主張하면서 또 한편으로는 自身이 加入한 核非擴散條約(NPT)上의 義務인 核査察을 더이상 지체없이 受容하겠다는 姿勢를 보이지 않은 點은 失望스러운 것이었습니다.

新聞編輯人協會 會員 여러분,

우리는 유엔에서 北韓側의 演說을 듣고 다시한번 우리가 앞으로 헤쳐나가야 할 길이 험하고 멀다는 것을 느끼면서 覺悟를 새롭게 합니다.

우리는 유엔憲章을 受諾한 北韓이 유엔의 責任있는 一員이 되겠다는 約束을 行動으로 實踐해 주기를 希望하고 있습니다. 北韓이 國際社會의 一員으로서 國際協約을 誠實히 遵守하는 同時에, 유엔憲章의 規定과 精神에 따라 平和指向的인 政策을 펴 나간다면 北韓이 다른 나라들과의 關係를 改善하는데도 크게 도움이 될것입니다. 반면 北韓이 自身의 國際法上 義務를 違反하고 平和와 安定을 威脅하는 政策을 追求하고 있는 동안에는 國際社會가 確固한 立場을 堅持하여야 할 것입니다.

新聞編輯人協會 會員 여러분,

유엔加入이라는 모멘텀을 살려 南·北韓 平和共存體制를 다져나가고 平和統一의 날을 앞당기고자 하는 우리의 努力에 有利한 國際的 環境을 造成해 나가면서 主要國家들의 協調와 支援을 確保하는 것은 우리 外交의 重要한 側面이 아닐 수 없습니다.

이러한 面에서 우리 政府는 韓半島의 地政學的 位置와 安保狀況, 그리고 우리의 對外指向的 經濟

構造等을 勘案, 무엇보다도 美國과의 友好 協力關係를 우리 外交의 基軸으로서 더욱 強化·發展시켜 나갈 方針입니다.

韓·美兩國은 安保協力과 通商·經濟關係의 持續的 發展을 爲해 共同의 努力을 기울이고 있으며, 最近 걸프戰에서의 協力등을 通하여 兩國 關係를 보다 成熟한 同伴者的 協力關係로 發展시켜 나가고 있습니다. 지난 9月 23日 盧大統領은 뉴욕에서 부쉬 美國 大統領과의 5번째 頂上會談을 通하여 兩國關係뿐 아니라 地域問題 및 汎世界的 問題와 關聯해서도 協議하였으며, 이같은 韓·美間의 緊密한 協力關係는 앞으로도 繼續 維持될 것입니다.

이웃 日本과는 善隣友好關係를 바탕으로 外交·經濟等 各分野에 걸쳐 緊密한 協力을 維持하고 있습니다. 한편 日本이 北韓과의 修交 交涉過程에서 北韓의 核安全協定締結과 그 履行, 南北對話의 意味있는 進展等을 一貫되게 北側에 要求하고 있는

것을 評價하고 있으며, 日·北韓 關係 進展이 韓半島의 平和와 安定에 寄與하는 方向으로 推進되기를 希望하고 있습니다.

또한 우리는 韓半島 周邊國이자 이 地域에 歷史的으로 깊은 利害關係를 가지고 있는 蘇聯과 中國 두나라도 韓半島의 緊張緩和와 平和統一過程에서 重要한 支援役割을 할 수 있다고 믿고 있습니다. 이들 두나라는 南·北韓의 유엔加入을 實現하는데 있어 建設的인 役割을 하였으며, 또한 우리는 이들과 互惠的인 原則아래 이 지역의 平和와 相互 繁榮에 이바지할 수 있는 많은 補完的인 要素를 共有하고 있습니다.

이러한 側面에서 우리는 蘇聯과 修交以後 實質的인 協力關係를 다져나가고 있으며, 中國과도 關係 正常化를 追求하고 있습니다. 本人은 最近 뉴욕에서 전기침 中國 外交部長과 처음으로 公式 會談을 가진 바 있습니다. 이 會談에서 그간 兩國間의

實質關係가 크게 進展되고 있음을 評價하고, 앞으로 兩國關係의 가일층 發展을 爲해 함께 努力하자는데 認識을 같이 하였으며, ESCAP, APEC等 多者間 協力體內에서도 서로 協調해 나가기로 하였습니다.

新聞編輯人協會 會員 여러분,

유엔加入으로 또한 우리나라의 外交는 유엔을 通한 本格的인 多者外交時代에 進入하게 되었습니다. 最近 유엔의 活動이 가장 두드러진 分野가 平和維持機能입니다. 休戰監視, 脫植民 獨立過程의 行政管理, 選擧 參觀과 監視, 戰鬪 當事者의 隔離等 多樣한 機能을 하고 있는 유엔의 平和維持活動은 많은 地域에서 平和의 維持를 爲해 重要한 役割을 遂行하고 있습니다. 多數의 유엔 會員國이 自發的인 寄與金과 物資提供 또는 軍隊나 其他 民間人員 派遣等의 形態로 유엔平和維持活動에 參加하고 있

으며, 우리나라도 유엔 正會員國으로서 앞으로 이 分野에서의 寄與와 參與를 要請받게 될 것으로 豫想하고 있습니다.

유엔의 平和·安全維持機能 分野에서 우리의 또 다른 重要한 關心分野는 軍事的 信賴構築, 生化學武器統制, 核擴散禁止等 軍縮과 軍備統制 分野입니다. 우리는 이 分野에서 形成되고 있는 國際的 컨센서스에 積極 同參하고 寄與할 것입니다.

最近 美國은 核武器 減縮을 爲한 時宜適切하고도 果敢한 措置를 發表하였으며, 이에 대해 蘇聯도 前向的인 對應措置를 發表하였습니다. 우리는 美·蘇間의 核武器 減縮에 關한 이러한 建設的인 措置를 歡迎하면서, 韓半島와 周邊地域에도 肯定的인 影響을 미치기를 期待하는 바입니다.

核武器 非保有國이 核武器 開發을 推進하는 것은 지난 걸프戰爭 및 現在 進行中인 이라크에 대

한 國際的 核查察에서 보듯이 全世界 國家들이 다 같이 憂慮하는 事項입니다. 따라서 北韓의 核武器 開發은 이 地域은 勿論 世界의 平和와 安定에 深刻한 威脅이 된다는 것은 우리와 우리 友邦國들의 憂慮인 同時에 나아가 全世界 平和愛好國家들의 共通된 關心事項이 되고 있습니다.

北韓의 國際原子力機構(IAEA)와의 核安全協定 締結과 履行은 北韓이 加入해 있는 核非擴散條約(NPT)上 附與된 國際法的 義務事項으로서 그 條約에 規定되지 않은 어떠한 外部問題와도 連結될 수 없는 것입니다. 우리는 앞으로 北韓의 關聯 措置와 行動을 銳意 注視하면서, 關聯 國家들과 함께 外交的 對應을 積極 檢討해 나갈 작정입니다.

또한 유엔에서 論議되고 있는 開途國 經濟開發, 外債, 人權, 痲藥, 環境等 汎世界的으로 共同의 行動과 措置가 要求되고 있는 많은 重要한 問題의 解決을 爲해서 可能한 協力을 하고자 하며, 國內的

으로도 이 方面의 國際的 合意를 履行하는 體制를 갖추어 나갈 것입니다.

유엔에서 우리의 活動이 提高되고 寄與 實績이 쌓이게 되면 이에 걸맞는 우리의 位相을 確保하는 것은 當然하다고 하겠습니다. 우리나라는 유엔의 各種 會議의 議長, 副議長等 幹部職에도 立候補하게 될것이며, 유엔 事務局內 要職에도 우리의 有能한 人材들이 進出할수 있도록 積極的인 努力을 해 나가고자 합니다.

유엔以外에도 最近 우리의 多者外交 領域은 여러모로 크게 넓어진 바 있습니다. 本人이 지난 7月 우리나라 外務長官으로서는 最初로 參席한 바 있습니다만, 우리는 ASEAN의 對話 相對國으로서 美國, 日本, 카나다, 濠洲, 뉴질랜드, EC와 함께 ASEAN擴大 外相會議에 正式으로 參加하게 되었습니다.

우리는 또한 89年에 創設된 亞·太 經濟協力 閣僚會議(APEC)의 今次 議長國으로서 올해 11月 서울에서 第3次 閣僚會議를 主催하게 됨으로써 21世紀 太平洋時代를 앞두고 이 地域 協力增進을 爲해 重要한 役割을 하게 되었습니다. 特히 그동안 中國, 臺灣, 홍콩의 APEC加入이라는 難題를 놓고 우리나라가 議長國으로서 7個月에 걸쳐 幕後 協商을 主導한 結果 마침내 3者 同時 加入을 成事시키게 되었습니다.

한편, 우리는 우루과이 라운드 多者間 貿易協商에서도 GATT體制內의 重要한 交易國家의 하나로서 協商에 積極 參與하고 있습니다.

이렇듯 우리의 多者外交 活動의 外延이 擴張되고, 同時에 그러한 多者外交의 틀 속에서 우리의 役割과 活動이 두드러지고 있는 時點에 우리가 유엔에 加入하게 된 것은 우리의 外交活動 舞臺와 視野를 넓혀주는 새로운 挑戰과 機會가 아닐 수 없습니다.

本格的인 多者外交의 時代에 進入하면서 우리 外交도 이에 對備하는 體制를 갖추어 나가고 있습니다. 今後 國際關係에서 經濟的인 事項이 더욱 重要한 要因으로 作用할 것이라는 觀點에서 特히 經濟外交 活動을 強化코자 하며, APEC뿐 아니라 OECD와도 分野別로 協議를 強化하고 있는 것도 바로 이러한 努力의 一環입니다.

國內 關係部處와의 協調體制도 強化하면서 外務部內 通商局의 補強, 國際經濟局內 科學·環境 專擔部署및 外交政策企劃室 新設을 通하여 여러모로 組織 體系를 再整備 하였습니다. 또한 유엔, 비엔나, 제네바等 多者機構 所在地에 駐在하는 우리 公館에 對한 人員 補強措置도 이미 취한 바 있으며, 國際會議 專門家等 多者外交遂行에 必要한 專門人力 養成에도 注力하고 있습니다.

新聞編輯人協會 會員 여러분,

평소 여러분께서 우리 外交政策 遂行에 對해 恪別한 關心를 가지고 特히 그간 政府의 유엔加入 努力을 積極的으로 支援해 주신데 對하여 이 機會를 빌어 衷心으로 感謝드리면서, 앞으로 여러분들의 변함없는 聲援이 있기를 付託드립니다.

感謝합니다.

관리번호 91-1225

심의관

협조문용지

분류기호 문서번호	연일 2031-457	( )	결재	담당	과장	국장
시행일자	1991. 10. 11.					
수신	아주국장	발신	국제기구국장			(서명)
제목	주일대사 연설 참고자료					

관련 : JAW - 5761

1. 주일대사의 북해도신문 초청연설(10.17) 및 아시아 조사회 연설(10.25) 관련, 참고자료를 별첨 송부하오니 주일대사관에 적의 회보 조치하여 주시기 바랍니다.

2. 장관님께서 10.11. 한국신문편집인협회 조찬 간담회에서 시행하신 "남북한 유엔가입후 한국외교" 연설문은 당국에서 주일대사관에 FAX 송부 하였음을 참고하시기 바랍니다.

첨부 : 1. 남북한 유엔가입결의안 공동제안국 현황 1부.

2. 북한 기조연설(10.2) 내용분석 및 평가 1부. 끝.

91.12.31.

0145

남북한 유엔가입 결의안 공동제안국

91.9.17. 현재

1. 공동제안국수 : 143개국

2. 각지역별 공동제안국 참여현황
   - o 아주지역 : 27개국(미얀마제외 전회원국)
   - o 미주지역 : 31개국(알젠틴, 벨리즈 제외 전회원국)
   - o 구주지역 : 34개국(전회원국)
   - o 중동지역 : 9개국(이락, 사우디, 이스라엘 제외 전회원국)
   - o 아프리카지역 : 42개국(보츠와나, 기니, 니제, 루안다, 나이제리아, 세이셸, 우간다, 스와지랜드, 남아공 제외 전회원국)

3. 공동제안국 불참 : 16개국

0146

북한 연형묵 총리의 유엔총회 기조연설
내용분석 및 평가

1991.10.3.
외 무 부

1. 연설 주요요지(상세 별첨)

가. 크게 세 부분으로 구성됨.(총 분량 24페이지)

- o 인사말과 국제질서에 대한 북측인식 표명(3페이지)
- o 주요국제문제에 대한 입장 개진(4페이지)
- o 한반도문제에 대한 기존입장의 반복(17페이지)

나. 주요내용

- o 인사말과 국제질서 평가 부분
  - 가입실현 사의
  - 독립.자주.평화에 기초한 국제질서 수립 필요성 언급
- o 주요국제문제에 대한 입장
  - 범세계적 남북문제 해결, 비동맹운동 강화 주장
  - 군축을 통한 평화유지 필요성 강조
  - 지역분쟁 해결노력 지지
- o 한반도문제
  - 북한식 사회주의 선전
  - 고려연방제, 민족통일 정치협상회의를 통한 통일실현
  - 불가침선언 채택과 군축실현을 위한 종전방안 재제시
  - 유엔사 해체 및 유엔군 철수, 휴전협정의 평화협정으로 변경 주장
  - 비핵지대화등 주장
  - 부시 대통령 제안 환영하나 남한 핵무기 철수시 핵안전협정 체결 가능
- o 끝맺음말 : 평화애호국 이미지 고양 도모

0147

2. 연설내용 분석 및 평가

o 한반도문제(통일방안, 불가침선언, 핵문제등)와 관련 새로운 제안은 없으며, 그간 여러 기회에 밝혀왔던 기존 입장을 반복, 주장함으로써 정치공세적 입장 견지

- 고려연방제 통일방안과 관련, 그간 시사해 왔던 점차적인 연방제 (우선 지역자치정부에 더 많은 권한을 부여하는 연방제) 완성방안 협의 용의 공식표명
- 불가침선언 채택이 남북대결 해소의 결정적 요소임을 강조, 차기 남북 고위급회담에서도 주의제화 할것으로 예상
- 한반도 비핵지대화 주장과 함께 종래의 북한의 IAEA 핵안전협정 서명 거부입장 반복

o 국제관계에 있어서 자주적이며 평등한 주권을 기초로한 국제질서 수립을 기대하고, 내정불간섭 원칙의 강조 및 북한식의 사회주의 건설을 주장하여 북한체제 유지에 대한 강한 집념을 보이고 있음.

- 외부의 체제변화 유도 분위기에 대한 상대적 우려감을 반영

o 주요국제문제에 대한 견해표명은 4개 부분에 국한하였고, 또한 남북문제 및 비동맹운동을 대결적 시각에서 부각시킴으로써 화합과 협조의 현 국제정세 분위기와 대조적

o 핵사찰문제에 대한 비논리적 주장의 반복, 국제 분위기와는 동떨어진 체제옹호, 국제평화와 번영 발전을 위한 북한자신의 역할 불언급, 남북한의 동시유엔가입에 대한 평가 불언급등 전반적으로 국제사회 진출에 즈음한 전향적 태도 개진이 없음.

0148

3. 조치계획

o 우리정부 당국자의 별도 공식논평은 취하지 않으나, 상기 분석 및 평가내용을 언론에 알려, 적의 보도되도록 조치함.

첨부 : 북한 기조연설 주요요지. 끝.

0149

(첨부)

북한 기조연설 주요요지

1. 인사말

- ㅇ 의장피임 축하, 가입실현 사의

2. 국제질서 평가

- ㅇ 독립.자주.평화의 새로운 세계 건설이 인류공동의 과제
- ㅇ 유엔역할에 대한 기대 표명
- ㅇ 국제사회의 민주화 절실 : 자주적이며 평등한 권리 기초

3. 국제문제에 대한 견해

- ㅇ 남북 빈부문제 해결 및 비동맹운동 강화 필요성 지적
- ㅇ 평화유지 필요성 강조
  - 군축.핵무기 포함 대량살륙무기 폐기 절실
  - 핵실험 금지, 화학무기 협약 체결 지지
- ㅇ 지역분쟁 해결 노력 지지
  - 내정간섭 중지 촉구

4. 한반도문제

가. 서 언

- ㅇ 유엔과 북한간 과거사 유산 청산 기대
- ㅇ 북한체제 선전
  - 주체사상 구현, 사람중심의 사회주의
  - 인민의 지지에 바탕을 둔 우리식의 독특한 사회주의 건설

0150

나. 통일문제 입장 정리

o 남한의 콘크리트장벽이 제거되어야 하고, 통일은 민족대단결을 도모해야 하며, 남북한간 상이제도의 인식에서 출발해야 함.

- 2개의 제도의 단일화 주장은 동족상잔의 민족적 재난 초래

o 고려연방제 통일방안 강조

- 지역자치정부에 잠정적으로 더 많은 권한 부여, 점차적으로 연방제 완성문제 협의 용의

o 남북대화에 대한 입장

- 평화통일을 위한 기본수단

- 남북 고위급 회담이 결실을 맺게되면 최고위급회담 가능

o 전민족적인 통일방안 합의를 위한 민족통일 정치협상회의 주장

o 유엔내 단일의석 성취 기대

다. 불가침선언 채택과 군축

o 남북 불가침선언 채택 주장

o 남북 군축실현을 통한 군사적 대결상태 해소

- 외국군과의 합동군사훈련 금지

- 비무장지대의 평화지대화

- 3-4년동안 각각 10만명 이하로 병력감축(민간무력조직도 해체)

o 유엔사 해체, 휴전협정의 평화협정으로의 변경조치 필요

라. 한반도 핵문제

o 비핵지대화 설정 주장 반복

- 남북의 합의에 미, 중, 소의 보장형식(91.7. 제안 반복)

o 핵무기 개발의사, 능력 없음을 주장

0151

o 팀스피리트등 조건 반복

- T/S 훈련은 대북 핵전쟁 연습으로 북한은 핵위협 직면
- 핵보유국의 조약상 의무 불이행 상황에서 북한에 대한 의무의 일방적 이행 강조는 부당

o 부쉬 대통령의 제안에 대응

- 이 제안을 환영하나, 남한내 미국 핵무기 철수시 핵안전협정 체결의 길이 열린다는 입장 표명

5. 끝 맺음말

o 평화애호 강조

0152

외 무 부

암 호 수 신

종 별 :
번 호 : JAW-6045 일 시 : 91 1025 1708
수 신 : 장관(아일,정특,연일)
발 신 : 주 일 대사(일정)
제 목 : 공관장 연설

본직은 금 10.25(금) 아시아 조사회 초청으로 제국호텔에서 "유엔 가입후의한반도 정세" 제하 강연을 가졌는바, 사꾸라우찌 중의원의장, 시오카와 중의원,나가노 참의원, 나까에 전주중 일본대사등 약 130 명이 참석하였음. 끝

(대사 오재희-국장)

아주국 국기국 외정실 분석관

PAGE 1

91.10.25 17:53
외신 2과 통제관 BW
0153

주 일 대 사

주일본(정)700- 9853　　　　　　　　　　91. 12. 20.

수신 장 관

참조 아주국장, 국제기구국장, 외교정책기획실장

제목 공관장연설 책자 송부

연 : JAW-6045(91.10.25)

지난 10.25(금) 아시아조사회 초청으로 행한 본직의 "유엔 가입후의 한반도 정세"제하 강연 내용이 수록된 책자,아시아시보를 송부하오니 참고 하시기 바랍니다.

첨부 : 아시아 시보 1권　　　끝.

주 일 대 사

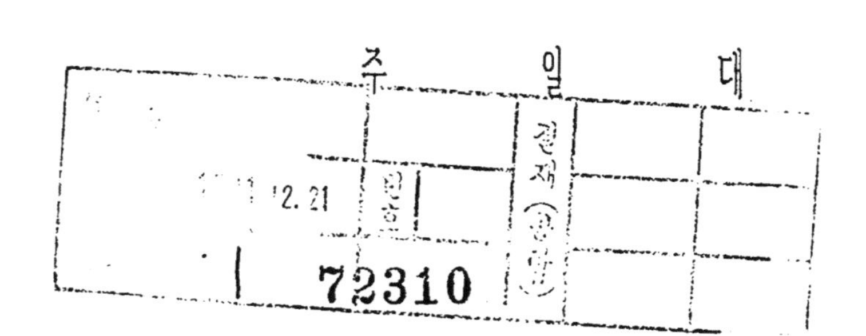

0154

昭和45年8月3日 第3種郵便物認可 1991年(平成3年) 12月1日発行 毎月1回1日発行 通巻第259号
ISSN 0288-0377

アジア時報 1991. 12

AARC 社団法人 アジア調査会(毎日新聞社内)

0155

アジア時報

1991年12月　通巻第259号目次

0156

特別講演会

国連加盟後の韓半島(朝鮮半島)情勢

―「北側」の平和共存体制への政策転換はまだ不透明―

呉(オ) 在(ジェー) 熙(ヒ)
(駐日韓国大使)

0157

講師紹介

大来佐武郎・アジア調査会会長

本日は呉在熙駐日韓国大使をお招きいたしました。韓国大使の講演会は一九八八年（昭和六十三年）七月七日に、当時の李源京（イウォンギョン）大使をお招きいたしまして以来でございますので、三年三ヵ月ぶりで韓国大使にお願いいたすわけでございます。

ちょうど三年前の七月七日に盧泰愚大統領が南北の交易の門戸開放、北朝鮮と日本・米国の関係改善の協力表明など、南北関係と統一政策の大転換を示す六項目特別宣言を発表されたことは、私どもの記憶に新しいところでございます。

呉　在熙・韓国大使

あれから三年余りで朝鮮半島情勢は大きく変わりました。まず何よりも韓国と北朝鮮（朝鮮民主主義人民共和国）が国連に同時に加盟いたしました。また日朝交渉もすでに始まっております。

さらに昨日、ピョンヤンで開かれた第四回南先首相会談では、和解、不可侵、及び協力交流に関する合意書の採択を目指すことで合意したほか、核問題でもかなりの応酬が行われたと報道されております。

呉大使には、これらの問題を含めて今後の朝鮮半島――韓半島の情勢――について詳しくお話をいただくことになっております。

韓国外交界のエリートとして第一線に立つ

それでは、呉大使の経歴をご紹介申し上げます。

大使は一九三二年六月五日、慶尚北道大邱（デグ）の生まれで五十九歳でございます。一九五七年ソウル大学政治学科を卒業、五九年には米国コロンビア大学で修学されています。

一九五七年外務省に当たる外交部に入られ、六〇年駐米

0158

大使館、六三年に外務部条約課長に就任されました。六五年三月から三年間、駐日大使館の一等書記官を勤められ、六九年外務部国際連合課長、七一年駐英国大使館参事官、七二年駐ノルウェー大使館参事官を歴任したあと、七四年外務部情報文化局長、七五年亜洲局長に就任されました。

一九七七年四月に駐日大使館公使となり、三年間勤務されたあと、八〇年駐米大使館公使、八二年パキスタンの駐イスラマバード総領事、八三年に駐パキスタン大使に就任されました。一九八四年外務部の外交安保研究院長、八六年九月に外務部次官に昇任され、八七年九月に駐英国大使となられ、本年三月に駐日大使として着任されました。

以上の経歴の通り、大使は韓国外交界のエリートとして一貫して第一線に立って活躍されております。

趣味は、山登り、ゴルフとうかがっております。

家族は盧淑子（ノ・スクジャ）夫人との間に二男一女がおられます。盧夫人のお兄さんは、前国務院総理の盧在鳳（ノゼボ）氏でございます。

それでは、呉大使に「国連加盟後の韓半島（朝鮮半島）情勢」と題して講演していただきます。本日は特にお願いして、日本語で講演していただくことになりました。大使、よろしくお願いいたします。

呉大使の講演

只今ご紹介いただきました呉在熙でございます。

私の日本語は、主に韓国で習ったものでございまして、非常に自己流で、たまには明治時代の日本語が出てくるかと非常に不安でありますが（笑い）、アジア調査会のご要望でもあり、一つがんばってみたいと思います。

今、大来会長から非常にご親切な、そして詳しい紹介をいただきまして、非常に感謝をしております。大来先生は経済に非常に詳しい方であるということを前から存じていますが、私の経歴も大変詳しくご存知で（笑い）、これはまことに恐れ入ります。非常に詳しくご紹介いただきまして本当に光栄ですが、ただ、最後のところの趣味の中で、「山登り」というのは、実は私はハイキングでありまして（笑い）、マウンテンクライムじゃないですから、あまりそこまでの経歴とか、能力はございませんのでご了解をお願いしたいと思います。

大来先生がいらっしゃる日本は、私としましては非常にうらやましく思っております。もし韓国に大来先生がいらっしゃったなら、韓国の経済は今ごろ日本ぐらい発展していたんじゃないかと、そういうような感じもいたします。

普通は、私はテキストなしでお話を申し上げる場合が多いのですけれども、大使館のほうで、きょうは非常に重要な方が来られて、何か間違いがあれば困るということで準備をしてまいりましたので、そのテキストに沿ってお話を進めたいと思っております。

国連加盟の経緯と特徴

本日名声の高いアジア調査会にご招待をいただきましたことを、まことにうれしく思います。

三年前、今、大来会長のおっしゃったように、私の前任者でありました李源京（イ・ウォンギョン）大使が一九八八年七月七日、このアジア調査会の皆さまの前で講演をしましたが、その時の講演の題名は「韓国の現状と今後の韓日関係」でありました。

しかし、その日が、ちょうど韓国の盧泰愚大統領の北韓――この「北韓」というのは北朝鮮のことですけれども、韓国では「北韓」と言いますので、きょうの私のお話では「北韓」または「北」という表現を使いたいと思います。それで、盧泰愚大統領の北韓に対する「七七宣言」が発表された日でありましたので、李大使は内容を少し変えて、その「七七宣言」についてもお話を申し上げたというように聞いております。

本日私に与えられました題名は、「国連加盟後の韓半島情勢」でありますので、先ほどの「七七宣言」から、先月の国連加盟までの約三年間の韓半島（朝鮮半島）情勢を簡単に顧みて、それから国連加盟の経緯と特徴、そしてその意義、それから今後の韓半島情勢について申し上げたいと思います。

そして、今後の韓半島情勢につきましては、きのうまでピョンヤンで行われました第四回南北高位級会談――私たちは、「総理会談」と呼んでいますが、北が「総理会談」と呼ぶのを反対しましたので、公式的には「高位級会談」と呼ぶようになっております。その会談の経過と内容についても、できるだけ申し上げたいと思います。ただ、会談が終わったばかりでして、恐らく今ごろ韓国代表団はピョンヤンを出発してソウルに向かっている最中でもありますので、今度の会談については、これからもっとはっきりしたことがいろいろ分析、評価されると思いますが、きょうはとりあえず私の考えを述べさせていただきたいと思います。

南は「五輪」、北は「ピョンヤン祝典」

まず、去る三年間の韓半島情勢を振り返ってみますと、韓国におきましては、第六共和国が出帆して、政治的には民主化が進められ、経済の面でも労使問題などさまざまな難しい問題はありましたけれども、何とか過渡期を乗り越えつつあるというように評価できると思います。また、一時非常に過激的でありました学生たちの動きも、最近大変静かになりました。

何よりも韓国が誇りに思っているのは、一九八八年秋のソウル・オリンピックでございますが、その前の年、一九八七年十一月には大韓航空機爆破事件が起こりまして、一時的には非常に難しい局面もありましたけれども、日本を含め友好諸国の協力のお蔭で、徹底的な安全対策が講じられましたことによって、オリンピックが大成功を収めることができましたことは何よりのことでありました。

その爆破事件の犯人の一人でありました「蜂谷真由美」こと金賢姫（キム・ヒョンヒ）の証言と告白を通じまして、彼女に対する北の工作員訓練とともに、日本語の先生であった「李恩恵」（イ・ウネ）という日本人女性の存在が明らかになったことは、皆さまもご存知の通りであります。

事件当時、金賢姫ともう一人の犯人でありました金勝一という男女二人は、日本名を使い日本の旅券を持つ日本人になりすましておりました。つまり、金賢姫は「蜂谷真由美」、金勝一は「蜂谷真一」という名前を使ったのであります。二人のうち金勝一は自殺し、金賢姫も自殺を図りましたが、失敗に終わってつかまりました。もし自殺を図った金賢姫まで死んでしまいましたら、この爆破事件は永遠に日本人がやったとして記録に残されることになったでしょう。

今考えてみますと、彼女の証言によって事件の全貌が完全に究明されましたことは、韓日友好、信頼関係を保っていく上に何よりも幸いなことであったと言わざるを得ません。

ついでに一言申し上げたいことは、その金賢姫は死刑の宣告を受けたのち赦免されまして、その後彼女の手記も出版されました。この手記は韓国で爆発的な人気を集めましたが、ごく最近、東京でも日本語で出版され、聞いたところによりますと、一ヵ月の間に四十万部の売り上げということで、只今ノンフィクションとしましてはベストセラーになっているということですが、これはまことに驚くべき売り上げであると思われます。

ソウル・オリンピックが成功裏に終わったのち、北はその立場を挽回するため、その翌年の一九八九年、「ピョンヤン祝典」というものを開催しましたが、一部報道によりますと、その行事のため何十億ドルもの莫大な債務を負うことになったという話もあります。

韓国は北方外交の姿勢を変えた

盧泰愚大統領は一九八八年二月に就任し、直ちに北韓との和解と、北方外交を積極的に推進してまいりましたが、これは先ほど申し上げました一九八八年七月七日の「七七宣言」によく表れています。私たちは、この宣言を「民族の自尊と繁栄のための宣言」と言います。

「七七宣言」では、北韓に対する韓国の従来の考え方や姿勢を変え、これ以上北を敵視しないで北を同伴者とし、南北間の平和共存体制の確立により、北と手を結んで韓半島の平和と統一のため努力するという韓国政府の政策が明らかにされました。

この宣言に基づいて、北との貿易も内国貿易として取り扱い、南北間の交流と協力を法的、制度的側面から後押しするために、南北交流協力特別法、南北協力基金法などを作り、国内体制も整備しました。

これに対して、北韓はこの「七七宣言」を受け入れず、従来からのいわゆる「一つの朝鮮政策」、すなわち「南朝鮮革命戦略」に基づいて、韓国内の一部の反対制派、過激的学生などと連絡をとりながら、南北対話を拒否してまいりました。

しかし、韓国は、南北当局者間の対話を引き続き北に提案し、その結果、ようやく去年北が南北高位級会談を受け入れるようになりました。前にもふれましたが、この会談を韓国は「総理会談」と呼びたかったのですが、北が「総理」という言葉を使うことに反対しまして、「南北高位級会談」という名前になりましたが、これは結局北韓が韓国の実態を認めようとしない北の対南戦略から出たものと思われます。

ソ連含め、ほとんどの東欧諸国と国交樹立

南北高位級会談は、去年三回にわたり、ソウルとピョンヤンで開催されました。今年二月二十四日に第四回会談を開催することになっていましたが、北が韓国とアメリカの間で毎年行う「チームスピリット訓練」を理由に、これを一方的に延期しました。その後、八月末に開催することがまた合意されましたが、韓国にコレラが発生したという理由で、北がまたこれを延期しまして、ようやく今月二十二日からきのう(二十四日)まで、この第四回会談がピョンヤンで開催されました。皆さまにこのお話を申し上げているこの時間に、韓国代表団はピョンヤンから板門店を通って帰国している途中であると思います。

今年に入って初めて開かれました今度の第四回会談に関するお話は、あとで申し上げることにしまして、去年の三回にわたる総理会談をみますと、双方の基本的立場に明らかな差があることがわかります。

韓国は、あくまでも南北間の実態を認め合って、内政不干渉、及び信頼構築などを通じて、南北間の平和共存体制を確立し、その上で軍縮などの軍事問題を解決するという立場でありました。

これに対して北韓は、軍縮を含め軍事問題をまず優先的に解決し、その他の問題はあとに回すという立場でありま

した。北が軍事問題を優先させるのは、南に対する彼らの戦略上駐韓米軍の撤退にその目的があるのであります。

もう一つのポイントは、韓国は北の友好国であるソ連と東ヨーロッパ諸国、そして中国との関係改善を図る北方外交を積極的に推進し、韓国の友好国である日本、アメリカ、西ヨーロッパの国々がまた北との関係を改善して、北の改革・開放のために協力して下されば、韓国としてもこれを歓迎するということであります。

このように一九八八年以来進められてきた北方外交は、ここ二、三年の間所期の成果をほぼ収め得たと思います。一九八九年二月に、社会主義国家として初めてハンガリーと国交を樹立したことを皮切りに、ポーランド、ユーゴなどと外交関係を結び、去年一九九〇年には、ソ連を含めほとんどの東ヨーロッパ諸国と国交を樹立することになりました。アジアにおいては去年モンゴルと外交関係を結びました。このような北方外交の成果には、ソ連と東ヨーロッパ情勢の変化が大いに役立ったものと思われます。

中ソと関係改善で国連加盟条件が整う

それでは、先月十七日の歴史的な南北国連加盟について若干申し上げたいと思います。

まずその経緯からお話しますと、北方外交の成果によりまして、先ほど申し上げましたように、韓国は国連安全保障理事会の常任理事国であるソ連と国交を結び、中国とも関係を大幅に改善するなどして、国連加盟を推進するに当たり、非常によい国際環境が作られました。

韓国政府は、一九四八年政府樹立以来、国連加盟を重要な外交課題として努力してまいりましたが、このような国際環境により、実に四十三年ぶりに国連加盟の条件がついに整ったと判断しまして、去年から国連加盟を積極的に推進いたしました。

また韓国政府は、一九七三年からは、その年発表された「6・23宣言」に基づき、ドイツに先立って南北間の平和共存体制を作るため、統一の前の暫定的措置として、北とともに国連に入るという同時加盟政策を推進してまいりましたので、去年から北との同時加盟に向かって積極的に働きかけました。

一方北は「南北国連加盟は、分断を永久に固定化する」という主張で、これに反対の立場をとってきました。また最近は、南北がぜひ入るというなら、南北が一つの議席で入るといういわゆる「南北単一議席加盟」という無理な提案もしました。この「単一議席案」は、国連憲章に照らしても問題があり、また前例もないまことに非現実的で、実現不可能なものであります。北韓が、南北同時加盟に反対した実際の理由は、平和共存体制を拒否し、南に対する従来の革命戦略を遂行するためであったことは言うまでもあ

0163

りません。
このように国連加盟問題をめぐり、南北側の対立が長年続いている間、先ほどの韓国と中ソ両国との関係改善により、加盟の国際的条件が整うようになりました。
そこで、今年の一月、盧泰愚大統領の強い意志で、韓国政府は重要な政策決定をしました。つまり、北と一緒に国連に加盟するというのは基本方針ですが、北が引き続き加盟に反対するならば、とりあえず韓国だけでも国連に加盟するという「単独加盟」推進方針を対外的に打ち出し、今年中にもこれを実現させることにしました。韓国政府は、ソ連と中国にこの方針を伝えて支持を要請しましたし、また日本を初め韓国の友好諸国の積極的な協力もいただきました。

「韓国」の加盟反対できず、「北」も方針転換

情勢がここまで進展してまいりますと、北としても、もうこれ以上韓国の加盟を阻止することが不可能になり、今年五月に、これまでの南北単一議席の下での国連加盟の方針を突然百八十度転換させまして、南と同時に加盟することに踏み切ったのであります。
それで今年の国連総会初日に当たる九月十七日、満場一致で南北の国連同時加盟決議案が採択されまして、北は百六十番目、南は百六十一番目の会員国になりました。
北がこのように従来の政策を変更して国連に加盟することになったその決定的な理由は、韓国政府の単独加盟方針が確固たるものであることとともに、ソ連は言うまでもなく、中国までもこれ以上北を支持して韓国の加盟に反対することができなくなったという点。したがって、韓国の加盟を阻止することができないことを北がついに認識するようになったことであります。
なお、北の核査察拒否と関連しまして、北はこの間、アメリカを初め西側諸国の動き、すなわち西側諸国が北の加盟に反対する可能性をきわめて憂慮したのですが、北の核査察拒否にもかかわらず、国連加盟に西側が反対しないだろうということも、北が加盟に踏み切るように作用したものと思われます。

平和共存体制へ「南」「北」とも努力を

このたびの南北国連同時加盟には、一つの大きな特徴があると思います。一九七三年東西ドイツの国連同時加盟の場合には、東西ドイツが平和共存の原則に合意して国連に一緒に入りましたが、今度の南北の場合は、平和共存体制ができ上がる前に国連に加盟したことであります。
すなわち、南からのたび重なる呼びかけにもかかわらず、北は南北平和共存原則を受け入れておりませんが、今年の五月国連加盟を決定した際にも、北は国連に加盟すること

0164

が南との平和共存のためでなく、南の単独加盟を阻止するためのやむを得ない措置であること。またこれが非正常的な事態であるとの認識を明らかにして、南に対する北の基本政策、すなわち〝一つの朝鮮政策〟には何ら変更はないとの立場をとりました。したがいまして、南北は国連に加盟した今の時点から、なお平和共存体制を作るために引き続き努力していかなければならない状況におかれています。

国連同時加盟、日本の支援に深く感謝

東西ドイツは、国連加盟の際、お互いの合意によって国連での議席が並んで座るように配置されましたが、南北の場合には、北がこれに応じなかったため、結局離れ離れに座ることになりました。

また、北は国連総会出席の機会を利用した南北外相会談を受け入れませんでしたし、国連演説では、韓国側が北の国連加盟をお祝いしながら北の正式国名を呼称したのに対して、北韓は韓国の国連加盟に対するお祝いも、正式国名の呼称もしませんでした。

そこで、このような南北国連加盟の意義について考えますと、北韓は本意であろうと、不本意であろうと、国連に加盟した以上、これからは国際規律の下で国際社会の責任のある一員になる機会が得られたと思います。韓国としましては、国連同時加盟がいずれ南北平和共存の実現に寄与し、やがては平和統一の促進にも資することになると思っております。

この機会をお借りしまして、今回南北国連同時加盟が日本の支援に負うところが非常に多かったことについて、韓国政府が深く感謝していることを申し上げたいと思います。

同時加盟で、「南」「北」関係に画期的な転換のきっかけ

それでは、皆さまが関心を持っておられる今後の韓半島情勢について申し上げたいと思います。

まず、去る九月の国連同時加盟後、初めて開催されました今回の第四回南北総理会談の経過について説明をいたしますが、今回の会談の結果が、今後の韓半島情勢を展望する上で、非常に注目すべきであるということで、内外の大きな関心の的になったのは事実であると思います。

ただ、会談がきのう終わったばかりであり、代表団も只今帰国中でありますので、内容を十分に分析、評価するまでには至っておりませんが、今まで知らされた事実に基づいて、私の意見を申し上げたいと思います。

実は、今回の会談につきましては、もうすでに日本のマスコミや新聞に詳しく報道されておりますので、私としては今さらその内容を申し上げるまでもないことと思いますが、忙しくて新聞をお読みになれなかった方もいらっしゃるかと思いまして、簡単にふれることにいたします。

0165

まず、今回の会談の日程を見ますと、韓国の代表団は十月二十二日板門店経由でピョンヤンに到着しまして、夕方には北の延享黙総理主催の晩餐会に参席しました。翌二十三日午前中の第一回目の会談は公開されました。そして、きのうの二回目は非公開でした。

今回の総理会談において、南北双方が出し合った立場について説明をいたしますと、まず韓国は先月の国連同時加盟によって、今回の会談が南北関係の画期的な転換点がみつけられるきっかけになり得ると考えまして、このような流れを生かすため、北の立場も考えながら、きわめて現実的で、妥協的な提案をいたしました。

「南北和解と不可侵」など四項目に合意

一昨日の第一日目の会談で、韓国側は前回まで提案してきた三つの合意文書、すなわち、南北関係改善のための基本合意書、不可侵に関する法案、三通協定。

この三つをとりまとめて一つの包括的な合意書として、和解、不可侵と、交流協力に関する合意書を採択することを提案しました。

この「三通協定」と申しますのは、通行、通信、通商の三つの「通」をとったものであります。

一方、北は、北南不可侵に関する宣言と、北南和解と、協力交流に関する基本合意書の採択を提案すると同時に、突然、韓半島での非核地帯化に関する宣言の採択を提案しました。

その日の午後からは、双方が出し合った提案について、事務レベルの協議が行われました。

その結果に基づき、きのうの午前、二日目の非公開会議で、次のような四項目にわたる合意がなされました。

第一点は、双方は和解、不可侵、交流協力問題を一つの合意書に盛り込むこと。二番目は、その名称は「南北和解と、不可侵、及び交流協力に関する合意書」とする。三つ目は、その合意書は五つの項目、すなわち序論、和解、不可侵、交流協力、及び発効条項をもって構成すること。四番目は、具体的な文案づくりのためできるだけ早く板門店で実務会談を行うこと。

こういうことに合意したのであります。

また、南北双方は、この次の第五回会談を来る今年の十二月一日から十三日までソウルで開くことにも合意しました。

核の問題で「北」は従来より強硬に

今度の会談で示されました北の立場というのは、基本的には従来のものと変わりありません。特に核の問題に対しては、むしろ従来より強硬なものであります。

ただ、今までの会談と多少違う点があるとすれば、双方

0166

が出し合った提案をとりまとめて、内容はともかく、形の上で一つの合意文書を作ることにお互いに合意したことであると思います。これは韓国側ができるだけの歩み寄りの努力を尽くしたこともさることながら、北側も韓国側が到底受け入れることのできない「非核地帯化宣言」を、ほかの案件と一括して処理することを避けたためであったと思われます。この点で、これは一つの進展であると言えるかも知れません。

これから双方は、第五回会談に至るまで合意書の中身について引き続き詰めていくことになるわけですが、北が果たして真の平和共存体制への政策転換を行おうとしているのか否かはまだ不透明でありまして、当分の間北の立場を見きわめなければならないと思いますが、恐らく中身についての合意に至るまでには、相当の紆余曲折があると思います。

「核」が半島情勢に重要な影響

今回のピョンヤンでの南北総理会談において、北が「韓半島の非核地帯化宣言」採択を突然提案しましたが、核の問題は南北対話の進展と合わせて、これからの韓半島情勢に重要な影響を与えることと思われますので、この問題についてもう少し申し上げたいと思います。

核の問題については、日本からも深い関心が寄せられていますが、北韓は核拡散防止条約（NPT）に加盟してから六年たったにもかかわらず、未だ条約上の義務である核査察の受け入れを拒否しながら、核査察協定署名の条件として、駐韓国米軍の核撤去を主張してまいりました。

去る六月、北は無条件でIAEA（国際原子力機関）との核査察協定に署名するかのような立場を一時表明しまして、国際的にも大きな期待が寄せられましたが、国連安全保障理事会が南北同時加盟を可決したのち、北は従来の立場に戻り、結局核査察協定の署名を拒否しました。

北がIAEAと核査察協定を締結してそれを履行するということは、先ほど申し上げましたように、北が六年前に加盟している核拡散防止条約に規定されている義務でありまして、これは北が主張しているように、アメリカとの問題でもありませんし、いかなる外部の問題とも絡ませてはならないことであります。

先月、アメリカのブッシュ大統領は、核兵器軍縮政策として、すべての地上、海洋の戦術核の撤去方針を発表しました。これには駐韓米軍のものも含まれていることと理解されています。北も、このブッシュ大統領の発表を歓迎しました。

したがいまして、北がこれ以上核査察協定署名を拒否する名分はないということで、北による核査察受け入れが期待されていたわけですが、今回の総理会談で見られるように、北は引き続き従来の立場を繰り返すだけでなく、韓国からの核の完全な撤去を確認すべきであるということ、また韓国に対するアメリカの核の傘を放棄することまで主張しています。

核査察拒否は軍事核開発のための時間稼ぎ

南北がともに核査察を受けるべきだという北の主張には何らの根拠もありません。韓国は早くからIAEAによる核査察を受けていますし、北はNPT条約上の規定に従い無条件で核査察を受け入れるべきであります。駐韓米軍の核を取り上げて、査察を拒否するのは国際法違反であります。

このように北が駐韓米軍の核を理由に、北の核査察を拒否し続けていることについて、二つの見方があると思います。

その一つは、北が駐韓米軍の核の撤退を実現させるためアメリカとの交渉の手段として、核査察問題を利用しているということです。もう一つの見方は、北は軍事目的の核開発を完成させるのに必要な時間を稼ぐため、韓国やアメリカとして到底受け入れることのできない条件を次々と出しているということです。これまでの北の出方を見ますと、前者よりも後者の可能性が大きいように思われます。

北の核開発は、日本のみならず、米ソを含む国際的な関心事でありますし、特に北が国連に加盟した以上、国連の次元からも北に対する圧力がさらに強くなるだろうと思います。現在ニューヨークで開かれている国連総会においても、北の核開発問題が活発に論議されております。

北は、日本との国交樹立を目標に、これまで四回にわたって会談を持ちました。アメリカとの接触も引き続き試みております。つまり、北韓は、これまで韓国との対話にはあまり誠意を見せていない半面、韓国の友好国である日本や、アメリカとは関係を結ぼうとしています。

が、南北対話の意味のある進展と、核査察の無条件受け入れなしには、こういう関係は実現不可能であるということを北は認識しなければならないと思います。先ほど申し上げました今回の南北総理会談で、北は内容はともかく、形の上で多少柔軟な姿勢を示した理由は、このような事情を北が認識したのかも知れません。

ソ連、東欧の波及心配して中国と関係を強化

一方、北韓は、東ヨーロッパ、及びソ連の変化の波が自国に及んでくるのをかなり心配して、中国との関係強化に力を注いでいるようにも見えます。中国としては、北韓が開放・改革への道を進み、中国の方式でやってくれるように望んでいるものと一般的に思われています。すでにイデオロギーの時代は過ぎ去りましたので、中国は北との友好

0168

関係は維持していくけれども、イデオロギーの次元で北を支援することは最早あり得ないことだと思われます。今月初め金日成（首席）の中国訪問の結果に対する一般的な見方では、北韓側が中国側から核査察の受け入れを促され、経済特別区訪問日程の周旋など、北の経済改革・開放を勧められたように見ております。

このたび石田公明党委員長の中国訪問の際、江沢民総書記が、「中国は北韓の同盟国ではない」と話したことは注目に値します。特に、金日成がまだ中国に滞在しているうちに、そのようなことが言われたのは非常に興味深いものがあると思います。

中国の外交部長が初の訪韓も

一方、韓国政府は、引き続き北方外交を進め、北、中国との国交正常化に努力をしています。韓国と中国は、実質的な経済関係を踏まえ、いずれ公式関係に至ることになると思います。

ただ、韓国としましては、あるタイム・リミットを定めて、中国との国交交渉に臨んでいることではありません。南北の国連同時加盟は、韓中国交正常化への環境づくりに役立つことが期待されています。

先日ニューヨークで初めての韓中外相会談が開かれました。来月の中旬ソウルで開かれる予定でありますＡＰＥＣ（アジア太平洋経済閣僚会議）に中国が台湾、香港とともに加入することになりまして、その機会に中国の外交部長が初めて韓国を訪問することになるだろうと聞いております。今度の中国のＡＰＥＣ加入は、韓国政府がその会議の議長国として推し進めてきた結果でもあります。このＡＰＥＣのように、今アジア各国は経済協力、和解、平和の道をたどっております。カンボジア問題も、ついに解決のメドが立ったように思われます。

ただ一つ取り残されている問題が、韓半島問題であります。北韓が今年国連に加盟せざるを得なかった国際情勢と環境の変化、アジア太平洋協力関係の進展などに照らしてみますと、北韓が改革と開放を拒み続けることが、これからはますます難しくなるだろうと思われます。

一方、今回の南北総理会談の結果にも現れていますが、北は基本的にはいわゆる一つの朝鮮政策など、南に対する政策を未だに変更していませんし、軍事力増強政策も変更しておりません。したがいまして、北の軍事的脅威はそのまま残っているわけです。

「北」の急激で悲劇的変化は望まない

以上申し上げました韓半島情勢についてのお話の結論としまして、韓国はこれからも引き続き北の南に対する革命戦略の放棄と、改革・開放を促す政策を忍耐強く推し進め

0169

ていくことになると思います。しかし、韓国としましては、北の急激的、または悲劇的な変化は決して望むところではありません。あくまでも平和的で、漸進的な開放・改革が行われることを切望しております。

当面、韓国政府は今年十二月の第五回総理会談を初め、南北対話に誠意を持って取り組み、北との対話を通じて、平和共存体制の確立に全力を尽くしていく積もりであります。離散家族問題を含めて、あらゆる方面の交流と、協力も積極的に推進していくでしょう。

一方、北の軍事的脅威には何らの変化もありませんので、韓国としましては確固たる安保体制を引き続き維持しなければなりません。ヨーロッパでNATOを中心とした西側の強力な安保体制がソ連の改革・開放を促進し、それによってヨーロッパの平和体制を確立することができたと思いますが、このようなヨーロッパでの経験と教訓は、韓半島においても生かしていくべきだと思います。

「北」の改革に日本など友好国の支援を

韓半島情勢の好転にとって重要な二つの課題。つまり南北対話の意味のある進展と、北の核開発問題解決への対処において、韓国は南北の国連加盟を最大限に活用していくことと思われます。

また、この二つの課題とともに、北の改革・開放を促進させるためには、日本を初めとする友好諸国の支援と協力が引き続き重要であると思います。日本がこれまで北との国交交渉において、韓国政府が提示しました五項目を念頭において対処されてきたことを高く評価します。また、次の会談においても、このような立場が引き続き堅持されることを望んでおります。

私の東京赴任以来、日本の各界の方々から得ました感じでは、北との国交を急ぐ必要があるかという点について、ほとんどの皆さまが疑問を持っております。やはり長期的な観点から日本にとって最も望ましいことは、韓半島に自由と民主主義、そして市場経済を基礎にした一つの平和国家の出現ではないでしょうか。そのような日が一日でも早く来るように、日本国民の皆さまのご支援とご協力をお願い申し上げる次第であります。

ご清聴ありがとうございました。（拍手）

質疑応答

中朝に亀裂が入ったのか？

新井鐘次郎氏（国際問題評論家） 二点についてお伺いしたいと思います。

第一点ですが、金日成主席が十月四日、八七年五月以来

0170

ほぼ四年半ぶりに三十九回目の中国訪問を行いました。これに対して、北朝鮮側は、両国関係は（朝鮮戦争で）ともに血を流した間柄であるという点を強調しております。一方これに対して、江沢民中国共産党総書記は「中朝は同盟国ではない」ときっぱり断言しております。両国関係に亀裂が入ったというふうに私どもは見ておるわけですが、これに対してどのように見られるか。

償いが払い過ぎという数字が出たら？

第二点は、二十六年前、一九六五年日韓交渉が妥結いたしました。全部で十三年八ヵ月というロングランであり、第一次会談から第七次会談まで大小の会合は、合わせて九百五十回という大変な難交渉でございました。

このたびの日朝会談は、先方が急いでいるという事情もあり、そんなにはかからないと思いますが、その最大の焦点はやはり請求権の問題であろうかと思います。

韓日交渉においては、三億ドルの無償供与、二億ドルの長期低利借款、三億ドルの民間信用供与という点で妥結いたしました。今回、北朝鮮側は相当な数字を要求してくるものと思われますが、この点に関して、私はきのう日朝国交正常化担当の日本側の代表である中平立特命全権大使に、只今の質問と全く同じ質問をしました。まだ具体的な請求権の数字は先のことであり、出ておりませんが、戦後の償いを含めて、もし払い過ぎであるという数字が日本側から提示された場合、かねてより日朝交渉について慎重なる態度を堅持してほしいということを要望しておられる韓国政府がどう反応されるか。この二点について大使のご見解をお伺いいたします。

現実的な中国の政策で、関係が進んでいける

呉在熙大使　最初のご質問ですけれども、私の只今のお話でも、ちょっと中国の今のおかれている立場と、また北に対する考え方に触れました。

中国と北の往来とか、会談の内容につきましては、まだはっきりした面があまりございませんので、今のご質問に対して十分満足できるお答えを申し上げるのが非常に難しいと思います。

ただ、私たちの感じとしましては、先ほども申し上げましたように、北と中国の友好関係は維持されていくだろうと思いますし、韓国としてもそれについては何ら異存はありません。まことに当然のことと思います。

ただ、先ほども申し上げましたように、もうイデオロギーの時代は過ぎましたので、イデオロギーの次元で中国が北を支援するというのは、もうこれ以上あり得ないだろうと私は思いますし、これはここでのお話ですけれども、またこれは私の私見でございますが、仮に中国が北をイデオ

ロギーの次元でこれからも支援するということになりますと、これはむしろ中国の立場が国際的に難しくなるんじゃないかという感じもいたします。

一方、中国は非常に現実的な政策を今進めておりまして、韓国との関係も大変ますますこれからも進んでいけると思いますし、もうすでにソウルと北京には通商代表部が今年の春から設置されております。この通商代表部は民間レベルの代表部ですけれども、お互いの好意によってビザ（査証）の発給をする権限を政府から委任されている。一種の政府のやることまでやっているそういう非常に特殊な地位を持っている貿易代表部であります。

そういうことですから、北と中国の関係は、これから引き続き従来の友好関係は維持されると思いますが、韓国と中国の関係がこれから発展することによりまして、自ずからその間には、それなりの調整が行われていくだろうというふうに私は感じられます。

「戦後の償い」は根拠なく、妥当でない

二番目の日本と北との間で今行われている国交交渉と関連しまして、請求権問題。今の時点で、韓国政府が具体的にこの問題について意見を述べるとか、立場を表明するところまではまだ至っていないんじゃないかというふうな感じです。

ただ、原則論として、基本的に請求権問題に絡んで韓国と日本との間で話されてきたことと、北韓と日本との間でこれから話されることは、性格的には、また法律的には、同じものであるんじゃないかというふうな考え方であると私は思います。

ですので、戦後の償いとか、賠償とか、金日成がなにか「北は日本と戦争をやったから南と違う」とか、そういういろんなことはあまり根拠のないものであって、妥当ではないと、そういうふうには思います。

日本のはっきりしたおわびが望ましいか

加藤シヅエ氏（元参院・衆院議員）　私はアジア調査会の第一回からのメンバーでございますので、つい申し上げていいのかどうかわからないようなことでも遠慮なしに発言させていただきますことをお許し下さいませ。

韓国と日本との関係ということは大変難しいことで、始終私は心にかけて見ているものでございます。割合に近い世論調査でも、韓国の若い世代の方が「一番嫌いな国」というのが、やはり日本が圧倒的に多いというようなことを伺うんで、大変これは残念なことだと思っておりますし、まあやむを得ないことだとも思っております。

日本が「日韓併合」というような言葉で私どもは聞かされましたけれども、事実上支配しておりましたあの長い年

月にいろんなことをいたしたことも、私はその間ずっと生きていたんですから、見て知っているわけでございます。特に戦争が始まってから、もう日本人て、こんなことをするはずがないと思うような非人道的なことを韓国の方々に対していたしました。

そのうち、どうしても許すことができないと私自身も思っているのは、なんにも有無を言わさず、働いていた労働者の方たちを、畑で働いているそのままを、有無を言わさず連れてきて、トラックに乗せて、サハリンか北海道、あっちの方へたくさん連れて行って、労働させてきた。ついこの間だって、NHKで、ドラマじゃなくて実際にあったことを映しましたんですけれども、その時拉致されて、ソ連のほうで労働させられていた方が四十五年目に奥さんが願って、やっと四十五年目にその希望がかなって、韓国の故郷に連れて帰られた。だけれども、せっかくの夫婦がまた一緒に暮らすようになりましたけれども、四十五年の間に世界の情勢があまり変わり過ぎちゃって、旦那さんの方は帰ってきたけれども韓国語も少し忘れているし、国情、生活の仕方、いろんなことが変わっているもんで、戸惑っていて、あまりいきなり幸福になれなくて、奥さんが大変苦労したというようなのが、テレビにまざまざと映されますと、やはりこういうようなことを韓国の方が見ていらっしゃると、本当にまたかつてのことを思い出して、許せないなあというふうな感じをお持ちになるであろうかと心配するわけでございます。

そこで、私が大使にお答え願いたいことは、日本の外交でございますが、私は批判的な立場に立っているものでございますが、どうしても戦争の時にいろんな人道上許されないようなことをやってしまったことに対しまして、被害を受けたほうのお国の方は、日本の国に謝罪をしてほしいという気持ちをお持ちでございます。日本の政府はどういうわけかいろんなものの考え方の違いから来るということもあると思いますが、「謝罪」というような言葉は使いたくないらしいので、何とかそういう言葉を避けて通ろうというような計画で、先だって日本の天皇陛下、皇后陛下がアジアの三つの国々にご訪問なさる時も、そのことに対して、どういう言葉でご挨拶をなさったらよいのか。そして訪問先の国々がそのことによって快く受け取ってくれるように、というようなことを大変心配していたことがございました。

そこのところはいろいろ心を使って行われましたので、まずまず無事に済んだようでホッといたしましたんですけれども、今度オランダの女王さまがおいでになりまして、晩餐会の席で四十五分という長い時間を使って、いろいろおっしゃった。その中で、オランダ国民の中に、いまだにあの戦争の時に、日本から受けた傷がいまだに癒えていない人がたくさんいるというようなことをはっきりとおっしやったというようなことを新聞で読みました。それはごもっともなことでございますし、やっぱり女王さまは女でいらっしゃるから、女というのは、やっぱりそういう時になりますと、あまり遠慮しないで思ったことを言ってしまうものかしらと思いました。でもそれは本当のことなんで、やっぱり日本人はもう少し上手な言葉で、韓国の方に対して、そのことの何とか心持ちを和らいでいただくようなことがなくちゃいけないんじゃないかと、私はいつも思うんでございますが、大使は日本がやっぱりもっとはっきりとおわびをするというようなことをしてほしいと思っていらっしゃるかどうか。その辺を聞かしていただきたいのでございます。

韓国の対日国民感情はソフトになっている

呉在熙大使　どうも非常に難しいご質問をなさっていただきました。

まず世論調査のことなんですが、世論調査の仕方によりますし、いつやったかということもありますが、韓国民の日本に対するパーセプション（認識）といいますか、考え方、認識は、いろいろ世代によりましてまた大変違っていますし、それから時が流れるにつれまして、だんだん変わっているというように思います。

ですから、一律的に、またある時に、世論がこうだということで……世論の調査がね。毎日新聞の世論の調査は非常に信頼されていると思うのですけれども、それに基づいて一般化するのは、ちょっと問題があるのではないかというふうに思います。

全般的に申し上げまして、日本に対する韓国国民の感情は、非常にほどけて、と言いますか、だんだんソフトになっているというふうに私は思います。若い世代のお話をなさりましたが、若い世代の人がだいぶ日本にまいりまして日本のファミリーと一緒に過ごすこともあります。聞いてみましたら、非常に好感を持って帰っていますね。全然何かそういう恨みとか、そういうのはあまりないというふうに私は思っております。

謝罪のお話をなさりましたが、韓国政府としましては、去年の盧泰愚大統領の日本訪問、それから今年の正月の海部総理の韓国訪問を機会にしまして、これからは二十一世紀に向かって、前向きに、未来志向的な関係を築いていこうということで合意をしました。両国政府は、今その方向に向かっていろいろ努力をしております。

何か表現の問題では、国々によりまして、また国民のカルチャーにもいろいろよるんですけれども、私としましては、言葉で言うのと、心の中で考えている、感じているのとは必ずしも一致しないという場合もあるんですね。

ですから、表現の仕方は国によって、民族によって、それからカルチャーによっていろいろ違うことがあるんですけれども、心の中で考えているのは、大体同じような、そういう場合がたくさんあるというふうに思われます。

韓国でも、私はたびたびそういう質問を受ける場合もあります。日本があまりはっきり謝罪をしていないんじゃないかというお話を、韓国の方から私は聞かれる場合もあるんです。その時には、私は今申し上げましたように、これはカルチャーの違いだから、いろいろ表現の仕方はヨーロッパの人が表現するのと、日本の人が表現するのと、それは多少違うんだろう、と。ですから、表現そのものをとるよりも、実際心の中で、心の中で何を考えているか、それが非常に重要であるのじゃないかということを申し上げます。

東洋では「以心伝心」というのがありまして、話をしなくても心と心の触れ合いで通じるという東洋的な考え方もあります。それが今まで東洋でわれわれが生きてきた歴史の中でもいろいろあるんですから、表現の問題は、私としてはこれ以上お互いに問題にするのはないんじゃないかというような考えでおります。

対日貿易赤字でどのような要求を

司会・畠中茂男アジア調査会常務理事　司会者から一つだけご質問をさせていただきます。

韓国の対日貿易赤字が六百五十億ドル（国交正常化以来）と聞いております。先般日本の経団連が盧泰愚大統領にお会いした時も、大統領から非常に強い改善の要請があったと聞いております。この対日貿易赤字について韓国政府は日本に対してどのような要求をなさっているのか、その点について大使のご見解を伺いたいと思います。

関税引下げ、技術移転の促進を

呉在熙大使　いろいろ細かいものがありますけれども、大雑把に申しますと、基本的には韓国政府は、この赤字解消は拡大均衡の過程で対応するという考えで、日本とは原則的に違いはありません。

最近、特に赤字の幅が大きくなりましたので、いろいろ問題になっておりますが、韓国としましては、これを冷静に考えますと、日本にもちろんある程度の理由はあるんですけれども、最近は韓国にも貿易赤字の理由があるということを私たちは率直に認めております。

つまり、最近韓国内で労使問題と絡んで賃金が大変上がりましたし、それから黒字がグローバルベイシスで出ましたので、韓国のウォンの相場が大変切り上げまして、現実以上にあまり切り上げ過ぎたという意見もあるんですが、そういういろんなことで韓国の輸出商品の海外マーケットでの競争力が非常に落ちたということですね。

去年の場合は、日本からの輸入はあまり増えませんでしたし、日本に対する韓国の輸出は去年はマイナス成長をしました。これが去年の赤字拡大に大変響いたのでありますので、こういうことを考えながら日本に今いろいろ要望しているんですけれども、主なものは関税の引下げですね。品目によりましては、非常に高い関税がかけられているのでありまして、その関税の引下げということでいろいろお願いしていますし、それから関税以外のいろいろな障害というのがあるものですから、それを除くこともお願いをしておるのであります。

一方、この韓国の商品の輸出競争力が落ちたことと関連して、日本からの技術導入、技術移転が非常に望ましい。これは政府レベルではいろいろ協力をしていますが、民間レベルのものが主に問題になっておりまして、これはコマーシャルベースで解決されるものでありますけれども、私としましては、日本政府がこの技術移転を促進させるためのある種の雰囲気づくりに協力をしていただくことについてたびたびお話を申し上げております。（拍手）

（平成三年＝一九九一年＝十月二十五日、東京、帝国ホテルにおけるアジア調査会主催の特別講演会の速記録＝文責、編集部）

〈香港誌「九十年代」十月号〉

台湾からの投資が福建から広州へ

中国の資料によると、台湾からの広州への投資比率が、福建を超える現象が見えはじめ、両岸経済貿易の交流に変化が起こり始めている。

地縁や言葉の関係で、台湾から大陸への投資は福建が多く選ばれた。しかし、ここ三、四年来、投資額が高まり、福建の区域性、商業性が飽和に達し、加えて基盤の建設が予期したほどではない等の理由から、台湾から大陸投資の重点は、次第に広州に移り始めたものである。

さらに、台湾が長年受けてきた紡績繊維、製靴と玩具王国などの称号は、昨年すでに譲ってしまっている。しかし、後続の人も別人ではなく、台湾商人が勇躍して中国大陸に投資したからである。記録される人名は変わらず、ただ地点が変わるだけ。

統計によると、大陸投資のトップは製靴業、過去三年間に少なくとも四、五百件が台湾の対岸に設立され、総生産額も台湾に残っている靴工場の生産額を超えている。

（葉奇霜）

0176

정 리 보 존 문 서 목 록

기록물종류	일반공문서철	등록번호	2020090096	등록일자	2020-09-18
분류번호	731.12	국가코드		보존기간	영구
명 칭	남북한 유엔가입, 1991.9.17. 전41권				
생 산 과	국제연합1과	생산년도	1990~1991	담당그룹	
권 차 명	V.40 기념메달 제작(민간), 1991-92				
내용목차	1. 유엔한국협회 2. 일진 익스프레스 - 외무부 명칭 무단 사용 문제 제기				

0001

1. 유엔 한국 협회

0002

P.S.H ASSOCIATES

PAUL S, HAN

8-206, CHONGWHA, ITAEWON-DONG,
YONGSAN-KU, SEOUL, KOREA
TEL: (02) 798-2446 FAX: (02) 793-0061

321 SPINNAKER STREET
FOSTER CITY, CA 94404
TEL: (415) 574-0437 FAX: (415) 574-0839

0003

국 제 연 합 한 국 협 회

United Nations Association of the Republic of Korea

#115-3, Kwonnong-Dong, Chongro-Ku, Seoul, Korea Tel: 763-8463
Cable Address: UNAKOR-Seoul

국연한협 : 제 91-13 호 1991. 9. 9.

수 신 : 외무부 장관 귀하

참 조 : 대통령 공보 담당 비서관

제 목 : 대한민국 유엔 가입 기념품 보급에 대한 협조 의뢰

본 협회는 대한민국 전 국민이 갈망하던 유엔 가입을 성취하신 대통령 각하의 위대한 업적과 유엔 가입의 기쁨을 영원히 간직할 수 있게 하기 위하여 다음과 같이 기념품을 제작, 보급하고자 하오니 본 기념품에 대통령 각하의 축사를 수록할 수 있도록 협조해 주시기 바랍니다.

- 다 음 -

1. 대한민국 유엔 가입 기념품, 메달 및 우표 셋트
2. 본 기념품은 아래의 사항이 포함되어 있는 기념품으로써 대한민국의 유엔 가입을 갈망해오던 우리 국민들에게 좋은 기념품이 될 것을 확신합니다.
   가) 기념 은메달(직경 39mm) 중량 약 25g 순은
   나) 대한민국 정부에서 발행되는 유엔 가입 기념 우표
   다) 기념 봉투(도안 참조)
   라) 기념품을 취득하는 사람의 주소 및 성명
   * 상기 우표는 1991년 대한민국이 유엔에 가입을 기념한 우표 소인이 있음
   * 유엔 사무총장의 기념 축사(협조 의뢰 중)
   * 대한민국 대통령 각하의 기념 축사(협조 의뢰 중)
   * 유엔 한국 협회장 축사
3. 대행 업체 : 피 애쓰 애취 아써씨에쓰

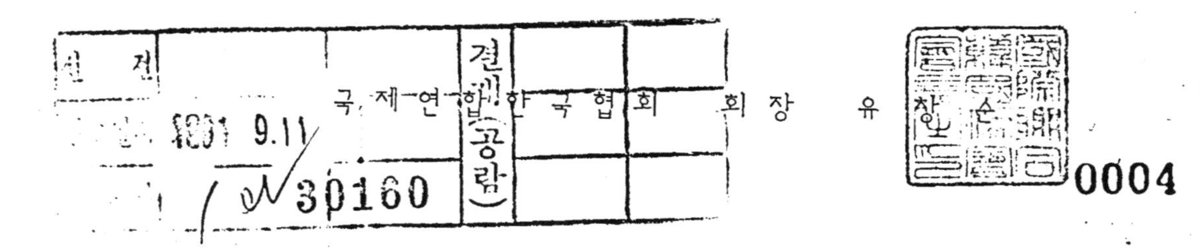

	분류번호	보존기간

발 신 전 보

번 호 : WUN-2631 910909 2211 FL 종별 : 지급

수 신 : 주 유엔 대사. 총영사

발 신 : 장 관 (연일)

제 목 : 유엔가입 기념메달

1. 한국유엔협회(UNA/ROK)는 우리의 유엔가입을 기념하기 위하여 대행업체인 (주) P.H.S.로 하여금 은제 기념메달을 제작하고 동 수익금은 자체기금으로 활용 예정임을 알려오면서, 동 메달 제작과 관련 당부의 협조를 요청하여 옴.

2. 상기관련, 유엔협회가 대행업체를 지정하여 유엔마크를 사용한 메달을 제작, 판매할 수 있는지 여부에 관하여 유엔사무국측에 확인 회보바람.

3. 한국유엔협회는 유엔 DPI 등록단체이며 국내적으로는 외무부 등록단체 (비영리법인)임을 참고바람. 끝.

(국제기구국장 문동석)

예 고 : 1991.12.31. 일반.

보안 통제	

앙 고 재	91년 9월 9일	UN과	기안자 성명		과 장		국 장		차 관	장 관
							전결			

외신과통제

0005

원 본

외 무 부

종 별 :

번 호 : UNW-2665 일 시 : 91 0913 1830

수 신 : 장 관(연일)

발 신 : 주 유엔 대사

제 목 : 유엔 가입 기념 메달

대: WUN-2631

1. 대호 관련, 유엔 사무국측에 확인한바, 표제허가를 공식문서로 신청하여 줄것을 요청하여왔음

2. 본건 그간의 접촉 반응에 비추어볼때, 아측이 이를 공식적으로 요청하는 경우허가여부는 불투명함. 추후 도안등 제원과 구체적 계획서를 제출하여야 할것인바, 공식서한 발송가부회시바람. 끝

(대사 노창희-국장)

국기국 1차보

PAGE 1

91.09.14 22:01 FO

외신 1과 통제관

0006

45501

기 안 용 지

분류기호 문서번호	국연 2031 -	(전화:)	시 행 상 특별취급	지급
보존기간	영구·준영구. 10. 5. 3. 1	장		관
수 신 처 보존기간				
시행일자	1991. 9. 14.			

보조기관	국 장	전 결	협조기관		문서통제
	심의관				
	과 장				
기안책임자		송 영 완			발 송 인

경 유 수 신 참 조	국제연합 한국협회회장	발신명의		
제 목	대한민국 유엔가입 기념품			

1. 국연한협 제91-13호(91.9.9.) 관련입니다.

2. 기념메달 제작·판매는 정부승인 사항이 아니므로 귀협회가 우리나라의 유엔가입을 기념하기 위한 유엔가입 기념품을 유엔본부와 협의하에 제작·판매하고 동 수익금을 협회기금으로 활용하는데 대해 이견이 없습니다.

3. 그러나, 우리의 유엔가입을 기념하기 위한 기념품은 이미 타기업에서도 제작중인바, 정부가 특정업체(또는 단체)를 지정하여 동업체로 하여금 기념품제작에 관한 독점권을 줄 수 없음을 감안할때,

0007

귀협회에 대하여만 대통령의 축사수록을 허용할 경우 불필요한 오해를 유발할 가능성이 있으므로 협조가 불가함을 양지하여 주시기 바랍니다.

4. 또한 귀협회가 유엔가입 기념메달과 기념우표를 셋트로 판매하기 위하여는 체신부의 승인이 필요할 것으로 사료되니 승인을 득한후 시행하여 주시기 바랍니다. 끝.

0008

대 한 민 국
외 무 부

외무부 91-

1991. 9. 16

아래 문건을 수신자에게 전달하여 주시기 바랍니다.

제 목 : 공문 송부

수 신 : 한국 유엔 협회

(수신처 FAX NO : 763-8463)

발 신 : 외무부 국제연합과

표지포함 총 2 매

0009

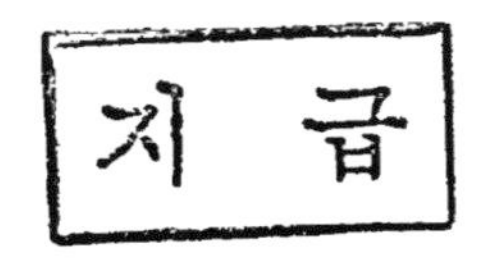

대 한 민 국
외 무 부

연일 2031-45501 720-2334 1991.9.13.

수신 국제연합 한국협회회장

제목 대한민국 유엔가입 기념품

1. 국연한협 제91-13호(91.9.9) 관련입니다.

2. 기념메달 제작.판매는 정부승인 사항이 아니므로 귀협회가 우리나라의 유엔가입을 기념하기 위한 유엔가입 기념품을 유엔본부와 협의하에 제작.판매하고 동 수익금을 협회기금으로 활용하는데 대해 이견이 없습니다.

3. 그러나, 우리의 유엔가입을 기념하기 위한 기념품은 이미 타기업에서도 제작중인 바, 정부가 특정업체(또는 단체)를 지정하여 동업체로 하여금 기념품 제작에 관한 독점권을 줄 수 없음을 감안할때, 귀협회에 대하여만 대통령의 축사수록을 허용할 경우 불필요한 오해를 유발할 가능성이 있으므로 협조가 불가함을 양지하여 주시기 바랍니다.

4. 또한 귀협회가 유엔가입 기념메달과 기념우표를 셋트로 판매하기 위하여는 체신부의 승인이 필요할 것으로 사료되니 승인을 득한 후 시행하여 주시기 바랍니다.

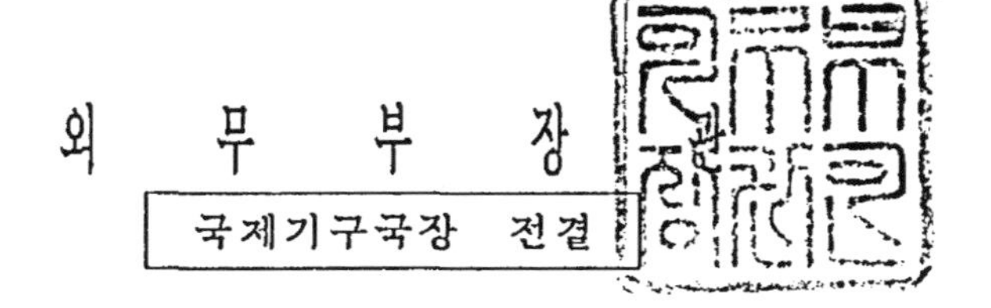

외 무 부 장

국제기구국장 전결

0010

	분류번호	보존기간

발 신 전 보

번 호 : WUN-3004 910918 1944 FN 종별 :

수 신 : 주 유엔 대사. 총영사

발 신 : 장 관 (연일)

제 목 : 유엔가입 기념메달

대 : UNW-2665

대호, 한국유엔협회의 유엔마크 사용문제는 동협회와 유엔간에 해결할 사안이며, 우리정부로서는 이에 관여할 수 없다는 입장을 한국유엔협회에 기통보한 바, 사무국에 마크사용 허가요청 서한 발송치 말기 바람. 끝.

(국기국장대리 금정호)

보안 통제	

앙 고 재	91년 9월 18일	4N 과	기안자 성명		과 장	심의관	국 장		차 관	장 관

외신과통제

0011

2. 일간 익스트라스

0012

분류번호	보존기간

발 신 전 보

번 호 : WUN-2053 910802 1737 FN 종별 :

수 신 : 주 유엔 대사. 총영사 (국연)

발 신 : 장 관

제 목 : 유엔기념메달

1. 국내 민간기업(일진 익스프레스)은 아국의 유엔가입 경축 및 이의 역사적 의의를 기리기 위하여 금.은 각 2종의 아국 유엔가입 기념메달을 제작.판매코자 한다 하는 바, 동 기념메달 도안내에 한반도지도, 비둘기, 유엔마크(월계수속에 지구본) 등을 포함할 것을 구상중이라 함.

2. 본부는 동 기념메달 제작.판매가 국내에 아국의 유엔가입 경축분위기를 자연스럽게 확산시키는 효과가 있을 것으로 보고 동 기업의 구상을 측면 지원코자 하니 유엔사무국측을 접촉, 하기사항 파악.보고바람.

o 동건관련, 유엔사무국내 담당부서명, 담당자, 전화 및 FAX 번호

o 민간기업이 상업적 목적으로 메달 기타 기념품을 제작할시 유엔마크를 활용할 수 있는지 여부(loyalty 지급 필요시 지급액)

o 유엔마크 사용에 관한 유엔과의 계약체결 필요시 계약 model등. 끝.

(국제기구조약국장 문동석)

보안 통제	

앙 고 재	91년 8월 2일	과	기안자 성명		과 장	심의관	국 장		차 관	장 관
							전결			

외신과통제

0013

36108

기안용지

분류기호 문서번호	국연 2031-	(전화:)	시행상 특별취급	
보존기간	영구·준영구. 10. 5. 3. 1	차관	장관	
수신처 보존기간				
시행일자	1991. 8. 2.		8.5. 보고필	

보조기관			협조기관		문서통제
	국장			제1차관보	1991. 8. 05 통제관
	심의관				
	과장				
기안책임자	송영완				발송인

경유 수신 참조	수신처참조	발신명의		발송 1991. 8. 05 외무부
제목	남북한 유엔가입 기념메달 제조 판매			

1. (주) 일진 익스프레스는 우리나라의 유엔가입을 경축하고, 이의 역사적 의의를 기리기 위하여 남북한 유엔가입 기념메달(금, 은 각 2종)을 제작, 판매코자 당부에 승인을 요청하여 왔습니다.

2. 당부는 동 기념메달 제작.판매가 우리나라의 유엔가입 경축 분위기를 자연스럽게 확산시키는 효과가 있을 것으로 보고 ~~동기업의 기념메달 판매사업을 승인코자 하오니~~ 있는바, 별첨 사업계획서등을 참조하시어 동건에 관한 귀부

/계속/ 0014

(2)

의견을 81.8.10(토)한 당부로 회보하여 주시기 바랍니다.

첨부 : 1. 남북한 유엔동시가입 기념메달 사업계획서 1부.

2. 기념메달 도안(안) 1부.

3. (주) 일진 익스프레스 사업자등록증 1부.

4. (주) 일진 익스프레스 결산보고서 1부. 끝.

수신처 : 내무부장관, 재무부장관, 상공부장관, 문화부장관

0015

주식회사 일진 익스프레스

299-2011/6

일진 : 제 91-0729 호 1991. 8. 1

수신 : 외무부 장관

참조 : 국제기구조약국

발신 : 주식회사 일진 익스프레스

제목 : `남북한 U.N 가입 기념메달' 제조판매 승인 件

참조서류 : 사업계획서, 북한주화 4중, 기념메달 가시안, 사업자 등록사본, 결산보고서

1. 온 국민이 통일의 날을 염원하는 뜨거운 열망가운데 연일 계속되는 과중한 노고에 감사드리며 더욱 일익 건승 하심을 기원 합니다.

2. 당사는 시계 및 귀금속 판매 업체로서 남북한의 물자교류와 통일에 관하여 관심이 팽배하던중 아래와 같은 기념품 제조판매 계획을 수립하여 귀 외무부에 승인을 의뢰하오니 협조요망 합니다.

3. 수익금중 일부는 남북교류 협력기금으로 쓰여져 민족적인 한반도 통일을 한 걸음 앞당길 수 있는 민족적 의지에 기여함을 목적으로 합니다.

0016

- 아　　래 -

1. 북한주화 4종 : 북한중앙은행발행 공식기념주화

사　양 : 은 31g X 4EA

제작형태 : 사본 참조

수 입 원 : (주) 코니실업 (홍콩경유)

판 매 원 : (주) 일진 익스프레스

* 통일원 승인요청중

2. '남북 U.N 동시가입 기념메달' 4종

제작판매 : (주) 일진 익스프레스

제작사양 : 금 2종 4돈 X 2EA.

은 2종 8돈 X 2EA

제작형태 : 남북한의 화해와 협력을 바탕으로 한반도와 동북아시아에 평화구조를 소재로 하며 세계평화와 인류인권과 복리추구등 포괄 디자인 (가시안 No.1 참조)

* 외무무 승인요청 협조 의뢰

3. 외무부와 통일원의 승인후 시중은행 창구를 통해 판매 접수할 예정입니다.

- 감 사 합 니 다 -

서울 특별시 성동구 마장동 767-42 (남지빌딩 2층)

주 식 회 사　일 진 익 스 프 레 스

대 표 이 사　현　정　식

0017

株式會社 日進 EXPRESS CO., LTD.
ILJEAN EXPRESS Co. Fashion Communication

서울특별시 성동구 마장동 767-42호 남지빌딩
TEL : 대표 (02) 299-2011, (02) 299-2011~6
FAX: (02) 299-2017
NAM JEE BLD, #762-42, MAJANG-DONG
SUNG DONG-KU, SEOUL, KOREA.

'통일 기념품' 사업 계획서

- 북한 주화 (남북한 탁구 단일팀 세계대회 우승기념 주화) 및 남북한 U.N. 동시가입 축하기념 메달 -

1. 개 요

대립과 대결의 냉전 시대를 청산하고 화해와 대화의 시대로 나아감에 따라 남북한 단일팀 구성 및 유엔 동시 가입이라는 민족적 대사를 이루게 되었습니다.

남북한 단일팀 구성 및 유엔 동시 가입은 한반도가 대립의 시대로 부터 공존의 시대로 넘어가면서 통일의 길목으로 접어든다는 민족사적 전환기를 뜻하며 이에 발맞추어 민간 차원의 통일을 기원하는 의미에서 이 사업을 추진하게 되었습니다.

2. 의의와 목적

1) <북한주화 및 남북한 U.N 동시가입 기념메달>은 북한의 폐쇄와 고립으로부터 개방으로 이끌어 한반도의 화해와 평화를 이룩하고, 통일여건을 조성하려는 우리정책을 대내외에 홍보하는데 기여함을 목적으로 합니다.

2) 이 기념품은 우리 정부가 인내를 갖고 다각적인 노력을 보인 통일정책의 결과로서 U.N 동시가입이라는 대 명제 앞에 북한의 폐쇄노선이 한계상황을 맞아 개방과 협력의 단계로 접어들어 북한의 변화를 수용한다는 전환점을 기념하는데 그 의의가 있습니다.

3) 이 기념품은 남북한의 화해와 통일의 전기를 마련하는데 처음으로 가장 실효성이 큰 '남북한 탁구 단일팀 세계대회 우승'과 '남북한 U.N 동시가입'에서 평화통일의 기본 방안이 확립됨을 기념하는데 그 의의가 있습니다.

0018

株式會社 日進 EXPRESS CO., LTD.
ILJEAN EXPRESS Co. Fashion Communication

서울특별시 성동구 마장동 767-42호 남지빌딩
TEL : 대표 (02) 299-2011, (02) 299-2011~6
FAX: (02) 299-2017
NAM JEE BLD, #762-42, MAJANG-DONG
SUNG DONG-KU, SEOUL, KOREA.

4) 통일로가는 중간단계로서 남북의 두 체제를 인정하며 공존공영 하면서 민족사회의 동질화 의식을 국민에게 심어주며, 통합을 촉진함에 목적을 두고 있습니다.

5) 사회, 체육, 문화, 경제적 남북 공동체의식을 이루어 나감으로 남북의 각종 문제를 해결해 가면서 정치적 통합여건 성숙에 기여함에 기념품의 목적이 있습니다.

6) 근래 민족적 통합을 이루는 남북한간이 실질적인 모습이 국제사회에 대두된 첫 성과인 <남북한 탁구 단일팀>이 제 41회 세계대회에서 우승한 것을 기념하여 북한에서 생산된 <남북한 탁구 단일팀 세계대회우승 주화세트>를 우리가 수용함으로써 민족 공동체 의식을 고취하고자 하는데 그 의의가 있습니다.

7) <남북한 U.N 동시가입 기념메달>은 남북한간의 화해와 협력을 바탕으로 한반도와 동북아시아에 평화의 구조를 정착시키는 계기가 마련되었음을 기념하는데 그 목적이 있습니다.

8) <남북한 U.N 동시가입 기념메달>은 남북한이 선린우호관계를 이루며, U.N 정신인 '세계 평화와 인류복리 추구'라는 바가 북한동포에게 공표하는 역사적인 시점을 기념하는것에 그 의의가 있습니다.

9) <남북한 U.N 동시가입 기념메달>은 우리 외교의 승리를 축하, 기념하며 우리민족의 통일의지와 통일역량을 대내외에 홍보하는데 기여함을 목적으로 합니다.

10) 이러한 목적에서 <북한주화및 남북한 U.N 동시가입 기념메달>은 제작. 판매되고, 수익금의 일부는 남북교류 협력기금에 쓰이게 되며 민족적인 한반도 통일을 한 걸음 더 앞당길수 있는 민족적 의지에 기여함을 그 목적으로 합니다.

0019

株式會社 日進 EXPRESS CO., LTD.
ILJEAN EXPRESS Co. Fashion Communication

서울특별시 성동구 마장동 767-42호 남지빌딩
TEL : 대표 (02) 299-2011, (02) 299-2011~6
FAX: (02) 299-2017
NAM JEE BLD. #762-42, MAJANG-DONG
SUNG DONG-KU, SEOUL, KOREA.

3. 판매계획

. 판매방법 : 행사 Route 및 Net Work 참조

. 판매기간 : 1991. 9. 16 - 20일 (5일간)

. 판매수납대행 : 한국외환은행 전국지점 (200 지점)
국민은행 전국지점 (300 지점)

약 500 지점

. 판매상품 계획안 : 1) 북한주화 은화 4중 수입 (홍콩 경유)
판매가 : ₩ 660,000

2) Medal : 남북 U.N 가입 축하기념
24K (4돈) X 2중, 은 (8돈) X 2중
판매가 : ₩ 990,000

3) 18K 목걸이 (3.5돈 18K) : 판매가 ₩ 330,000
반 지 (2돈 18K) : 판매가 ₩ 256,000
소 재 : 메달축소

* 북한주화 및 남북 U.N 가입 축하기념 Medal은 각각 1991 set 한정 제작하여 역사적 기념품으로 희소가치 있는 기념품으로 기획 제작됨.

4. 판매 광고안

1) 외환은행, 국민은행 전국지점 각장에 행사고지 poster 및 안내장 배포

2) 신문및 T.V 기사화

3) 일간신문 광고게재

5단통 X 8회
8단통 X 8회

5. 판매 기념품 디자인

1) 북한주화 4중 : 북한중앙은행에서 발행된 공식기념주화 디자인 (사본참조)

2) 남.북한 U.N 동시가입 기념메달 : 통일원의 기념메달 승인을 요청하여 공식 기념메달로 제작 판매할 계획
(디자인 - 사본참조) 추후 세밀한 4중 디자인 승인요청 할 계획임

0020

서울특별시 성동구 마장동 767-42호 남지빌딩
TEL : 대표 (02) 299-2011, (02) 299-2011~6
FAX: (02) 299-2017
NAM JEE BLD, #762-42, MAJANG-DONG
SUNG DONG-KU, SEOUL, KOREA.

6. 예상 판매 OUT LOOk

A) Coin - 1,500 set X ₩ 660,000 = 990,000,000

B) Medal - 800 set X ₩ 990,000 = 792,000,000

C) Set (Coin + Medal) - 500 set X ₩ 1,500,000 = 750,000,000

Total 예상 판매액 = 2,532,000,000

1) 직접비

A) Coin : 434,000 X 1500 = 651,000,000

B) Medal : 711,800 X 800 = 569,440,000

C) Coin + Medal : 1,145,800 X 500 = 572,900,000

직접비 총액 ₩ 1,793,340,000

(1) Coin (북한) 31g X 4EA

V.A.T. 수수료 30% ₩ 198,000
원 가 ₩ 140,000
액자 및 제작대 ₩ 90,000
발송비 ₩ 6,000
——— 직접비 ₩ 434,000

(2) Medal (남한) - 24K 2중
은 2중

. 금 4돈 (24K) X 38,000 X 2 = 304,000

. 은 8돈 X 300 X 2 = 4,800 ——— 직접비 ₩ 711,800

액자제작 및 금형 ₩ 100,000

V.A.T. 수수료 30% ₩ 297,000

발송비 ₩ 6,000

0021

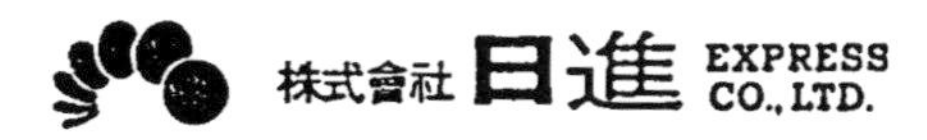

서울특별시 성동구 마장동 767-42호 남지빌딩
TEL : 대표 (02) 299-2011, (02) 299-2011~6
FAX: (02) 299-2017
NAM JEE BLD, #762-42, MAJANG-DONG
SUNG DONG-KU, SEOUL, KOREA.

7. JEWELLERY 직접비

1. Pendant (18K)

금 3.54돈 (18K) ₩ 109,725 ┐
공 임 ₩ 30,000 │ ₩ 149,725
금 형 ₩ 10,000 ┘

판매가 ₩ 330,000

30% (세금외 수수료) ₩ 99,000 ──── 직접비 ₩ 254,725
포장발송 ₩ 6,000

2. Ring (18K)

금2돈 (18K) : ₩ 62,700 ┐
공 임 ₩ 30,000 │ ₩ 102,700
금 형 ₩ 10,000 ┘

판매가 ₩ 256,000

30% (세금외 수수료) ₩ 76,800 ──── 직접비 ₩ 185,500
포장발송 ₩ 6,000

3. JEWLLERY 예상 판매 OUT LOOK

1) Pendant ₩ 330,000 X 2,000 = ₩ 660,000,000

2) Ring ₩ 256,000 X 1,500 = ₩ 384,000,000

합계 ₩ 1,044,000,000

* 직접비 산출

(1) Pendant ₩ 254,725 X 2000 = 509,450,000

(2) Ring ₩ 185,500 X 1,500 = ₩ 278,250,000

합계 ₩ 787,700,000

0022

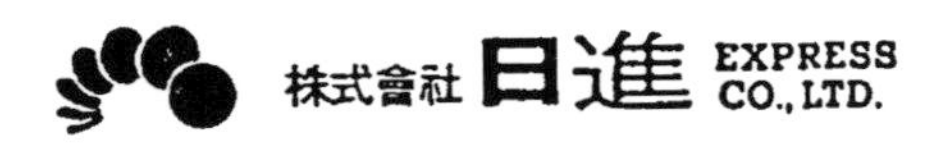

서울특별시 성동구 마장동 767-42호 남지빌딩
TEL : 대표 (02) 299-2011, (02) 299-2011~6
FAX: (02) 299-2017
NAM JEE BLD, #762-42, MAJANG-DONG
SUNG DONG-KU, SEOUL, KOREA.

8. Total 매출액 ₩ 3,576,000,000

직접비 ₩ 2,581,040,000─┐
간접비 ₩ 250,000,000─┘ ₩ 2,831,040,000

* 매출액 - 직,간접비 = ₩ 744,960,000

매출액 비교 총 판매 Margin (20%)

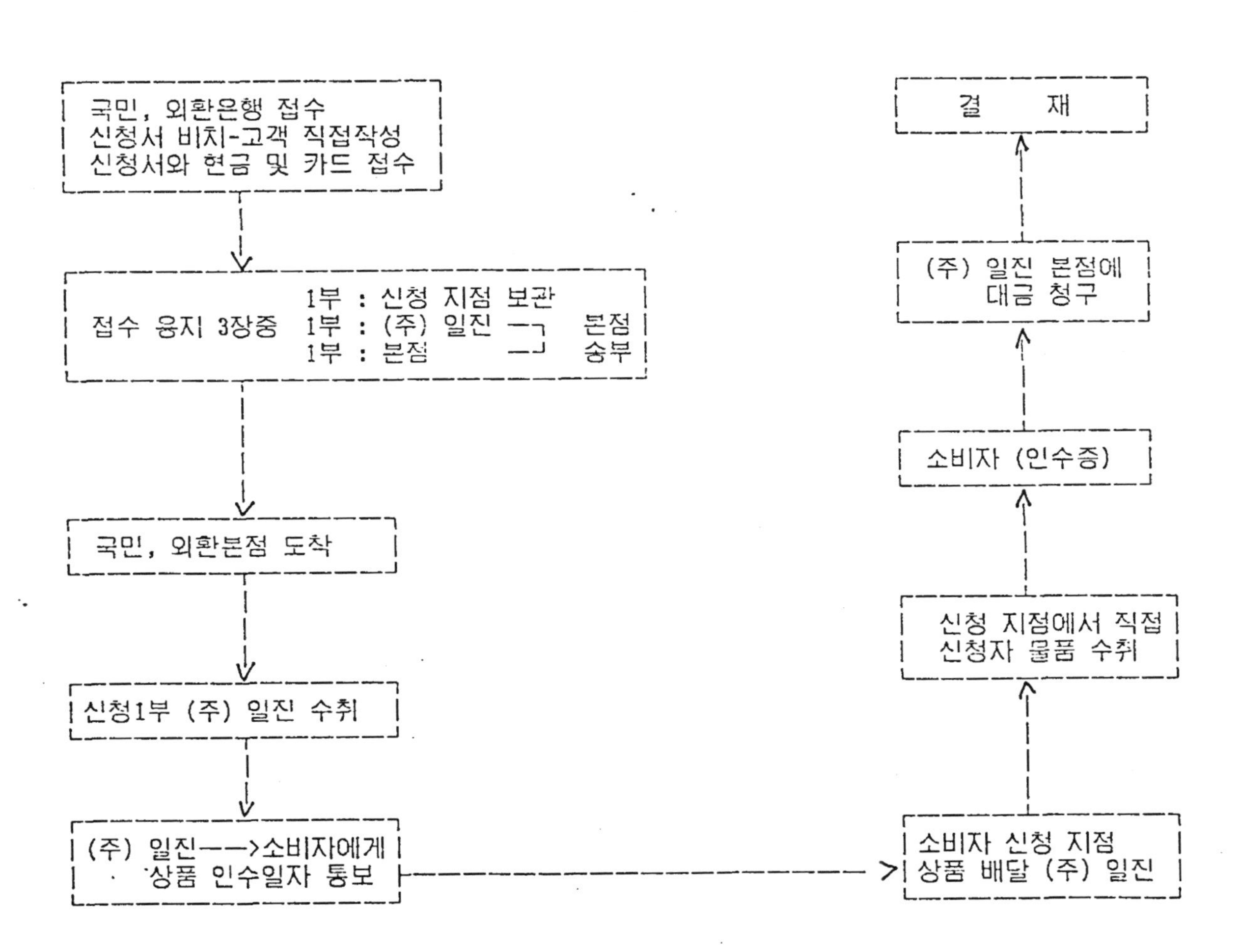

0023

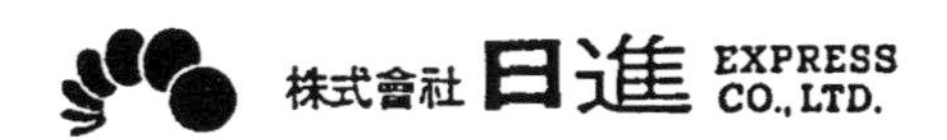

서울특별시 성동구 마장동 767-42호 남지빌딩
TEL : 대표 (02) 299-2011, (02) 299-2011~6
FAX : (02) 299-2017
NAM JEE BLD, #762-42, MAJANG-DONG
SUNG DONG-KU, SEOUL, KOREA.

<남북한 U.N 동시가입 기념 축하메달> - 가 시안 No.1

태극은 음양의 조화와 자연의 순리를 의미하며, 융화인 큰 원을 그리며 세계를 나타냅니다.

U.N 동시가입을 표명하는 U.N Mark 로서 한반도의 세계적인 평화통일을 공인하고 만발한 무궁화로서 온 세계가 축하하며, 도약하는 한반도 - KOREA 를 의미합니다.

0024

D.P.R. OF KOREA
COIN COLLECTING GROUP
T.S.T. P.O. Box 96451, Kowloon, Hongkong.
Tel. 724 4884 Fax. 722 5152 Tlx. 38665 RICOR HX

July 1, 1991

OFFICIAL ANNOUNCEMENT

*We, the overseas branch office of **The Central Bank of D.P.R. of Korea in Hongkong**, hereby confirm that, **The Central Bank of D.P.R. of Korea** is issuing a special Commemorative sports coin of The 41st World Championship of **The Unified Table Tennis Team of South & North Korea**, which is a very significant step towards the Unification of Our Fatherland and we will sell all our coins to the world neumismatic market through our overseas branch office of **The Central Bank of D.P.R. of Korea** in Hongkong.*

We have no objection in selling our coins to any country in the world.

Coins Detail: *1 Oz Silver Coin X 4 Coins/Set*
Silver Purity: 99.9%
Diameter 40 mm

D.P.R. of Korea Coin Collecting Group

AUTHORIZED SIGNATURE

"A Step Closer To Unification"

0025

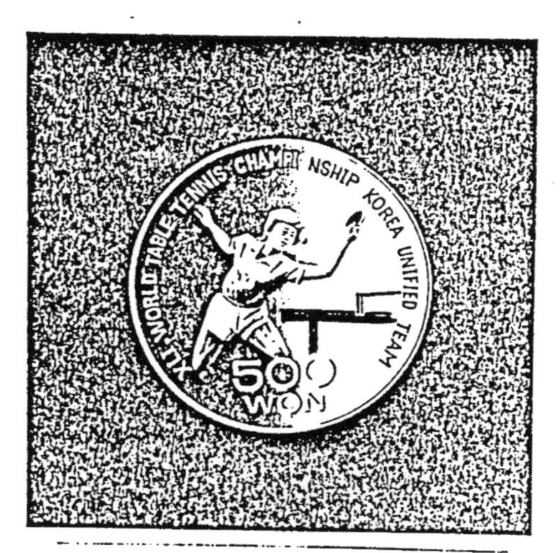

3) WOMAN SINGLE
NOT PRACTICAL PERSON.

4) MAN SINGLE
NOT PRACTICAL PERSON

0026

DESIGN OF COMMEMORATIVE COINS OF KOREA UNIFIED TEAM
IN THE FORTY FIRST WORLD TABLE TENNIS CHAMPIONSHIP.
(SILVER COIN)

FRONT SURFACE

1) LEFT LI BUN HUI
MIDDLE YU SUN BOK
RIGHT HYON JONG HWA

2) COUPLE .
NOT PRACTICAL PLAYERS.

ALL SAME.

REAR SURFACE

0027

주식회사 일진 익스프레스

299-2011/6

일진 : 제 91-0729 호 1991. 8. 5.

수신 : 외무부 장관

참조 : 국제기구조약국

발신 : 주식회사 일진 익스프레스

제목 : '남북한 U.N 가입 기념메달' 제조판매 승인 의뢰 件

참조서류 : 사입계획서, 기념메달 디자인시안, 사업자 등록사본, 결산보고서

1. 온 국민이 통일의 날을 염원하는 뜨거운 열망가운데 연일 계속되는 과중한 외교업무 노고에 감사드리며 더욱 일익 건승 하심을 기원 합니다.

2. 당사는 시계 및 귀금속 판매 업체로서 남북한의 물자교류와 통일에 관하여 관심이 팽배하던중 아래와 같은 뜻 깊은 기념품 제조판매 계획을 수립하여 귀 외무부에 승인을 의뢰하오니 협조요망 합니다.

3. 수익금중 일부는 남북교류 협력기금으로 쓰여져 한반도 통일을 한 걸음 앞당길 수 있는 민족적 의지에 기여함을 목적으로 합니다.

0028

1. '남북 U.N 동시가입 기념메달' 4종

제작판매 : (주) 일진 익스프레스

제작사양 : 1) ┌─금 2중 4돈 X 2EA
└─은 2중 8돈 X 2EA

2) 은 4중 (8돈)

1),2) 뒷 면은 같은 디자인임.

제작형태 : 남북한의 화해와 협력을 바탕으로 한반도와 동북아시아에 평화구조를 소재로 하며 세계평화와 인류인권과 복리추구를 소재로 한 디자인.

* 외무무 승인요청 협조 의뢰

2. 외무부와 승인후 시중은행 창구를 통해 판매 접수할 예정입니다.

- 감 사 합 니 다 -

서울 특별시 성동구 마장동 767-42 (남지빌딩 2층)

주 식 회 사 일 진 익 스 프 레 스

대 표 이 사 현 정 식

0023

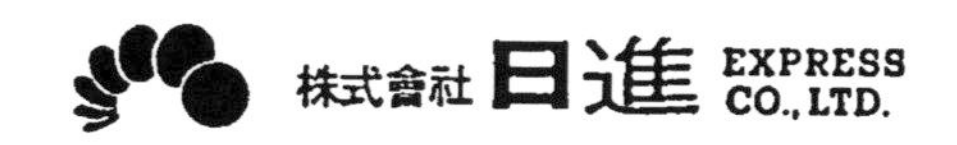

ILJEAN EXPRESS Co. Fashion Communication

서울특별시 성동구 마장동 767-42호 남지빌딩
TEL : 대표 (02) 299-2011, (02) 299-2011~6
FAX : (02) 299-2017
NAM JEE BLD, #762-42, MAJANG-DONG
SUNG DONG-KU, SEOUL, KOREA.

'U.N 남북 동시가입 축하기념 메달 '

사 업 계 획 서

- U.N 동시가입 축하기념 메달 -

1. 개 요

대립과 대결의 냉전 시대를 청산하고 화해와 대화의 시대로 나아감에 따라 남북한 유엔 동시 가입이라는 민족적 대사를 이루게 되었습니다.

유엔 동시 가입은 한반도가 대립의 시대로 부터 공존의 시대로 넘어가면서 통일의 길목으로 접어든다는 민족사적 전환기를 뜻하며 이에 발맞추어 민간 차원의 통일을 기원하는 의미에서 이 사업을 추진하게 되었습니다.

2. 의의와 목적

1) 남북 U.N 동시가입 기념메달은 북한의 폐쇄와 고립으로부터 개방으로 이끌어 한반도의 화해와 평화를 이룩하고, 통일여건을 조성하려는 우리정책을 대내외에 홍보하는데 기여함을 목적으로 합니다.

2) 이 기념품은 우리 정부가 인내를 갖고 다각적인 노력을 보인 통일정책의 결과로서 U.N 동시가입이라는 대 명제 앞에 북한의 폐쇄노선이 한계상황을 맞아 개방과 협력의 단계로 접어들어 북한의 변화를 수용한다는 전환점을 기념하는데 그 의의가 있습니다.

3) 이 기념품은 남북한의 화해와 통일의 전기를 마련하는데 처음으로 가장 실효성이 큰 '남북한 U.N 동시가입'에서 평화통일의 기본 방안이 확립됨을 기념하는데 그 의의가 있습니다.

0030

ILJEAN EXPRESS Co.
Fashion Communication

서울특별시 성동구 마장동 767-42호 남지빌딩
TEL : 대표 (02) 299-2011, (02) 299-2011~6
FAX: (02) 299-2017
NAM JEE BLD, #762-42, MAJANG-DONG
SUNG DONG-KU, SEOUL, KOREA.

4) 통일로가는 중간단계로서 남북의 두 체제를 인정하며 공존공영 하면서 민족사회의 동질화 의식을 국민에게 심어주며, 통합을 촉진함에 목적을 두고 있습니다.

5) 사회, 체육, 문화, 경제적 남북 공동체의식을 이루어 나감으로 남북의 각종 문제를 해결해 가면서 정치적 통합여건 성숙에 기여함에 기념품의 목적이 있습니다.

6) 근래 민족적 통합을 이루는 남북한간이 실질적인 모습이 국제사회에 대두된 첫 성과인 남북 U.N 동시가입을 기념축하 하므로서 민족 공동체 의식을 고취하고자 하는데 그 의의가 있습니다.

7) <남북한 U.N 동시가입 기념메달>은 남북한간의 화해와 협력을 바탕으로 한반도와 동북아시아에 평화의 구조를 정착시키는 계기가 마련되었음을 기념하는데 그 목적이 있습니다.

8) <납북한 U.N 동시가입 기념메달>은 남북한이 선린우호관계를 이루며, U.N 정신인 `세계 평화와 인류복리 추구'라는 바가 북한동포에게 공표하는 역사적인 시점을 기념하는것에 그 의의가 있습니다.

9) <남북한 U.N 동시가입 기념메달>은 우리 외고의 승리를 축하, 기념하며 우리민족의 통일의지와 통일역량을 대내외에 홍보하는데 기여함을 목적으로 합니다.

10) 이러한 목적에서 남북 U.N 동시가입 기념메달을 기념제작 판매되고, 수익금의 일부는 남북교류 협력기금에 쓰이게 되며 한반도 통일을 한 걸음 더 앞당길수 있는 민족적 의지에 기여함을 그 목적으로 합니다.

0031

株式會社 日進 EXPRESS CO., LTD.
ILJEAN EXPRESS Co. Fashion Communication

서울특별시 성동구 마장동 767-42호 남지빌딩
TEL : 대표 (02) 299-2011, (02) 299-2011~6
FAX: (02) 299-2017
NAM JEE BLD, #762-42, MAJANG-DONG
SUNG DONG-KU, SEOUL, KOREA.

3. 판매계획

. 판매방법 : 행사 Route 및 Net Work 참조

. 판매기간 : 1991. 9. 16 - 20일 (5일간)

. 판매수납대행 : 한국외환은행 전국지점 (200 지점)
국민은행 전국지점 (300 지점)
약 500 지점

. 판매상품 계획안 : 1) Medal : 남북 U.N 가입 축하기념(금,은)
24K (4돈) X 2종, 은 (8돈) X 2종
판매가 : ₩ 990,000

2) 남북 U.N 가입 축하기념(은)
은 (8돈) X 4EA 4종
판매가 : ₩ 220,000

3) 18K 목걸이 (3.5돈 18K) : 판매가 ₩ 330,000
반 지 (2돈 18K) : 판매가 ₩ 256,000
소 재 : 메달축소

* 남북 U.N 가입 축하기념 Medal은 각각 19,991 set 한정 제작하여 역사적 기념품으로 희소가치 있는 기념품으로 기획 제작됨.

4. 판매 광고안

1) 외환은행, 국민은행 전국지점 각장에 행사고지 poster 및 안내장 배포

✓ 2) 신문및 T.V 기사화

✓ 3) 일간신문 광고게재

5단통 X 8회
8단통 X 8회

5. 판매 기념품 디자인

1) 남.북한 U.N 동시가입 기념메달 : 외무부에 기념메달 승인을 요청하여 공식 기념메달로 제작 판매할 계획
(디자인 - 사본참조) 추후 세밀한 4종 디자인 승인요청 할 계획임

0032

株式會社 日進 EXPRESS CO., LTD.
ILJEAN EXPRESS Co. Fashion Communication

서울특별시 성동구 마장동 767-42호 남지빌딩
TEL : 대표 (02) 299-2011, (02) 299-2011~6
FAX: (02) 299-2017
NAM JEE BLD, #762-42, MAJANG-DONG
SUNG DONG-KU, SEOUL, KOREA.

6. 예상 판매 OUT LOOk

A) Medal(금,은) - 800 set X ₩ 990,000 = ₩792,000,000

B) Medal(은) - 1,900 set X ₩ 220,000 = ₩418,000,000

C) Jewellery (메달축소, 여성용)

1) Pendant ₩ 297,000 X 2,000EA = ₩ 594,000,000

2) Ring ₩ 220,000 X 1,500EA = ₩ 330,000,000

Total 예상 판매액 ₩ 2,134,000,000

1) 직접비

A) Medal(금,은) : ₩ 711,800 X 800 set = ₩ 569,440,000

B) Medal(은) : ₩ 122,000 X 1,900 set = ₩ 231,000,000

C). 1) Pendant : (18K) 2,000EA X ₩ 254,725 = ₩ 509,450,000

2) Ring : (18K) 1,500EA X ₩ 185,500 = ₩ 278,250,000

Total 직접비 ₩ 1,587,700,000

(1) Medal (금,은) - 24K 2중
은 2중

. 금 4돈 (24K) X 38,000 X 2 = 304,000

. 은 8돈 X 300 X 2 = 4,800 ——— 직접비 ₩ 711,800

액자제작 및 금형 ₩ 100,000

V.A.T. 수수료 30% ₩ 297,000

발송비 ₩ 6,000

(2) Medal (은) 은 4중

은 (8돈) X ₩ 500 X 4중 = ₩ 16,000

액자제작 및 금형 ₩ 100,000

VAT 수수료 30% ₩ 66,000 ——— 직접비 ₩ 122,000

발 송 비 ₩ 6,000

0033

서울특별시 성동구 마장동 767-42호 남지빌딩
TEL : 대표 (02) 299-2011, (02) 299-2011~6
FAX: (02) 299-2017
NAM JEE BLD, #762-42, MAJANG-DONG
SUNG DONG-KU, SEOUL, KOREA.

7. JEWELLERY 직접비

1. Pendant (18K)

금 3.54돈 (18K) ₩ 109,725
공 임 ₩ 30,000
금 형 ₩ 10,000
→ ₩ 149,725

판매가 ₩ 330,000

30% (세금외 수수료) ₩ 99,000 ——— 직접비 ₩ 254,725
포장발송 ₩ 6,000

2. Ring (18K)

금2돈 (18K) : ₩ 62,700
공 임 ₩ 30,000
금 형 ₩ 10,000
→ ₩ 102,700

판매가 ₩ 256,000

30% (세금외 수수료) ₩ 76,800 ——— 직접비 ₩ 185,500
포장발송 ₩ 6,000

3. JEWELLERY 예상 판매 OUT LOOK

1) Pendant ₩ 297,000 X 2,000 = ₩ 594,000,000

2) Ring ₩ 220,000 X 1,500 = ₩ 330,000,000

합계 ₩ 924,000,000

0034

서울특별시 성동구 마장동 767-42호 남지빌딩
TEL : 대표 (02) 299-2011, (02) 299-2011~6
FAX : (02) 299-2017
NAM JEE BLD, #762-42, MAJANG-DONG
SUNG DONG-KU, SEOUL, KOREA.

8. Total 매출액 ₩ 2,134,000,000

직접비 ₩ 1,578,000,000
간접비 ₩ 250,000,000 ₩ 1,837,000,000

* 매출액 - 직,간접비 = ₩ 297,000,000

매출액 비고 총 판매 Margin (14%)

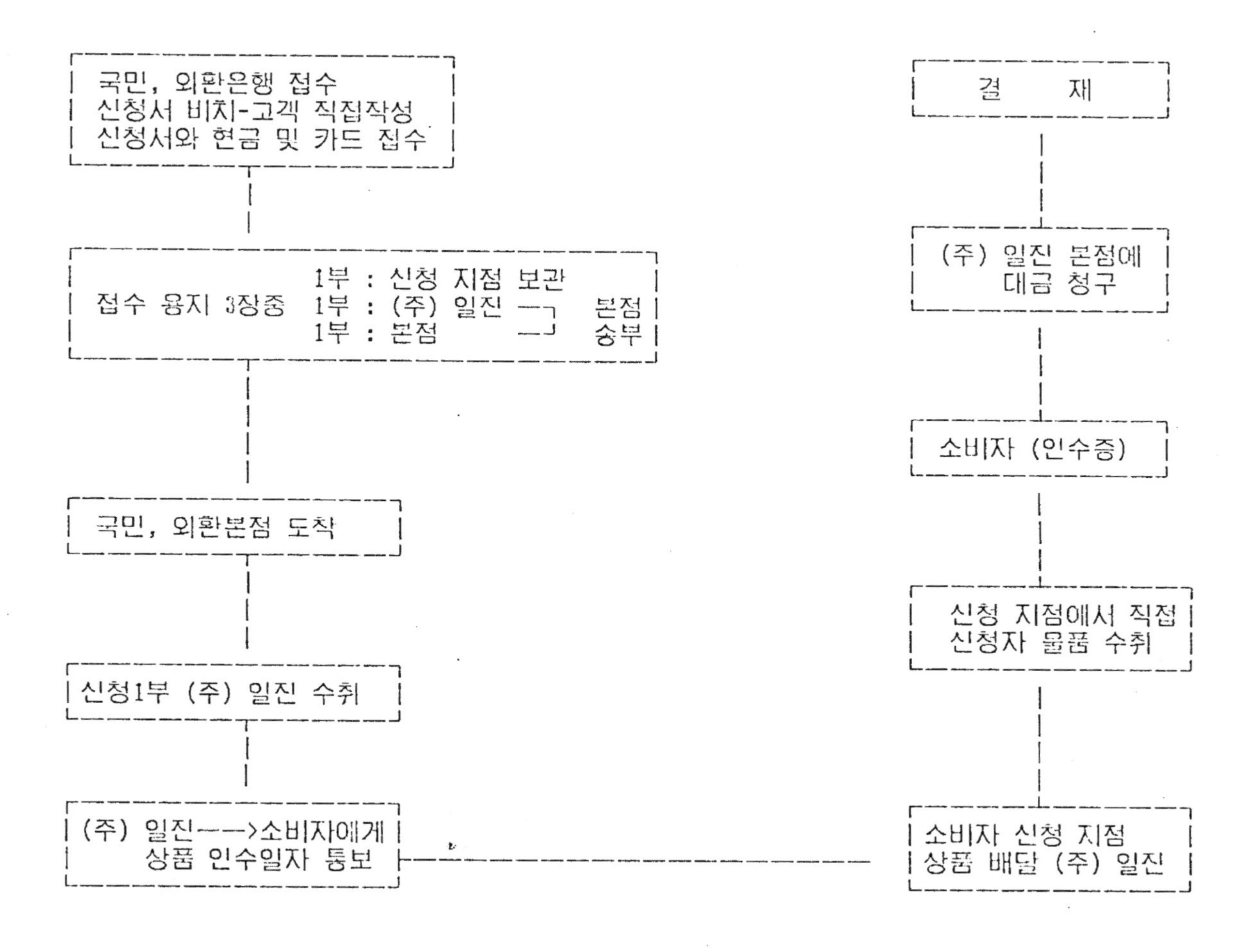

0035

남.북한 유엔 동시가입 기념 - 순금.순은 메달 LAY-OUT 案

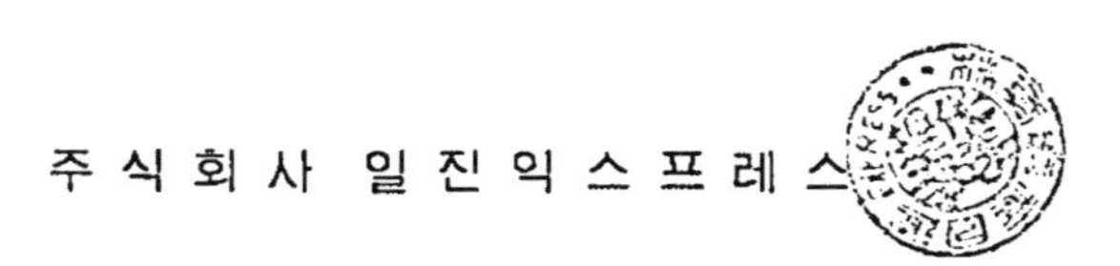

0036

서울특별시 성동구 마장동 767-42호 남지빌딩
TEL : 대표 (02) 299-2011, (02) 299-2011~6
FAX: (02) 299-2017
NAM JEE BLD, #762-42, MAJANG-DONG
SUNG DONG-KU, SEOUL, KOREA.

V

남.북한 유엔 동시가입 기념 - 순금.순은 메달 LAY-OUT

ITEM NO.	TITLE	내 용	비 고
1호	환 희	* 유엔마크와 남북이 하나된 한반도를 깃발로서 유엔 회원국임과 대등함을 의미하며, . 건(乾). 이(離). 감(坎). 곤(坤) 인 4괘(卦)가 둥근원을 그리며 온 세상에 공표함을 의미한다. * 제작방식 : 유광과 무광조각의 푸르프공법 방식으로 메달 제작 * 순금메달 * 메달규격 : 지름 약 30mm	

0037

서울특별시 성동구 마장동 767-42호 남지빌딩
TEL : 대표 (02) 299-2011, (02) 299-2011~6
FAX: (02) 299-2017
NAM JEE BLD, #762-42, MAJANG-DONG
SUNG DONG-KU, SEOUL, KOREA.

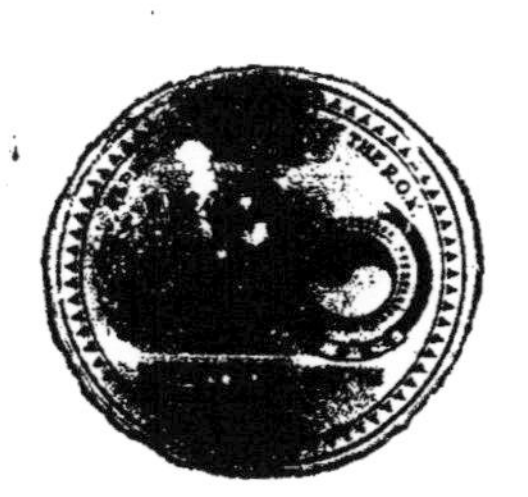

남.북한 유엔 동시가입 기념 - 순금.순은 메달 LAY-OUT

ITEM NO.	TITLE	내 용	비 고
2호	KOREA	* 유엔의 회원국이된 KOREA의 국제상징과 태극으로서 평화를 추구하는 대한민국을 상징한다. * 순금메달 * 메달규격 : 지름 약 30mm	

0038

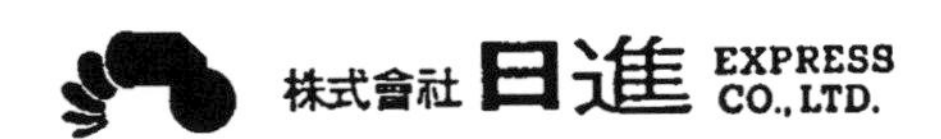

서울특별시 성동구 마장동 767-42호 남지빌딩
TEL : 대표 (02) 299-2011, (02) 299-2011~6
FAX: (02) 299-2017
NAM JEE BLD, #762-42, MAJANG-DONG
SUNG DONG-KU, SEOUL, KOREA.

남.북한 유엔 동시가입 기념 - 순금.순은 메달 LAY-OUT

ITEM NO.	TITLE	내 용	비 고
3호	화 합	* '승리'의 상징이며 '유엔'의 상징인 월계수를 이어 대한민국의 '영원한 평화'의 상징인 무궁화가 - 실루엣으로 나타난 한반도와 면으로 처리된 커다란 태극에 - 만발하여 기쁨을 융화한다는 의미이다. * 순은메달 * 메달규격 : 지름 약 40mm	

0039

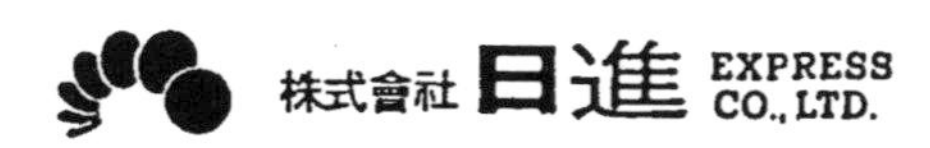

서울특별시 성동구 마장동 767-42호 남지빌딩
TEL : 대표 (02) 299-2011, (02) 299-2011~6
FAX: (02) 299-2017
NAM JEE BLD, #762-42, MAJANG-DONG
SUNG DONG-KU, SEOUL, KOREA.

남.북한 유엔 동시가입 기념 - 순금.순은 메달 LAY-OUT

ITEM NO.	TITLE	내 용	비 고
4호	번 영	* 유엔의 회원국으로서 남한,북한이 하나된 한반도는 이제, 세계를 이끌어가는 번영의 주역임을 상징한다. * 순은메달 * 메달규격 : 지름 약 40mm	

0040

서울특별시 성동구 마장동 767-42호 남지빌딩
TEL : 대표 (02) 299-2011, (02) 299-2011~6
FAX: (02) 299-2017
NAM JEE BLD, #762-42, MAJANG-DONG
SUNG DONG-KU, SEOUL, KOREA.

* 뒷 면 : . 순금.순은 메달 4중 공통임

. 1991 남북한 유엔 동시가입을 기념하는 유엔 회원국인 `KOREA'를 상징하는 마크

0041

ILJEAN EXPRESS Co.
Fashion Communication

서울특별시 성동구 마장동 767-42호 남지빌딩
TEL : 대표 (02) 299-2011, (02) 299-2011~6
FAX: (02) 299-2017
NAM JEE BLD, #762-42, MAJANG-DONG
SUNG DONG-KU, SEOUL, KOREA.

남북한 유엔 동시가입기념 - 순금.순은 메달

MAIN PLATE 내용 -

1991. 남북한 유엔 동시가입 기념

U.N Membership of south and North Korea

"축하 합니다"

- 대한민국 외무부 장관

(Sign initial)

LIMITED EDITION OF 19,991 SETS SERIAL No. 10001

0042

남.북한 유엔 동시가입 기념 - 순금.순은 메달 LAY-OUT 案

주 식 회 사 일 진 익 스 프 레 스

0043

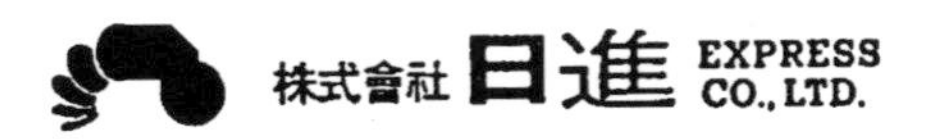

서울특별시 성동구 마장동 767-42호 남지빌딩
TEL : 대표 (02) 299-2011, (02) 299-2011~6
FAX : (02) 299-2017
NAM JEE BLD, #762-42, MAJANG-DONG
SUNG DONG-KU, SEOUL, KOREA.

남북 유엔 동시가입 기념 메달

- DESIGN LAY-OUT -

ITEM NO.	TITLE
1호	유엔본부 - UNITED NATION

0044

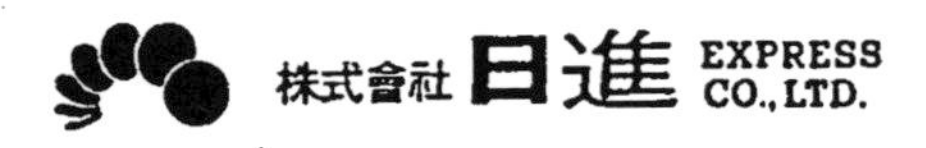

서울특별시 성동구 마장동 767-42호 남지빌딩
TEL : 대표 (02) 299-2011, (02) 299-2011~6
FAX: (02) 299-2017
NAM JEE BLD, #762-42, MAJANG-DONG
SUNG DONG-KU, SEOUL, KOREA.

남북 유엔 동시가입 기념 메달

- DESIGN LAY-OUT -

ITEM NO.	TITLE
2호	화 합 - HARMONY

0045

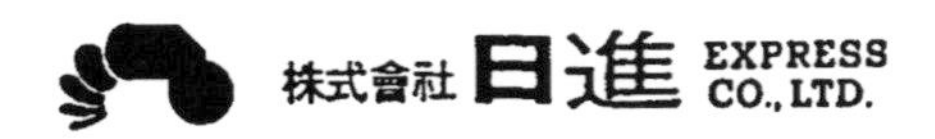

서울특별시 성동구 마장동 767-42호 남지빌딩
TEL : 대표 (02) 299-2011, (02) 299-2011~6
FAX: (02) 299-2017
NAM JEE BLD, #762-42, MAJANG-DONG
SUNG DONG-KU, SEOUL, KOREA.

남북 유엔 동시가입 기념 메달

- DESIGN LAY-OUT -

ITEM NO.	TITLE
3호	평 화 - PEACE

0046

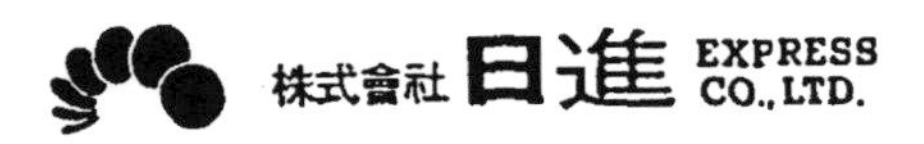

서울특별시 성동구 마장동 767-42호 남지빌딩
TEL : 대표 (02) 299-2011, (02) 299-2011~6
FAX : (02) 299-2017
NAM JEE BLD, #762-42, MAJANG-DONG
SUNG DONG-KU, SEOUL, KOREA.

남북 유엔 동시가입 기념 메달

- DESIGN LAY-OUT -

ITEM NO.	TITLE
4호	통 일 - REUNION

0047

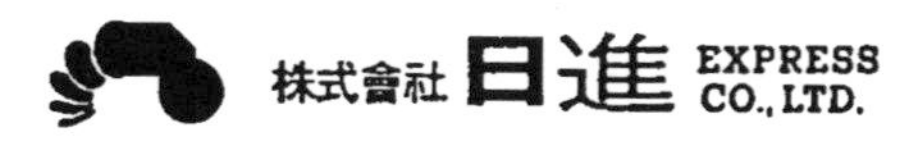

서울특별시 성동구 마장동 767-42호 남지빌딩
TEL : 대표 (02) 299-2011, (02) 299-2011~6
FAX: (02) 299-2017
NAM JEE BLD, #762-42, MAJANG-DONG
SUNG DONG-KU, SEOUL, KOREA.

남북 유엔 동시가입 기념 메달

- DESIGN LAY-OUT -

ITEM NO.	TITLE
5호	번 영 - PROSPERITY

0048

서울특별시 성동구 마장동 767-42호 남지빌딩
TEL : 대표 (02) 299-2011, (02) 299-2011~6
FAX: (02) 299-2017
NAM JEE BLD, #762-42, MAJANG-DONG
SUNG DONG-KU, SEOUL, KOREA.

1991
KOREA
UNITED NATIONS MEMBERSHIP OF
SOUTH AND NORTH KOREA
LIMITED EDITION OF 19,991 SETS SERIAL NO. 10001
Official Medal
1991. 9.17. 남북한 유엔 동시 가입기념

남북 유엔 동시가입 기념 메달 MAIN PLATE

- DESIGN LAY-OUT -

`1991 남북한 유엔 동시가입 공식 기념메달'

0049

남.북한 유엔 동시가입 기념 - 순금.순은 메달 LAY-OUT 案

주 식 회 사 일 진 익 스 프 레 스

0050

서울특별시 성동구 마장동 767-42호 남지빌딩
TEL : 대표 (02) 299-2011, (02) 299-2011~6
FAX: (02) 299-2017
NAM JEE BLD, #762-42, MAJANG-DONG
SUNG DONG-KU, SEOUL, KOREA.

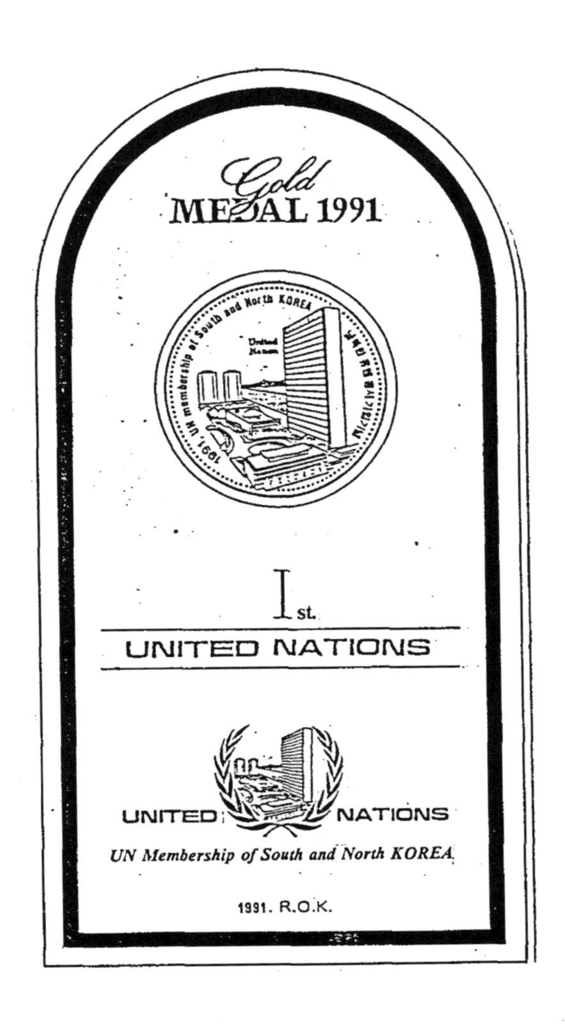

0051

서울특별시 성동구 마장동 767-42호 남지빌딩
TEL : 대표 (02) 299-2011, (02) 299-2011~6
FAX: (02) 299-2017
NAM JEE BLD, #762-42, MAJANG-DONG
SUNG DONG-KU, SEOUL, KOREA.

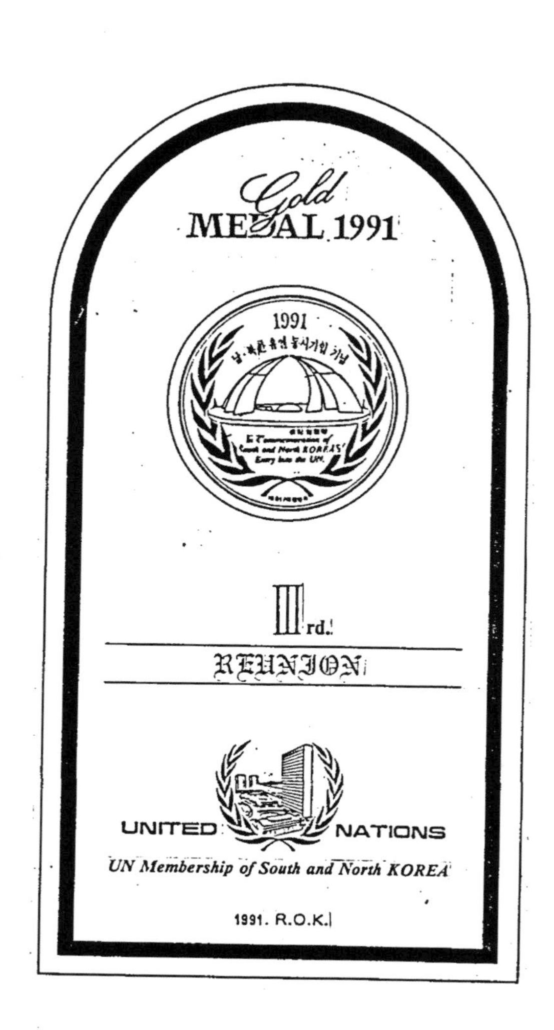

0052

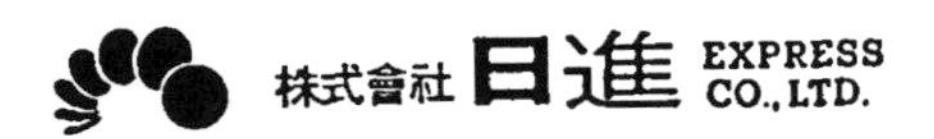

서울특별시 성동구 마장동 767-42호 남지빌딩
TEL : 대표 (02) 299-2011, (02) 299-2011~6
FAX: (02) 299-2017
NAM JEE BLD, #762-42, MAJANG-DONG
SUNG DONG-KU, SEOUL, KOREA.

0053

운협의

주식회사 일진 익스프레스

299-2011/6

일진 : 제 91-0808 호 1991. 8. 8

수신 : 외무부 장관

참조 : 국제기구조약국

발신 : 주식회사 일진 익스프레스 대표이사

제목 : `남북한 U.N 동시가입 기념메달' 제조 승인 의뢰 件에 관한 `서명' 의뢰 협조 件

1. 온 민족이 통일의 날을 염원하는 열망가운데 국제사회에서 우리의 위상이 더욱 격상되며 폐쇄된 북한사회를 개방으로 이끄는 계기가 된 `남북한 U.N 동시 가입' 이라는 역사적 전환점의 계기가 된 외교성공 노고에 감사드리며 일익 더욱 건승하심을 기원 합니다.

1991. 8. 0 8
(주)일진

2. 당사는 `남북한 U.N 동시가입' 이라는 역사적 산물을 기념메달로 제작하여 격상된 국제사회의 실질적 강국으로서, 나아가 북한의 변화를 수용한다는 통일의 전환점을 기념하는 의의로서 가치있는 기념품을 제작 대내외에 홍보와 후세에 남겨줄 목적으로 `남북한 U.N 동시가입 기념메달' 기념품을 기획 추진중입니다.

3. 이러한 기념품을 제작 판매하여 수익금중 일부는 남북교류 협력기금의 성금으로 쓰이게 되며 일부는 U.N 의 휘장사용에 대한 로얄티 요구시 협의 기부할 계획입니다.

0054

4. 이에 따라 '남북한 U.N 동시가입 기념메달'을 더욱 뜻깊은 기념품으로 제작 하기위해 아래와 같은 내용에 외무부장관님과 또는 U.N 사무총장님 서명을 의뢰하오니 협조 요망합니다.

* 서명 의뢰내용 : 역사적인 남북한의 U.N 동시 가입을 공식기념 축하합니다.

1991. 9.

대한민국 외무부장관 ____________

U.N 사무총장 ____________

- 감 사 합 니 다 -

서울 특별시 성동구 마장동 767-42 (남지빌딩 2층)
주 식 회 사 일 진 익 스 프 레 스
대 표 이 사 현 정 식

0055

상 공 부

무 협 28111 - 1252 (504 - 4148) 1991. 8. 9

수 신 외무부장관

제 목 남북한 유엔가입 기념메달 제조 판매 협의 회신

1. 귀부 국연 2031-36108호('91.8.5) 관련입니다.

2. (주)일진 익스프레스의 남북한 유엔가입 기념메달 제조.판매 승인 신청에 대해여 이견이 없음을 회신합니다. 끝.

상 공 부 장 관

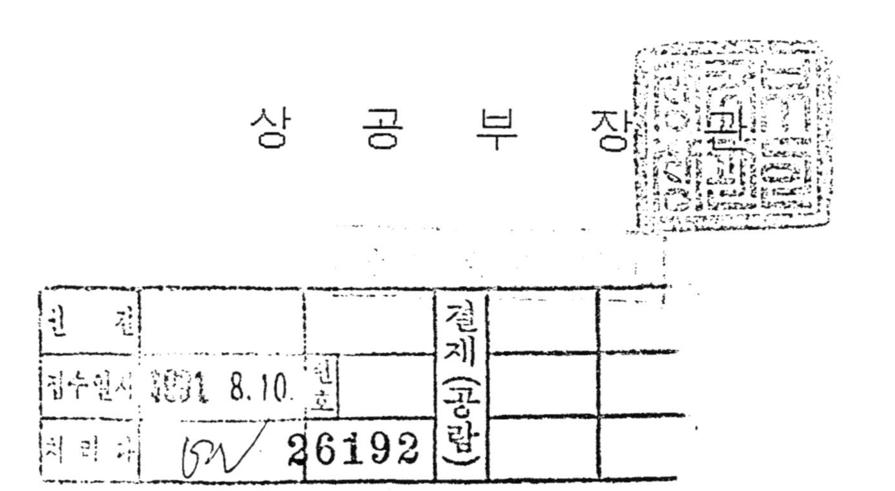

선 결			결재(공람)		
접수일시	1991 8.10.	번호			
처리과		26192			

0056

"범죄와 무질서를 추방하자"

내 무 부

행정02031 №007752 (731-2310) 1991. 8. 12.

수신 외무부장관 (1년)

참조 국제연합과장

제목 남북한 유엔가입기념 메달제조 판매관련 회신

국연 2031 - 36108('91.8.5)호로 의견조회하신 개인기업체의 유엔가입기념메달 제조 승인건에 대해서는 우리부에서 별도의 의견을 제시할 사항이 아닌점입을 통보합니다. 끝.

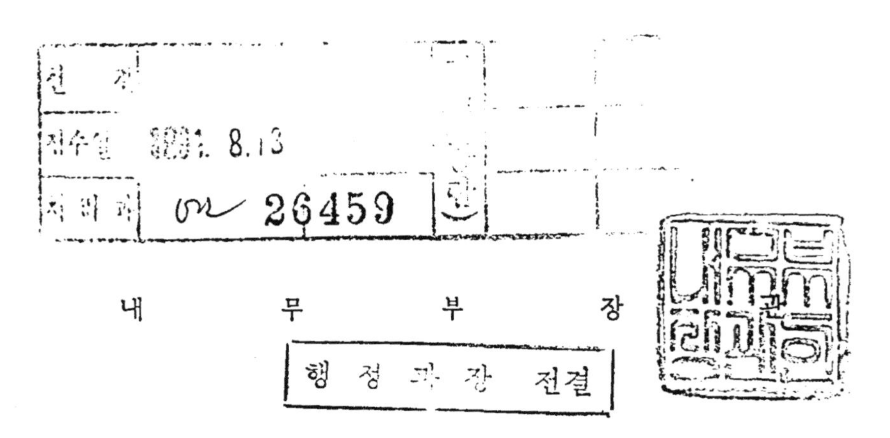

0057

기 안 용 지

분류기호 문서번호	국연 2031 - 39901	(전화:)	시 행 상 특별취급	
보존기간	영구·준영구. 10. 5. 3. 1	차 관	장 관	
수 신 처 보존기간				
시행일자	1991. 8. 16.			

보조기관	국 장		협조기관	제1차관보	문서통제
	심의관				검열 1991. 8. 19 통제관
	과 장				
기안책임자		송영완			발송인

경 유 수 신 참 조	주식회사 일진익스프레스사장	발신명의		발송 1991. 8. 19 외무부
제 목	남북한 유엔가입 기념매달 제작			

1. 일진 제 91-0729호 (91.8.5) 및 제 91-0808호 (91.8.8)와 관련, 기념메달은 민간기업이 자체판단에 따라 제작. 판매가 가능하다는 점을 알려드리며, 당부로서는 귀사의 표제사업 추진에 이의가 없음을 통보합니다.

2. 정부는 우리나라의 유엔가입이 정부수립 이래 최대의 외교숙원 과제를 해결한 것임은 물론 남북한간의 교류와 협력을 촉진하여 궁극적인 평화통일을 앞당기는 계기가 될 것으로

/ 계속 /

0058

(3)

판단하고 있습니다. 이와관련, 귀사의 표제 사업이 우리나라의 유엔가입의 역사적 의의를 기념하고 국내외에서의 경축분위기 고양을 위하여 추진되고 있음을 감안, 귀사의 기념메달사업 계획서에 대한 당부 검토의견을 별첨 송부하오니 참고하시기 바랍니다.

첨 부 : 남북한 유엔가입 기념메달 제작에 관한 검토의견서 1부. 끝.

0059

남북한 유엔가입 기념메달 제작에 관한 검토의견

1991. 8. 16.

1. 기념메달 제작.판매 승인문제

o 기념메달은 민간기업이 자체판단에 따라 제작.판매가 가능함. (정부의 승인사항이 아님)

o 따라서 정부는 (주) 일진익스프레스를 남북한 유엔가입 기념메달 공식 제작업체로 지정할 수 없으며, 타사도 자체판단에 따라 유사한 사업을 추진할 수 있음.

2. 기념메달 디자인 관련사항

o 유엔은 상업적 목적의 유엔마크 사용을 허가하고 있지 않으므로 메달 전면과 후면 또는 포장용기등에 유엔마크를 사용할 수 없음.

o 남북한의 유엔가입을 경축하는 의미에서 기념메달내에 한반도 지도 삽입은 무방하나, Korea기(깃발내에 한반도지도)를 사용할시 북한이 종래에 주장하던 "단일의석하 남북한 유엔동시가입"이 연상될 수 있으므로 사용치 않을 것이 요망됨.

3. 기념메달 Set에의 유엔사무총장 및 외무장관 서명문제

o 기념메달 Set가 상업적 목적으로 제작.판매되고 또한 사업추진에 관하여 정부가 공식승인을 할 수 없음을 감안, 유엔사무총장 및 외무장관의 서명은 불가함.

0060

4. 판매광고 문제

o 신문, TV, 기타 대중언론 매체를 통한 기념메달 판매 광고시 일반에게 하기 예와 같은 오해를 유발할 수 있는 문안 사용은 불가함.

- 유엔 및 정부로부터 승인된 공식메달이라는 내용의 문구
- 정부(또는 외무부)가 기념메달 제작.판매를 후원하고 있다는 내용의 문구
- 정부측에서 동 기념메달 Set를 구매할 예정이라는 내용의 문구

5. 기　타

o 당부는 유엔에 관한 전반적 내용 또는 기념메달에 삽입되는 문구(국.영문), 디자인 관련사항에 대한 귀사의 문의시 가능한 범위내에서 자문을 제공할 예정임.　　끝.

0061

제안

주식회사 일진 익스프레스

299-2011/6

일진 : 제 91-8281 호 1991. 8. 28

수신 : 주한 유니세프 대표

발신 : (주) 일진 익스프레스 대표이사

제목 : "남북한 동시 U.N 가입 순금.순은 공식메달 한정판 및 기념품"
제작 판매에 따른 "발행 의뢰" 件

1. 귀 대표부의 세계아동기금을 위한 선한 노력에 감사드리오며 일익 건승 하심을 기원 합니다.

2. 당사는 귀금속 및 시계 판매업체로서 상반기 매출실적이 약 15억원인 중소업체입니다.

3. 당사에서는 금번 '남북한 U.N 가입' 이라는 역사적 전환점을 기념하며 더 나아가 한반도 평화통일의 시발점 이라는 뜻깊은 역사적 행사를 기념하기 위해 '남북한 U.N 가입 기념품'을 기획,진행중 입니다.

4. 이에따라 아래와 같은 내용으로 귀 대표부에 '공식 기념품 발행'을 의뢰하오며 기금의 일부는 귀 대표부의 선한 사업에 기탁할 예정 입니다.

- 아 래 -

판매 기간 : 1991. 9. 16 - 1991. 9. 27

상품인도기간 : 1991. 10. 23 - 1991. 10. 30

예약금 수납 : 전국 외환은행, 중소기업은행 각 지점

예약금 수납 방법 및 상품구성 : 사업계획서 참조

판 매 원 : (주) 일 진 익 스 프 레 스

0062

(주) 일 진 EXPRESS의 유니세프 기부금 내역

유니세프 기본기금 : ₩ 50,000,000 (오천만원)

판매시 로얄티 : 1. 순이익금의 5% ┐ 1.2 中 택일
2. 판매 의형의 1% ┘

위 금액에 대해 귀 대표부의 결정과 협조를 요청합니다.

- 감 사 합 니 다 -

서울 특별시 성동구 마장동 767-42 (남지빌딩 2층)

주 식 회 사 일 진 익 스 프 레 스

대 표 이 사 현 정 식

0063

기념메달

남북한 U.N. 동시가입 기념메달 및 기념품 가격명세서

상 품 명	판 매 가 격	40% 할인 가격	비 고
U.N. 동시가입기념 순금메달	₩2,200,000	₩1,320,000	
U.N. 동시가입기념 순은메달	₩ 660,000	₩ 396,000	
U.N. 메달 무궁화 목걸이	₩ 275,000	₩ 165,000	
U.N. 메달 월계수 목걸이	₩ 180,000	₩ 108,000	
U.N. 메달 월계수 반지 (남)	₩ 280,000	₩ 168,000	
U.N. 메달 월계수 반지 (여)	₩ 231,000	₩ 138,600	
U.N. 메달 시계	₩ 275,000	₩ 165,000	
U.N. 메달 시계	₩ 250,000	₩ 150,000	

18K

24K plated

- 감 사 합 니 다 -

서울시 성동구 마장동 767-42 남지빌딩 2층

주 식 회 사 일 진 익 스 프 레 스

대 표 이 사 현 정 식

0064

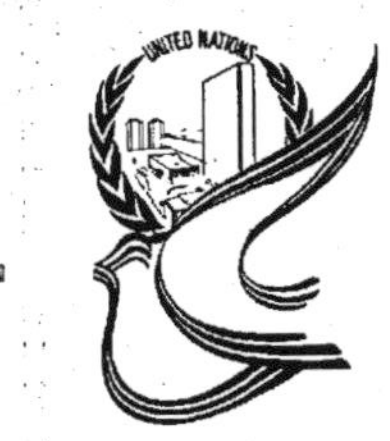

남북한 유엔 동시가입을 U.N. 승인

순금·순은 메달 한정품 - 남북한 동시 유엔 가입기념 1991 SET 한정발행

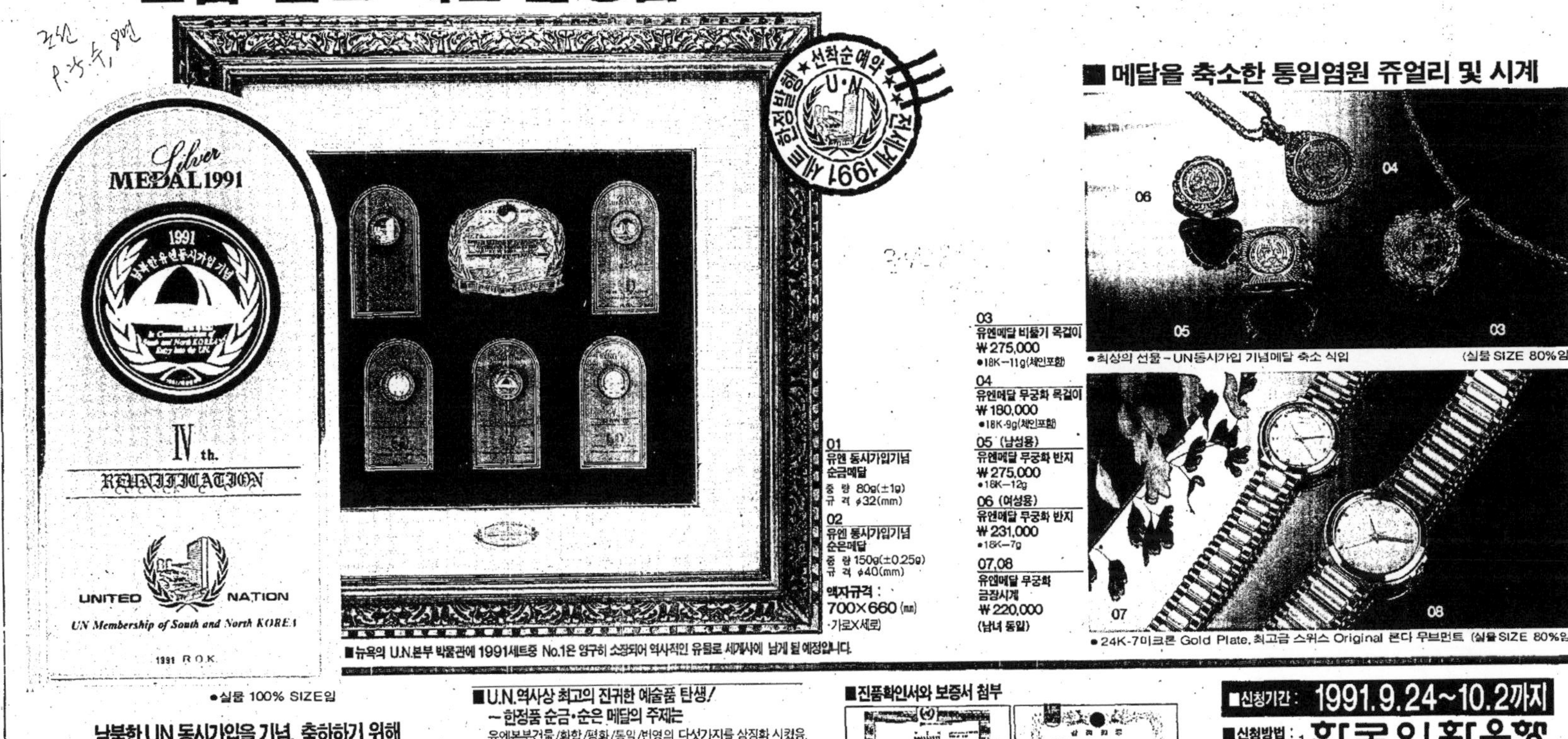

●실물 100% SIZE임

■뉴욕의 U.N.본부 박물관에 1991세트중 No.1은 영구히 소장되어 역사적인 유물로 세계사에 남게 될 예정입니다.

01
유엔 동시가입기념 순금메달
중 량 80g(±1g)
규 격 φ32(mm)

02
유엔 동시가입기념 순은메달
중 량 150g(±0.25g)
규 격 φ40(mm)

액자규격 : 700×660 (mm) ·가로X세로

■ 메달을 축소한 통일염원 쥬얼리 및 시계

03
유엔메달 비둘기 목걸이
₩275,000
●18K-11g(체인포함)

04
유엔메달 무궁화 목걸이
₩180,000
●18K-9g(체인포함)

05 (남성용)
유엔메달 무궁화 반지
₩275,000
●18K-12g

06 (여성용)
유엔메달 무궁화 반지
₩231,000
●18K-7g

07,08
유엔메달 무궁화 금장시계
₩220,000
(남녀 동일)

●최상의 선물 - UN동시가입 기념메달 축소 식입 (실물 SIZE 80%임)

●24K-7미크론 Gold Plate, 최고급 스위스 Original 론다 무브먼트 (실물SIZE 80%임)

남북한 UN 동시가입을 기념, 축하하기 위해 역사적인 장을 기록, 집대성하여 순금과 순은 메달을 대한민국 외무부의 자문으로 전세계 1991세트 한정발행하게 되었습니다. (순금·순은 메달)은 나아가 한반도 평화통일의 날에는 그 모체가 되어 U.N.과 한반도 최고의 진귀한 평화통일 예술품으로 그 희소가치와 소장가치는 더욱 증폭될 것입니다.

■U.N.역사상 최고의 진귀한 예술품 탄생!
-한정품 순금·순은 메달의 주제는
유엔본부건물/화합/평화/통일/번영의 다섯가지를 상징화 시켰음.

■1991 Set 한정의 진품확인서와 고유 번호가 새겨진 보증서 첨부

■최고의 품질을 사용한 V.I.P.선물 예술품!
-순금(99.9%)·순은(99.9%)

순금메달 - 1SET 가격 ₩2,200,000
순은메달 - 1SET 가격 ₩ 660,000

1. 특별소비세, 교육세, 부가가치세 포함
2. 제작 및 공과잡비 포함가격임. (일인 예약 수량은 제한이 없습니다.)
3. 판매이익금 중 일부는 통일기금으로 예치됩니다.

■진품확인서와 보증서 첨부

自然에 더한 細工美學과 재산적 가치

■U.N의 휘장과 한반도 통일염원 - 메달 미니어처
■진품확인 보증서 첨부
■진귀한 세공예술품의 걸작
■역사적 전환점을 기념한 예술작품 - 고귀하고도 값진 선물

■신청기간 : 1991.9.24~10.2까지

■신청방법 : 1. 한국외환은행
전국지점 은행에 비치되어 있는 신청서를 작성, 신청금액을 현금 또는 외환 VISA 카드로 납부하시면 교환증을 드립니다. 2. 외환은행이 가까운 거리에 없을때에는 구입 문의처로 문의하시면 가까운 은행을 안내하여 드립니다.
3. 통신판매(전화·우편·FAX)외환 VISA카드와 제휴카드 만 해당

■교부기간 : 1991.10.28~1991.10.31

■현품 교환장소 및 방법 ●외환은행 각 지점에서 신청하신 (현금 및 신용카드로) 고객은 신청지점으로 교환증을 갖고 오시면 현품 일체를 받으실 수 있습니다.
● 한국 외환은행 전국지점 예금 상담계에 오시면 자세한 설명서가 비치되어 있습니다.

■구입문의처 : (주) 일진 익스프레스
TEL.(02) 299-2011~6 FAX: 299-2017

후원 ▶ 통일기금 조성 위원회

자문 ▶ 대한민국 외무부

수납처 ▶ 한국외환은행 전국지점 예금 상담계

0065

UNITED NATIONS
남북한 유엔 가입
U.N. 승인
남북한 유엔 동시가입기념 1991 SET 한정발행
순금·순은메달 한정품
UN MEMBERSHIP OF SOUTH AND NORTH KOREA
1991
KOREA
AL 1991
PROSPERITY
UNITED NATION
N Membership of South and North KOREA
1991. R.O.K.
0066
자문 ▶ 대한민국 외무부

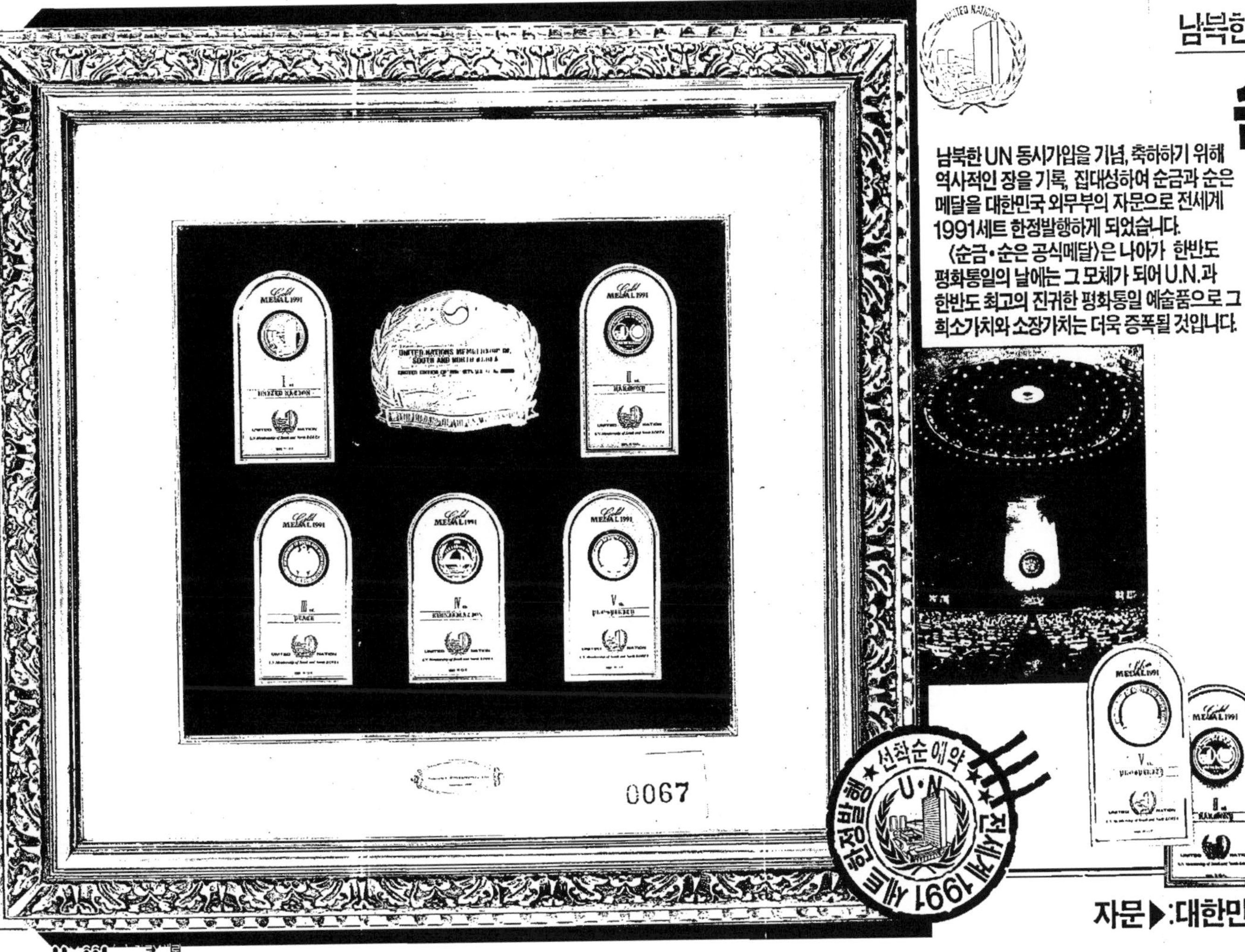

남북한 U.N. 동시가입기념 메달 1991SET 한정 발

순금·순은메달 한정

남북한 UN 동시가입을 기념, 축하하기 위해 역사적인 장을 기록, 집대성하여 순금과 순은 메달을 대한민국 외무부의 자문으로 전세계 1991세트 한정발행하게 되었습니다.
〈순금·순은 공식메달〉은 나아가 한반도 평화통일의 날에는 그 모체가 되어 U.N.과 한반도 최고의 진귀한 평화통일 예술품으로 그 희소가치와 소장가치는 더욱 증폭될 것입니다.

■U.N.역사상 최고의 진귀한 예술품 탄생!
—한정품 순금·순은 공식메달의 주제는

- 제1호–United Nations : 〈유엔본부〉
- 제2호–Harmony : 〈화합〉
- 제3호–Peace : 한반도의 〈평화〉
- 제4호–Reunification : 평화 〈통일〉
- 제5호–Prosperity : 한민족의 〈번영〉

남북한 U.N. 동시가입으로 진행되는 시대적 상황을 그려 한반도 통일과 번영을 앞당기는 민족적인 염원에서 탄생되었습니다.

■1991 Set 한정의 진품확인서와 고유 번호가 새겨진 보증서 첨부

남북한 U.N. 동시가입을 기념하기 위한 〈순금·순은메달〉은 희소가치 높은 한정품으로 매 세트마다 고유 일련번호가 기념품의 Main Plate에 조각으로 새겨지며, 아울러 진품확인서와 보증서가 첨부되어 보존의 가치를 높여줍니다.

■뉴욕의 U.N.본부 박물관에 1991세트중 No.1은 영구히 소장되어 역사적인 유물로 세계사에 남게 될 예정입니다.

■최고의 품질을 사용한 V.I.P.선물 예술품!
—순금(99.9%)·순은(99.9%)

역사적 유물로서 보존의 가치를 높이기 위해 영원불변하는 순금(99.9%)과 순은(99.9%)으로 제작하였으며, 조각은 당대 최고 기술진에 의해 미적인 우수성을 살려 정밀하게 조각하였고, 200톤의 프레스 가공을 통한 프루프 공법으로 정교히 주조되어진 진귀한 역사적 예술품입니다.
특히 액자는 30여 공정을 거쳐서 알미시카 원목을 가공, 조각한 후에 금분과 은분으로 고풍스럽게 특수 제작하였습니다.
순금·순은 메달을 보존하는 아크릴은 최상의 투명도를 자랑하며, 아아치형의 받침은 정선된 알루미늄을 조각하여 Gold와 Silver 받침으로 고유 우단과 조화를 이루어 어떠한 곳에서도 최고조의 분위기를 연출합니다.

■세계 소장가들로부터 화제의 기념품입니다.

- 상품번호 : 01
- 상 품 명 : 유엔 동시가입기념 순금메달
(일인 예약수

■순금·순은 공식메

구분 \ 종류	순
함 량	24K
중 량	80
규 격	ϕ3
수 량	5

순금메달–1S
순은메달–1S

1. 특별소비세, 교육세
2. 제작 및 공과잡비
3. 판매미익금 중 일부는

■진품확인서와 보

자문▶:대한민국 외무부 수납:한국외환은행 문의처:(주)일

남북한 U.N.동시가입기념 메달 1991SET 한정 발행

순금·순은메달 한정품

남북한 UN 동시가입을 기념, 축하하기 위해 역사적인 장을 기록, 집대성하여 순금과 순은 메달을 대한민국 외무부의 자문으로 전세계 1991세트 한정발행하게 되었습니다.
〈순금·순은 공식메달〉은 나아가 한반도 평화통일의 날에는 그 모체가 되어 U.N.과 한반도 최고의 진귀한 평화통일 예술품으로 그 희소가치와 소장가치는 더욱 증폭될 것입니다.

**■U.N.역사상 최고의 진귀한 예술품 탄생!
—한정품 순금·순은 공식메달의 주제는**

- 제1호–United Nations : 〈유엔본부〉
- 제2호–Harmony : 〈화합〉
- 제3호–Peace : 한반도의 〈평화〉
- 제4호–Reunification : 평화 〈통일〉
- 제5호–Prosperity : 한민족의 〈번영〉

남북한 U.N.동시가입으로 진행되는 시대적 상황을 그려 한반도 통일과 번영을 앞당기는 민족적인 염원에서 탄생되었습니다.

■1991 Set 한정의 진품확인서와 고유 번호가 새겨진 보증서 첨부

남북한 U.N.동시가입을 기념하기 위한 〈순금·순은메달〉은 희소가치 높은 한정품으로 매 세트마다 고유 인련번호가 기념품의 Main Plate에 조각으로 새겨지며, 아울러 진품확인서와 보증서가 첨부되어 보존의 가치를 높여줍니다.

■뉴욕의 U.N.본부 박물관에 1991세트중 No.1은 영구히 소장되어 역사적인 유물로 세계사에 남게 될 예정입니다.

**■최고의 품질을 사용한 V.I.P.선물 예술품!
—순금(99.9%)·순은(99.9%)**

역사적 유물로서 보존의 가치를 높이기 위해 영원불변하는 순금(99.9%)과 순은(99.9%)으로 제작하였으며, 조각은 당대 최고 기술진에 의해 미적인 우수성을 살려 정밀하게 조각하였고, 200톤의 프레스 가공을 통한 프루프 공법으로 정교히 주조되어진 진귀한 역사적 예술품입니다.
특히 액자는 30여 공정을 거쳐서 알미사카 원목을 가공, 조각한 후에 금분과 은분으로 고풍스럽게 특수 제작하였습니다.
순금·순은 메달을 보존하는 아크릴은 최상의 투명도를 자랑하며, 아아치형의 받침은 정선된 알루미늄을 조각하여 Gold와 Silver 받침으로 고운 우단과 조화를 이루어 어떠한 곳에서도 최고조의 분위기를 연출합니다.

■세계 소장가들로부터 화제의 기념품입니다.

- 상품번호 : 01
- 상 품 명 : 유엔 동시가입기념 순금메달

- 상품번호 : 02
- 상 품 명 : 유엔 동시가입기념 순은메달

(일인 예약수량은 제한이 없습니다)

■순금·순은 공식메달 한정품의 사양 및 규격

(한세트 기준)

구분 \ 종류	순 금	순 은
함 량	24K–99.9%	99.9%
중 량	80g(±1g)	150g(±0.25g)
규 격	ϕ32(mm)	ϕ40(mm)
수 량	5종	5종

순금메달–1SET 가격 ₩2,200,000
순은메달–1SET 가격 ₩660,000

1. 특별소비세, 교육세, 부가가치세 포함.
2. 제작 및 공과잡비 포함 가격임.
3. 판매이익금 중 일부는 「통일기금 조성 위원회」의 기금으로 예치됩니다.

■진품확인서와 보증서 첨부

0067

선착순예약 ★ 전세계 1991세트 한정발행 ★ U·N

자문▶:대한민국 외무부　수납:한국외환은행　문의처:(주)일진 익스프레스(02)299-2011~6

후원▶통일기금 조성 위원회

■신청기간 : 1991. 9. 24~10. 2

■신청방법 : 1) 한국외환은행 전국지점 (신규상담창구)
온행에 비치되어 있는 신청서를 작성, 신청금액을 현금 또는 외환 VISA카드로 납부하시면 교환증을 드립니다.
2)외환은행이 가까운 거리에 없을 때에는
구입문의처로 문의하시면 가까운 은행을 안내하여 드립니다.
3)통신판매(전화·우편·FAX)
외환 VISA카드와 제휴카드 회원께만 해당되며, 아래의 「외환 비자카드 회원용 통신판매 구입신청서」를 작성하시어 (주)일진 익스프레스로 송부하여 주십시오.
(＊위의 3가지중 한가지 방법으로만 신청하여 주십시오.)

외환 VISA카드(제휴카드) 회원용 통신판매 구입신청서

상품번호	상 품 명	단 가	수 량	금 액
01	유엔동시가입기념 순금메달	₩2,200,000		
02	유엔동시가입기념 순은메달	₩ 660,000		
03	유엔메달 비둘기 목걸이	₩ 275,000		
04	유엔메달 무궁화 목걸이	₩ 180,000		
05	유엔메달 무궁화반지 (남)	₩ 275,000		
06	유엔메달 무궁화반지 (여)	₩ 231,000		
07	유엔메달 무궁화시계 (여)	₩ 220,000		
08	유엔메달 무궁화시계 (남)	₩ 220,000		
반지를 구입하시는분은 호수를 기재바랍니다. (　)호			합 계	

카 드 번 호			
회 원 성 명	(주문일)　월　일		
카드유효기한	년　월		
전 화 번 호	자택 :	직장 :	
배달처 주 소	□□□-□□□		
배달처 성 명			
배달처 전 화			
결 제 방 법	□현금	□일시불	□할부(　개월)
서 명 (Signature)	0068 (카드서명과 동일하게)		

■교부기간 : 1991. 10. 28~19 10. 31

■현품 교환장소 및 방법
1)외환은행 각 지점에서 신청하신 (현금 및 신용카드로) 고객은 신청지점으로 교환증을 갖고 오시면 현품 일체를 받으실 수 있습니다.
2)(주)일진 익스프레스 신청고객 : (타 은행으로 입금하신 고객과 통신판매 신청 고객은 신청하신 주소로 개별통지 합니다.)

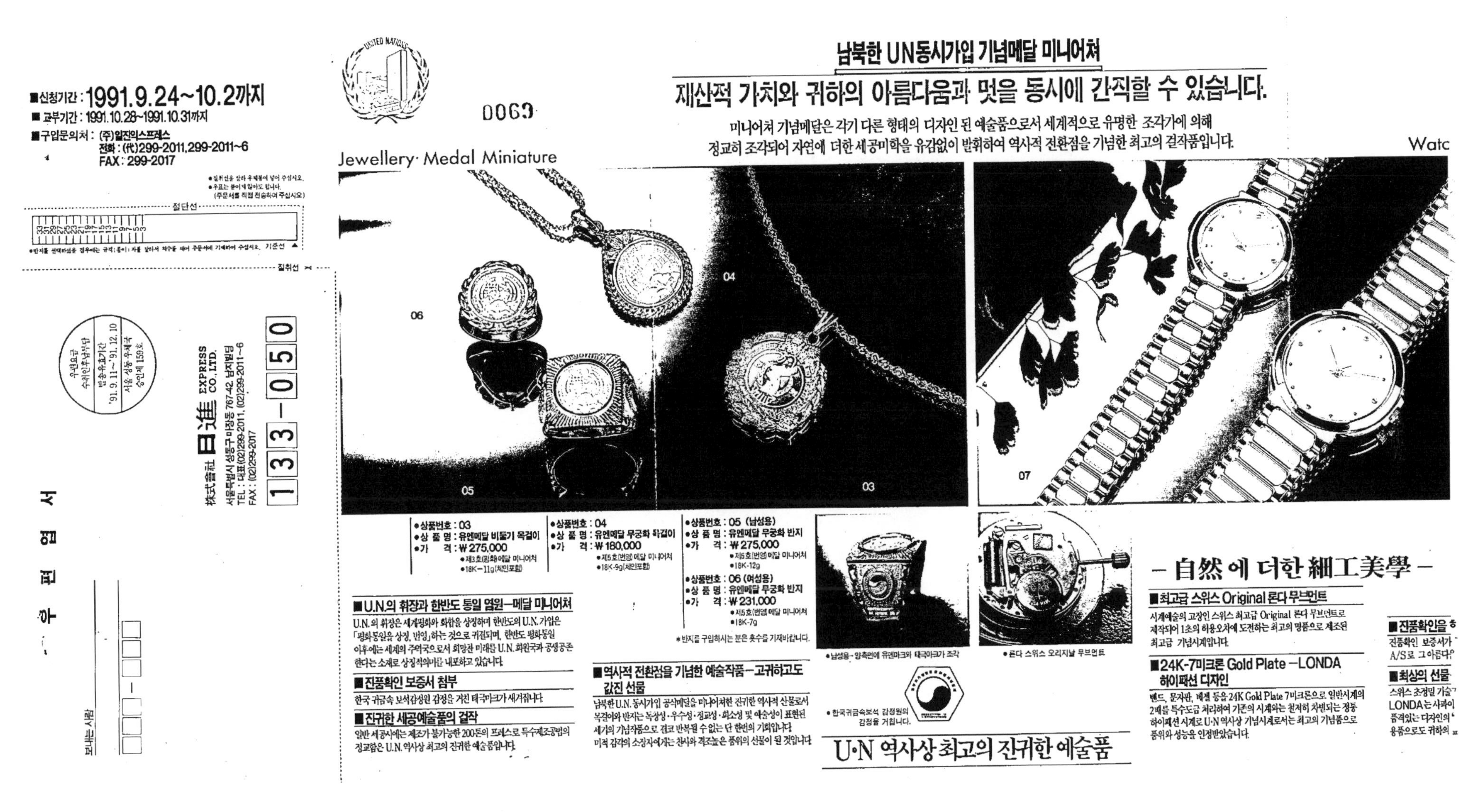

■신청기간 : 1991.9.24~10.2까지
■ 교부기간 : 1991.10.28~1991.10.31까지
■구입문의처 : (주)일진익스프레스
전화 : (代)299-2011,299-2011~6
FAX : 299-2017
●절취선을 잘라 우체통에 넣어 주십시오.
●우표는 붙이지 않아도 됩니다.
(주문서를 직접 전송하여 주십시오)
절단선
●반지를 선택하셨을 경우에는 규격(종이)자를 잘라서 치수를 재어 주문서에 기재하여 주십시오. 기준선
절취선
우편요금 수취인후납부담
발송유효기간 '91. 9. 11~'91. 12. 10
서울 성동 우체국 승인제 159호
株式會社 日進 EXPRESS CO., LTD.
서울특별시 성동구 마장동 767-42 남지빌딩
TEL : 대표(02)299-2011, (02)299-2011~6
FAX : (02)299-2017
133-050
보내는 사람
0063
Jewellery· Medal Miniature
남북한 UN동시가입 기념메달 미니어쳐
재산적 가치와 귀하의 아름다움과 멋을 동시에 간직할 수 있습니다.
미니어쳐 기념메달은 각기 다른 형태의 디자인 된 예술품으로서 세계적으로 유명한 조각가에 의해
정교히 조각되어 자연에 더한 세공미학을 유감없이 발휘하여 역사적 전환점을 기념한 최고의 걸작품입니다.
Watc
06
05
04
03
07
●상품번호 : 03
●상 품 명 : 유엔메달 비둘기 목걸이
●가 격 : ₩275,000
●제3호(평화)메달 미니어쳐
●18K－11g(체인포함)
●상품번호 : 04
●상 품 명 : 유엔메달 무궁화 목걸이
●가 격 : ₩180,000
●제5호(번영)메달 미니어쳐
●18K-9g(체인포함)
●상품번호 : 05 (남성용)
●상 품 명 : 유엔메달 무궁화 반지
●가 격 : ₩275,000
●제5호(번영)메달 미니어쳐
●18K-12g
●상품번호 : 06 (여성용)
●상 품 명 : 유엔메달 무궁화 반지
●가 격 : ₩231,000
●제5호(번영)메달 미니어쳐
●18K-7g
＊반지를 구입하시는 분은 호수를 기재바랍니다.
■U.N.의 휘장과 한반도 통일 염원－메달 미니어쳐
U.N.의 휘장은 세계평화와 화합을 상징하며 한반도의 U.N.가입은 「평화통일을 상징, 번영」하는 것으로 귀결되며, 한반도 평화통일 이후에는 세계의 주역국으로서 희망찬 미래를 U.N.회원국과 공생공존한다는 소재로 상징적의미를 내포하고 있습니다.
■진품확인 보증서 첨부
한국 귀금속 보석감정원 감정을 거친 태극마크가 새겨집니다.
■진귀한 세공예술품의 걸작
일반 세공시에는 제조가 불가능한 200톤의 프레스로 특수제조공법의 정교함은 U.N.역사상 최고의 진귀한 예술품입니다.
■역사적 전환점을 기념한 예술작품－고귀하고도 값진 선물
남북한 U.N.동시가입 공식메달을 미니어처한 진귀한 역사적 산물로서 목걸이와 반지는 독창성·우수성·정교성·희소성 및 예술성이 표현된 세기의 기념작품으로 결코 반복될 수 없는 단 한번의 기회입니다.
미적 감각의 소장자에게는 친서와 격조높은 품위의 선물이 될 것입니다.
●남성용－양측면에 유엔마크와 태극마크가 조각
●론다 스위스 오리지날 무브먼트
●한국귀금속보석 감정원의 감정을 거칩니다.
U·N 역사상 최고의 진귀한 예술품
－自然에 더한 細工美學－
■최고급 스위스 Original 론다 무브먼트
시계예술의 고장인 스위스 최고급 Original 론다 무브먼트로 제작되어 1초의 허용오차에 도전하는 최고의 명품으로 제조된 최고급 기념시계입니다.
■24K-7미크론 Gold Plate －LONDA 하이패션 디자인
밴드, 문자판, 베젤 등을 24K Gold Plate 7미크론으로 일반시계의 2배를 특수도금 처리하여 기존의 시계와는 철저히 차별되는 정통 하이패션 시계로 U·N 역사상 기념시계로서는 최고의 기념품으로 품위와 성능을 인정받았습니다.
■진품확인을
진품확인 보증서가
A/S로 그 아름다
■최상의 선물
스위스 초정밀 기술
LONDA는 사파이
품격있는 디자인의
용품으로도 귀하의

~10.2까지
.31까지

11,299-2011~6

● 절취선을 잘라 우체통에 넣어 주십시오.
● 우표는 붙이지 않아도 됩니다.
(주문서를 직접 전송하여 주십시오)

절단선

절취선

株式會社 日進 EXPRESS CO., LTD.
서울특별시 성동구 마장동 767-42 남지빌딩
TEL : 대표(02)299-2011, (02)299-2011~6
FAX : (02)299-2017

1 3 3 - 0 5 0

남북한 UN동시가입 기념메달 미니어쳐

재산적 가치와 귀하의 아름다움과 멋을 동시에 간직할 수 있습니다.

미니어처 기념메달은 각기 다른 형태의 디자인 된 예술품으로서 세계적으로 유명한 조각가에 의해
정교히 조각되어 자연에 더한 세공미학을 유감없이 발휘하여 역사적 전환점을 기념한 최고의 걸작품입니다.

0063

Jewellery· Medal Miniature

Watch· Medal Miniature

06 05 04 03

● 상품번호 : 03
● 상 품 명 : 유엔메달 비둘기 목걸이
● 가 격 : ₩275,000
● 제3호(평화)메달 미니어처
● 18K-11g(체인포함)

● 상품번호 : 04
● 상 품 명 : 유엔메달 무궁화 목걸이
● 가 격 : ₩180,000
● 제5호(번영)메달 미니어처
● 18K-9g(체인포함)

● 상품번호 : 05 (남성용)
● 상 품 명 : 유엔메달 무궁화 반지
● 가 격 : ₩275,000
● 제5호(번영)메달 미니어처
● 18K-12g

● 상품번호 : 06 (여성용)
● 상 품 명 : 유엔메달 무궁화 반지
● 가 격 : ₩231,000
● 제5호(번영)메달 미니어처
● 18K-7g

＊반지를 구입하시는 분은 호수를 기재바랍니다.

● 남성용 - 양측면에 유엔마크와 태극마크가 조각

● 론다 스위스 오리지날 무브먼트

● 한국귀금속보석 감정원의 감정을 거칩니다.

● 상품번호 : 07,08
● 상 품 명 : 유엔메달 무궁화 금장시계
● 가 격 : ₩220,000(남녀 동일)
● 스위스 오리지날 론다 무브먼트
● 24K 7미크론 금장
● 제5호(번영)메달 미니어처
● 3기압 방수·방충

■U.N.의 휘장과 한반도 통일 염원—메달 미니어처

U.N.의 휘장은 세계평화와 화합을 상징하며 한반도의 U.N. 가입은 「평화통일을 상징, 번영」하는 것으로 귀결되며, 한반도 평화통일 이후에는 세계의 주역국으로서 희망찬 미래를 U.N. 회원국과 공생공존 한다는 소재로 상징적의미를 내포하고 있습니다.

■진품확인 보증서 첨부

한국 귀금속 보석감정원 감정을 거친 태극마크가 새겨집니다.

■진귀한 세공예술품의 걸작

일반 세공사에는 제조가 불가능한 200톤의 프레스로 특수제조공법의 정교함은 U.N. 역사상 최고의 진귀한 예술품입니다.

■역사적 전환점을 기념한 예술작품—고귀하고도 값진 선물

남북한 U.N. 동시가입 공식메달을 미니어처한 진귀한 역사적 산물로서 목걸이와 반지는 독창성·우수성·정교성·희소성 및 예술성이 표현된 세기의 기념작품으로 결코 반복될 수 없는 단 한번의 기회입니다. 미적 감각의 소장자에게는 찬사와 격조높은 품위의 선물이 될 것입니다.

U·N 역사상 최고의 진귀한 예술품

－自然에 더한 細工美學－

■최고급 스위스 Original 론다 무브먼트

시계예술의 고장인 스위스 최고급 Original 론다 무브먼트로 제작되어 1초의 허용오차에 도전하는 최고의 명품으로 제조된 최고급 기념시계입니다.

■24K-7미크론 Gold Plate —LONDA 하이패션 디자인

밴드, 문자판, 베젤 등을 24K Gold Plate 7미크론으로 일반시계의 2배를 특수도금 처리하여 기존의 시계와는 철저히 차별되는 정통 하이패션 시계로 U·N 역사상 기념시계로서는 최고의 기념품으로 품위와 성능을 인정받았습니다.

■진품확인을 한 감정서와 보증서 첨부

진품확인 보증서가 첨부되어 구입하신 시계에 대해 평생 철저한 A/S로 그 아름다움을 보존하실 수 있습니다.

■최상의 선물— UN동시가입 기념메달 축소 식입

스위스 초정밀 기술과 이태리의 감각적인 디자인 결합으로 탄생시킨 LONDA는 사파이어 글래스의 영롱한 광채와 경사진 베젤, 품격있는 디자인의 'U·N·가입과 통일 염원 시계'로 최고급 선물 용품으로도 귀하의 높은 안목을 전달할 것입니다.

47327

분류기호 문서번호	연일 2031 -	기 안 용 지 (전화 :)	시 행 상 특별취급	
보존기간	영구 · 준영구. 10. 5. 3. 1	장 관		
수 신 처 보존기간				
시행일자	1991.9.30.			

보조기관			협조기관		문서통제
	국 장	전결			1991.10.01 통제관
	심의관				
	과 장				
기안책임자		이수택			발 송 인

경 유 수 신 참 조	내무부장관, 법무부장관	발신명의		발송 1991.10.01 외무부
제 목	유엔가입 기념메달			

1. (주) 일진 익스프레스사(소재지 : 서울 성동구 마장동 767-42 남기빌딩내, 전화번호 : 299-2011)는 동사가 제작, 판매하고 있는 유엔가입 기념메달이 마치 당부와 관계가 있는듯이 신문에 게재한 메달판매광고(9.25자 및 9.30자) 및 일반판매안내 팜플렛에 "자문 대한민국 외무부" 라는 문안을 임의로 삽입함으로서 일반 국민들의 오해를 낳고 있습니다.

0071 /계속/

(2)

2. 상기관련, 당부는 9.25(수) (주) 일진측에 동문안 사용을 중지토록 강력 촉구, 동사로부터 여사한 사례가 없을 것이라는 구두약속을 받았으나, 동사는 9.30(월)자 재차 동일한 문구를 포함한 광고를 일간신문(조선일보 1면)에 게재하였습니다.

3. 이에따라 당부는 9.30. (주) 일진측에 그와같은 행위는 묵과할 수 없음을 엄중 경고하고, 관계부처로 하여금 법적조치를 취할 것임을 통보한 바, 동사가 더이상 여사한 광고를 못하도록 귀부의 협조를 요청하니 가능한한 조치를 취하여 주시고, 그 결과를 알려주시기 바랍니다.

첨부 : 1. 동 광고문안(9.25자 및 9.30자) 각 1매.

2. 일진-외무부간 협의경위 및 내용. 끝.

0072

(주) 일진 - 외무부간 협의경위 및 내용

o (주)일진 익스프레스가 8.8자 공문을 통하여 유엔동시가입 기념메달의 제조승인을 요청하고 동 기념메달의 발행을 축하하는 외무장관명의의 서명을 당부에 요청한데 대해, 외무부는 관계부처와의 협의를 거쳐 8.16자 공문으로 하기와 같은 당부의 입장을 밝힌 바 있음.

- 기념메달의 제작.판매는 정부의 승인사항이 아니며 민간기업이 자체판단에 따라 제작.판매가 가능함.
- 따라서 정부는 (주)일진 익스프레스를 남북한 유엔가입 기념메달 공식 제작업체로 지정할 수 없으며, 타사도 자체판단에 따라 유사한 사업을 추진할 수 있음.
- 기념메달 Set가 상업적 목적으로 제작.판매되고 또한 사업추진에 관하여 정부가 공식승인을 할 수 없음을 감안, 외무장관의 서명은 불가함.
- 신문, TV, 기타 대중언론 매체를 통한 기념메달 판매 광고시 일반에게 오해를 유발할 수 있는 문안 사용은 불가함.
- 당부는 유엔에 관한 전반적 내용 또는 기념메달에 삽입되는 문구(국.영문), 디자인 관련사항에 대한 귀사의 문의시 가능한 범위내에서 자문을 제공할 예정임.

o 상기 외무부의 입장을 (주)일진측에 분명히 알렸음에도 불구, 일진측이 외무부와 일체 사전협의없이 "자문 대한민국 외무부"라는 문구를 9.25자 및 9.30자 일간신문 광고에 일방적으로 게재함으로써, 마치 동 기념메달 제작.판매에 외무부가 관계되어 있는 듯한 인상을 주고 있음.

0073

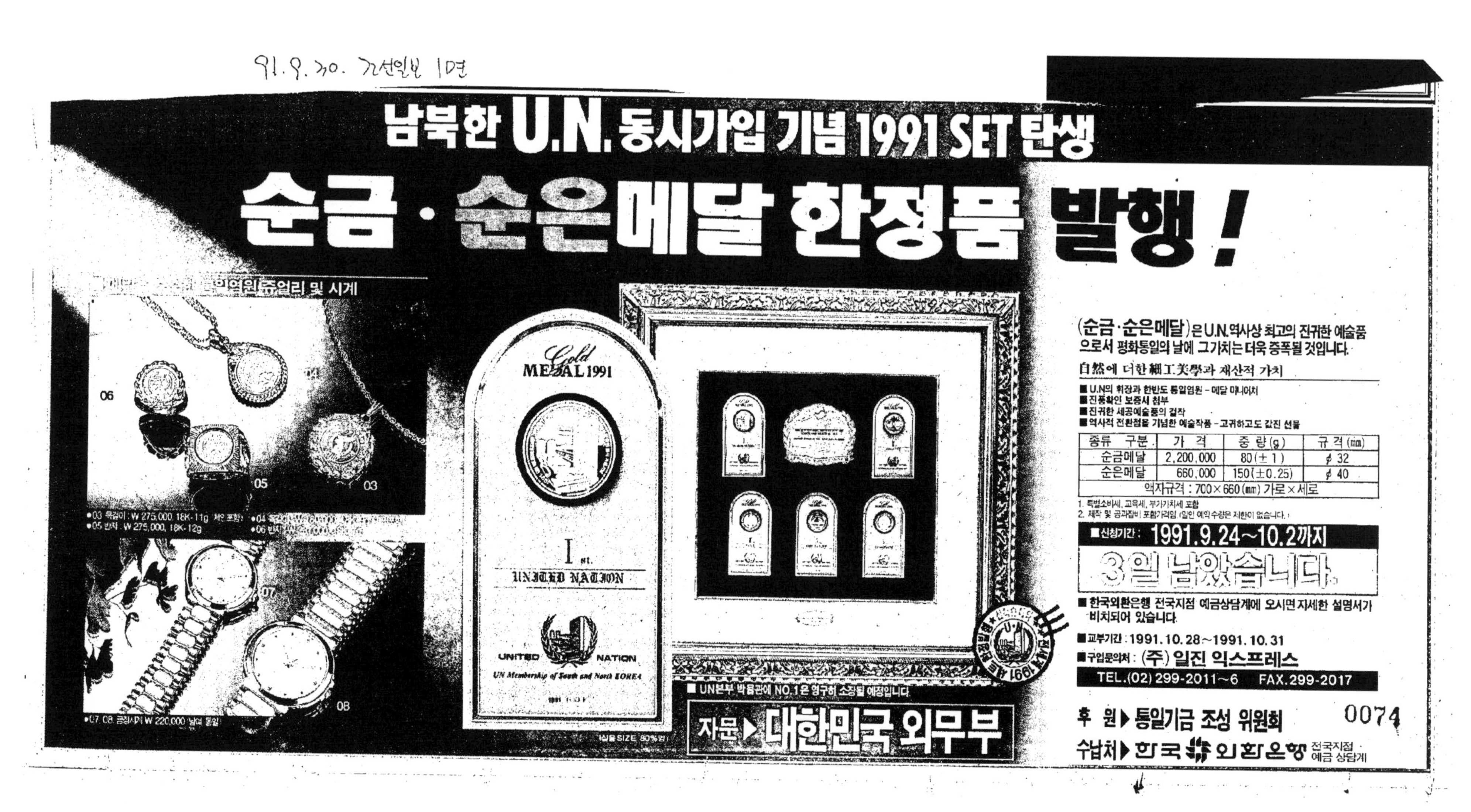

91.9.30. 조선일보 1면
남북한 U.N. 동시가입 기념 1991 SET 탄생
순금·순은메달 한정품 발행!
쥬얼리 및 시계
•03 목걸이 : W 275,000, 18K-11g
•05 반지 : W 275,000, 18K-12g
•07, 08 금장시계 W 220,000 남여 동일
Gold MEDAL 1991
1st. UNITED NATION
UNITED NATION
UN Membership of South and North KOREA
실물 SIZE 80%임
■ UN본부 박물관에 NO.1은 영구히 소장될 예정입니다
자문▶ 대한민국 외무부
(순금·순은메달)은 U.N.역사상 최고의 진귀한 예술품으로서 평화통일의 날에 그 가치는 더욱 증폭될 것입니다.
自然에 더한 細工美學과 재산적 가치
■ U.N의 휘장과 한반도 통일염원 - 메달 미니어처
■ 진품확인 보증서 첨부
■ 진귀한 세공예술품의 걸작
■ 역사적 전환점을 기념한 예술작품 - 고귀하고도 값진 선물
종류 구분 | 가격 | 중량(g) | 규격(㎜)
순금메달 | 2,200,000 | 80(±1) | φ 32
순은메달 | 660,000 | 150(±0.25) | φ 40
액자규격 : 700×660(㎜) 가로×세로
1. 특별소비세, 교육세, 부가가치세 포함
2. 제작 및 공과잡비 포함가격임 (일인 예약 수량은 제한이 없습니다.)
■ 신청기간 : 1991.9.24~10.2까지
3일 남았습니다.
■ 한국외환은행 전국지점 예금상담계에 오시면 자세한 설명서가 비치되어 있습니다.
■ 교부기간 : 1991.10.28~1991.10.31
■ 구입문의처 : (주) 일진 익스프레스
TEL.(02) 299-2011~6 FAX.299-2017
후 원▶ 통일기금 조성 위원회
수납처▶ 한국외환은행 전국지점 예금 상담계
0074

47328

기 안 용 지

분류기호 문서번호	연일 2031 -	(전화 :)	시 행 상 특별취급	
보존기간	영구 · 준영구. 10. 5. 3. 1	장 관		
수 신 처 보존기간				
시행일자	1991.9.30.			

보조기관		협조기관		문서통제
국 장	전결			1991.10.01 통제관
심의관				
과 장				
기안책임자	이수택			발송인

경 유 수 신 참 조	(주) 일진 익스프레스사 대표	발신명의		발송 1991.10.01 외무부
제 목	유엔가입 기념메달			

1. 귀사는 귀사가 제작, 판매하고 있는 유엔가입 기념메달 관련 일간신문 판매광고(9.25자 및 9.30자) 및 일반판매안내 팜플렛에 "자문 대한민국 외무부"라는 문안을 임의로 삽입, 사용함으로서 물의를 빚고 있습니다.

2. 상기관련, 당부는 9.25(수) 귀측에 동문안 사용 중지를 촉구, 귀사로부터 더이상 여사한 사례가 없을 것이라는 구두약속을 받은 바 있으나, 귀사는 9.30(월)자 일간신문

0075

/계속/

(2)

(조선일보 1면)에 재차 동일한 문구를 포함한 광고를 게재 하였습니다.

3. 당부는 이와같은 귀사의 행위와 관련, 앞으로 귀사에 법적책임을 추궁할 가능성이 있음을 경고하면서, 유사행위의 즉각적인 중지(문제문안 인쇄 팜플렛 배포중지 포함)를 강력 촉구하는 바입니다. 끝.

0076

보 도 자 료
외 무 부

제91-240호 문의전화 : 720-2408-10 보도일시 : 1991. 9. 30.

제 목 : 남북한 유엔동시가입 기념메달 발매에 관한 외무부 입장

o (주)일진 익스프레스가 남북한의 유엔동시가입을 기념하는 메달을 제작. 판매하는 과정에서 동 기념메달 제작.판매에 외무부가 관여된 듯한 인상을 주는 광고문안을 게재함으로써 국민들의 불필요한 오해를 유발할 우려가 있으므로 이를 바로잡고자 함.

o 외무부는 (주)일진 익스프레스가 8.8자 공문을 통하여 유엔동시가입 기념메달의 제조승인을 요청하고 동 기념메달의 발행을 축하하는 외무장관명의의 서명을 요청한데 대해, 관계부처와의 협의를 거쳐 8.16자 공문으로 하기와 같은 외무부의 입장을 밝힌 바 있음.

- 기념메달의 제작.판매는 정부의 승인사항이 아니며 민간기업이 자체판단에 따라 제작.판매가 가능함.
- 따라서 정부는 (주)일진 익스프레스를 남북한 유엔가입 기념메달 공식 제작업체로 지정할 수 없으며, 타사도 자체판단에 따라 유사한 사업을 추진할 수 있음.
- 기념메달 Set가 상업적 목적으로 제작.판매되고 또한 사업추진에 관하여 정부가 공식승인을 할 수 없음을 감안, 외무장관의 서명은 불가함.
- 신문, TV, 기타 대중언론 매체를 통한 기념메달 판매 광고시 일반에게 오해를 유발할 수 있는 문안 사용은 불가함.
- 당부는 유엔에 관한 전반적 내용 또는 기념메달에 삽입되는 문구(국.영문), 디자인 관련사항에 대한 귀사의 문의시 가능한 범위내에서 자문을 제공할 예정임.

공고	국제연합과	91년 9월 30일	담당	과장	국장	차관보	차관	장관
			[signature]	[signature]	[signature]	[signature]	[signature]	

0077

o 상기 외무부의 입장을 (주)일진측에 분명히 알렸음에도 불구, 일진측이 외무부와 일체 사전협의없이 "자문 대한민국 외무부"라는 문구를 신문광고에 일방적으로 게재함으로써, 마치 동 기념메달 제작.판매에 외무부가 관계되어 있는듯한 인상을 주고 있는것은 매우 유감스러운일임.

o 특히 당부가 9.25(수) 기념메달 판매에 관한 일간신문에 게재된 광고를 접하고, 즉시 (주)일진측에 "자문 대한민국 외무부" 문구를 사용치 말것을 강력히 촉구한바 있고, 이에 대해 일진측이 동 문구의 광고게재를 더이상 하지 않겠다고 약속하였음에도 불구, 9.30(월)자 일간신문에 아무런 시정조치없이 다시 유사한 광고문을 게재한 것은 묵과할 수 없는 일임.

o 이에 따라 당부는 본보도자료를 통하여 그간의 경위를 분명히 밝히고 이문제에 관하여 국민들이 혹시 가지고 있을지 모르는 의문과 오해를 풀고자 하는 바임. 끝.

0078

보 도 자 료

외 무 부

제 91-240 호 문의전화 : 720－2408～10 보도일시 : 1991. 9 . 30. 14 : 00 시

제 목 : 남북한 유엔동시가입 기념메달 발매에 관한 외무부 입장

ㅇ (주)일진 익스프레스가 남북한의 유엔동시가입을 기념하는 메달을 제작. 판매하는 과정에서 동 기념메달 제작.판매에 외무부가 관여된 듯한 인상을 주는 광고문안을 게재함으로써 국민들의 불필요한 오해를 유발할 우려가 있으므로 이를 바로잡고자 함.

ㅇ 외무부는 (주)일진 익스프레스가 8.8자 공문을 통하여 유엔동시가입 기념메달의 제조승인을 요청하고 동 기념메달의 발행을 축하하는 외무장관명의의 서명을 요청한데 대해 관계부처와의 협의를 거쳐 8.16자 공문으로 하기와 같은 외무부의 입장을 밝힌 바 있음.

- 기념메달의 제작.판매는 정부의 승인사항이 아니며 민간기업이 자체판단에 따라 제작.판매가 가능함.
- 따라서 정부는 (주)일진 익스프레스를 남북한 유엔가입 기념메달 공식 제작업체로 지정할 수 없으며, 타사도 자체판단에 따라 유사한 사업을 추진할 수 있음.
- 기념메달 Set가 상업적 목적으로 제작.판매되고 또한 사업추진에 관하여 정부가 공식승인을 할 수 없음을 감안, 외무장관의 서명은 불가함.
- 신문, TV, 기타 대중언론 매체를 통한 기념메달 판매 광고시 일반에게 오해를 유발할 수 있는 문안 사용은 불가함.
- 당부는 유엔에 관한 전반적 내용 또는 기념메달에 삽입되는 문구(국.영문), 디자인 관련사항에 대한 귀사의 문의시 가능한 범위내에서 자문을 제공할 예정임.

0073

o 상기 외무부의 입장을 (주)일진측에 분명히 알렸음에도 불구, 일진측이 외무부와 일체 사전협의없이 "자문 대한민국 외무부"라는 문구를 신문광고에 일방적으로 게재함으로써, 마치 동 기념메달 제작.판매에 외무부가 관계되어 있는듯한 인상을 주고 있는것은 매우 유감스러운일임.

o 특히 당부가 9.25(수) 기념메달 판매에 관한 일간신문에 게재된 광고를 접하고, 즉시 (주)일진측에 "자문 대한민국 외무부" 문구를 사용치 말것을 강력히 촉구한 바 있고, 이에 대해 일진측이 동 문구의 광고게재를 더이상 하지 않겠다고 약속하였음에도 불구, 9.30(월)자 일간신문에 아무런 시정조치 없이 다시 유사한 광고문을 게재한 것은 묵과할 수 없는 일이라고 엄중 경고하고 관계부처와 협의하여 강력히 제재하기로 함. 끝.

0080

유엔가입 기념메달
정부, 광고제재조치

외무부는 30일 (주)일진의스프레스가 남북한유엔동시가입 기념메달 상품광고문안에 「자문 대한민국 외무부」라는 문구를 사용한데 대해 관계부처와의 협의를 통해 이를 제재하기로 했다.

외무부측은 「(주) 일진측에 외무부가 기념메달제작에 관여한듯한 인상을 주는 광고문구를 사용하지말것을 촉구한바 있는데도 이를 지키지 않는것은 묵과할수 없다고 주장했다.

한국일보 10.1 (2면)

南北유엔가입記念 메달제작업체制裁

외무부는 (주)일진익스프레스가 南北韓유엔동시가입 기념메달을 제작, 판매하는 과정에서 사전 협의없이 「자문 대한민국외무부」라는 문구를 사용해 일부 일간지에 광고를 게재했다며 관계부처와 협의, 강력한 법적 제재를 가할 방침이라고 30일 밝혔다.

내외경제 10.1 (13면)

0081

50765

기 안 용 지

분류기호 문서번호	연일 2031 -	(전화:)	시 행 상 특별취급	
보존기간	영구·준영구. 10. 5. 3. 1	장 관		
수 신 처 보존기간				
시행일자	1991. 10. 14.			

보조기관	국 장	전 결	협조기관		문서통제
	심의관				검열 1991. 10. 15
	과 장				
기안책임자		송영완			발 송 인

경 유 수 신 참 조	내무부장관, 법무부장관	발신명의		
제 목	유엔가입 기념메달			

1. 연일 2031-47327(91.9.30) 관련입니다.

2. (주) 일진익스프레스가 제작·판매하고 있는 유엔가입 기념메달의 판매광고에 "자문 대한민국 외무부" 라는 문안 삽입과 관련, 우리부는 9.30. (주) 일진측에 그와 같은 광고행위는 묵과할 수 없으며, 귀부등 관계부처로 하여금 법적조치를 취할 것임을 엄중 경고한 바 있습니다.

/ 계속 /

0082

(2)

3. 상기 경고조치 및 귀부의 협조로 (주) 일진은 별첨 공문을 통하여 경고조치를 받은 91.9.30.이후 동사의 유엔가입 기념메달 판매광고에 "자문 대한민국 외무부" 문구등 일반의 오해를 유발할 수 있는 일체의 문구를 삭제하였고 차후 여사한 사례가 재발하는 일이 없을 것임을 약속하였습니다.

4. (주) 일진이 우리부의 검토의견서상의 판매광고에 대한 지침을 준수치 않았으나 우리의 경고에 따라 필요한 시정조치를 취하였고, 또한 차후 여사한 사례가 재발치 않도록 하겠다고 약속해 왔고, 특히 우리부로서 (주) 일진의 유엔가입 기념메달 사업이 우리나라 유엔가입의 역사적 의의를 기념하고 국내외 경축 분위기 고양을 위하여 도움이 될 것이라는 판단 아래 91.8.16. 동사의 기념메달사업 계획서에 대한 검토의견을 회보해 준바 있음을 감안하여 (주) 일진에 대한 본건이 처리되도록 적의 조치하여 주시기 바랍니다.

첨부 : (주)일진의 사과공문 1부. 끝.

0083

주식회사 일진 익스프레스

299-2011/6

1991. 10. 14.

일진 : 제 91-1014

수신 : 외무부 장관

참조 : 국제기구 조약국

발신 : (주) 일진 익스프레스 대표이사

제목 : `남북한 U.N. 동시가입 기념 순금.순은 메달 한정판' 제작판매 광고중지 요청에 따른 회신

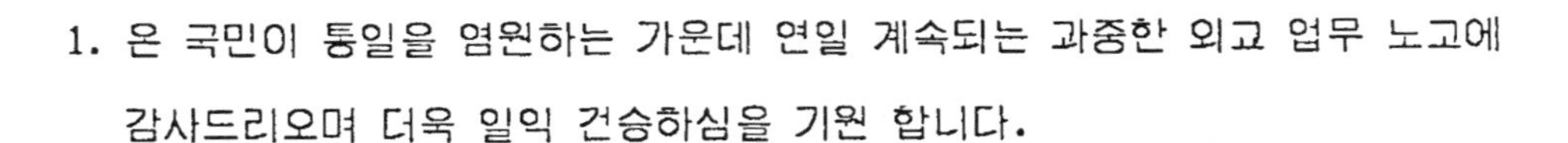

1. 온 국민이 통일을 염원하는 가운데 연일 계속되는 과중한 외교 업무 노고에 감사드리오며 더욱 일익 건승하심을 기원 합니다.

2. 금번 당사에서 제작판매한 `남북한 U.N. 동시가입 기념메달'은 남북한의 화해와 통일의 전기를 마련하는데 처음으로 가장 실효성이 큰 `남북한 U.N. 동시가입'에서 평화통일의 기본방안이 확립됨과 우리민족의 통일의지와 통일역량을 대내외 홍보하며 아울러 이러한 역사적 전환점을 중소업체인 당사에서 기획 역사적 기념품을 남기고 싶은 열의로 귀 부처에 의견서를 제출, 귀 부처에서 당사에 자문을 제공, 제작판매토록 협조하여 주신 노고에 진심으로 감사를 드립니다.

3. 당사에서 행사기간중 외무부 (연일 2031-47328 (91.9.30)) 공문 3항과 관련 자문 대한민국 외무부 광고에 대해 중지를 요청함에 따라 30일 이후 계획된 광고를 전면 즉각 중지토록 조치하였습니다.

0084

4. 차후 당사에서 남북한 U.N. 동시가입 기념 순금.순은메달과 관련 광고를 할지라도 자문 대한민국 외무부를 삭제할 것을 약속드리오며 본의아닌 심려를 끼쳐드려 송구스럽게 생각하오며 그간의 귀 부처의 협조에 진심으로 감사를 드립니다.

- 감 사 합 니 다 -

서울시 성동구 마장동 767-42 남지빌딩 2층
주 식 회 사 일 진 익 스 프 레 스
대 표 이 사 현 정 식

0085

주식회사 일진 익스프레스

299-2011/6

일진 : 제 91-1015 1991. 10. 15.

수신 : 외무부 장관

참조 : 국제기구 조약국

발신 : (주) 일진 익스프레스 대표이사

제목 : `남북한 U.N. 동시가입 기념 순금.순은 메달 한정판'

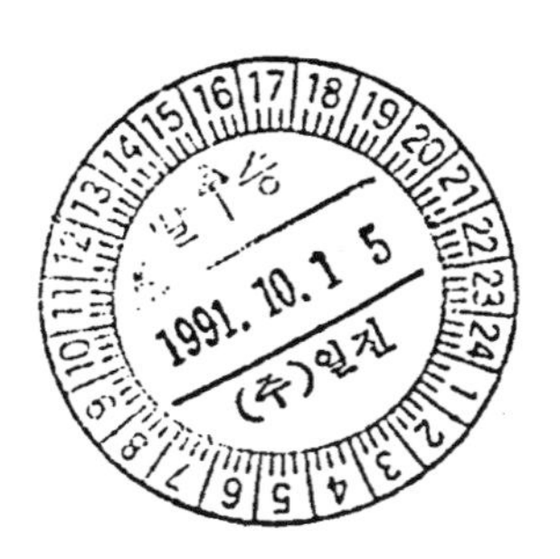

1. 온 국민이 통일을 염원하는 가운데 연일 계속되는 과중한 외교 업무 노고에 감사드리오며 더욱 일익 건승하심을 기원 합니다.

2. 금번 당사에서 제작판매한 `남북한 U.N. 동시가입 기념메달'은 남북한의 화해와 통일의 전기를 마련하는데 처음으로 가장 실효성이 큰 `남북한 U.N. 동시가입'에서 평화통일의 기본방안이 확립됨과 우리민족의 통일의지와 통일역량을 대내외 홍보하며 아울러 이러한 역사적 전환점을 중소업체인 당사에서 기획 역사적 기념품을 남기고 싶은 열의로 귀 부처에 의견서를 제출, 귀 부처에서 디자인 및 문구에 대해 당사에 자문을 제공 협조하여 주신 노고에 진심으로 감사를 드립니다.

3. 당사에서 행사기간중 외무부 (연일 2031-47328 (91.9.30)) 공문 3항과 관련 계획된 광고를 전면 즉각 중지토록 조치,실행 하였습니다.

0086

4. 차후 당사에서 남북한 U.N. 동시가입 기념 순금.순은메달과 관련 광고를 할지라도 자문 대한민국 외무부를 삭제토록 유념하여 실행하겠으며 본의아닌 심려를 끼쳐드려 송구스럽게 생각하오며 그간의 귀 부처의 협조에 진심으로 감사를 드립니다.

-감 사 합 니 다-

서울시 성동구 마장동 767-42 남지빌딩 2층

주 식 회 사 일 진 익 스 프 레 스

대 표 이 사 현 정 식

0087

1 ✓ 6

법 무 부

검이 23100- 15597 503-7053 1991. 11. 2.

수신 외무부장관

제목 유엔가입 기념메달관련 허위광고행위 처리결과 통보

1. 귀부 연일2031-47327(91.9.30) 및 연일2031-50765(91.10.15)와 관련입니다.

2. 귀부의 요청에 따라 유엔가입기념메달 제작판매관련 허위광고행위를 내사한 결과, 피내사자 (주)일진익스프레스사 (대표이사 현정식)에 대하여 독점규제 및 공정거래에 관한 법률위반죄의 혐의는 인정되나, 서울지방검찰청 동부지청에서 조사받은 이후 광고를 중지하고 귀부에 사과공문을 보낸점, 귀부에서도 피내사자의 처벌을 적극적으로 바라지 않은점, 소추요건인 공정거래위원회로부터 고발이 없는 점등을 종합하면 입건할 필요가 없으므로 불입건하고 91.10.28.내사종결하였음을 통보합니다. 끝.

법 무 부 장 관

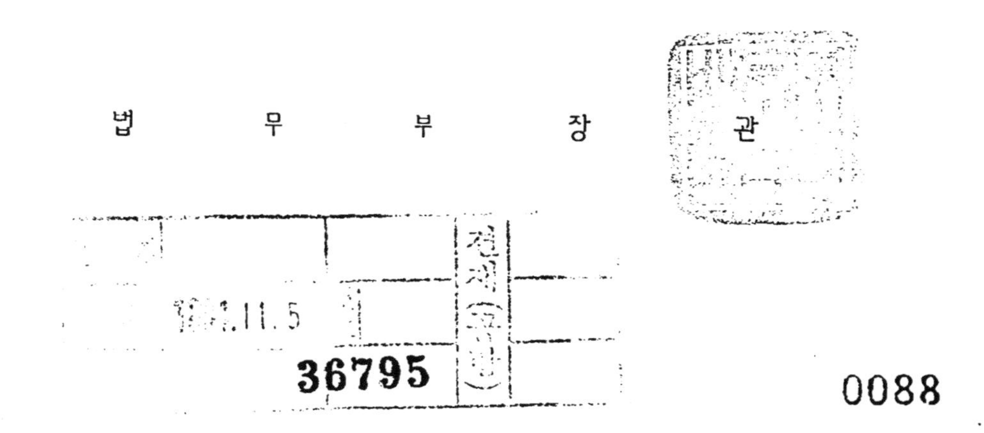

0088

株式會社 日進 EXPRESS CO., LTD.

課長 柳虎震

0083

서울특별시 성동구 마장동 767-42호 남지빌딩
TEL : 대표 (02)299-2011, (02)299-2011~6
FAX : (02)299-2017

CHASTETE
IL JEAN
EXPRESS CO., LTD.
Fashion Communication
Assistant Manager
YOU, HO-JIN
0090
NAM JEE BLD, # 767-42, MAJANG-DONG
SUNG DONG-KU, SEOUL, KOREA.
TEL:(02)299-2011~6. FAX:(02)299-2017

주식회사 일진 익스프레스
299-2011

일 진 : 제 91-1126 호 1991.11.26

수 신 : 외무부 국제기구 조약국

발 신 : (주) 일진 익스프레스

제 목 : "남북한 UN 가입 기념메달" 협조에 따른 견본품 기증

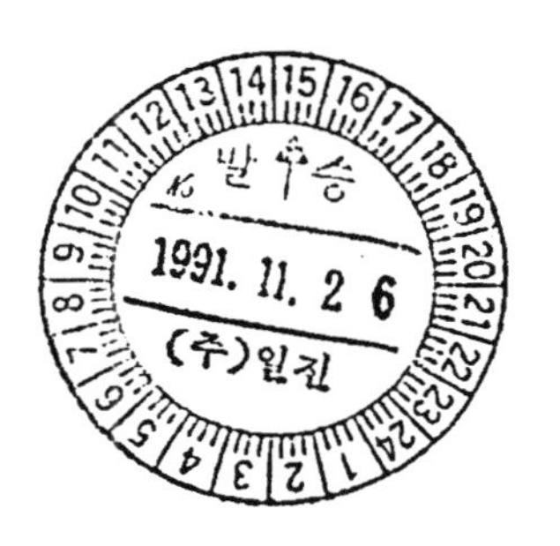

1. 귀 부처의 일익 건승 하심을 기원 하옵니다.

2. 당사는 귀 부처의 협조로 원만한 "남북한 UN 가입 기념 메달"을 제작하게 되어 감사한 마음 으로 "순은메달 한정품" 1SET 를 기증토록 결정 하였읍니다.

3. 그간"UN 가입 기념메달"로 본의 아닌 불미스러웠던 일에대해 송구스럽게 생각하오며 그간의 협조에 감사를 드립니다.

株式会社日進익스프레스
代表理事 玄 正 植

0091

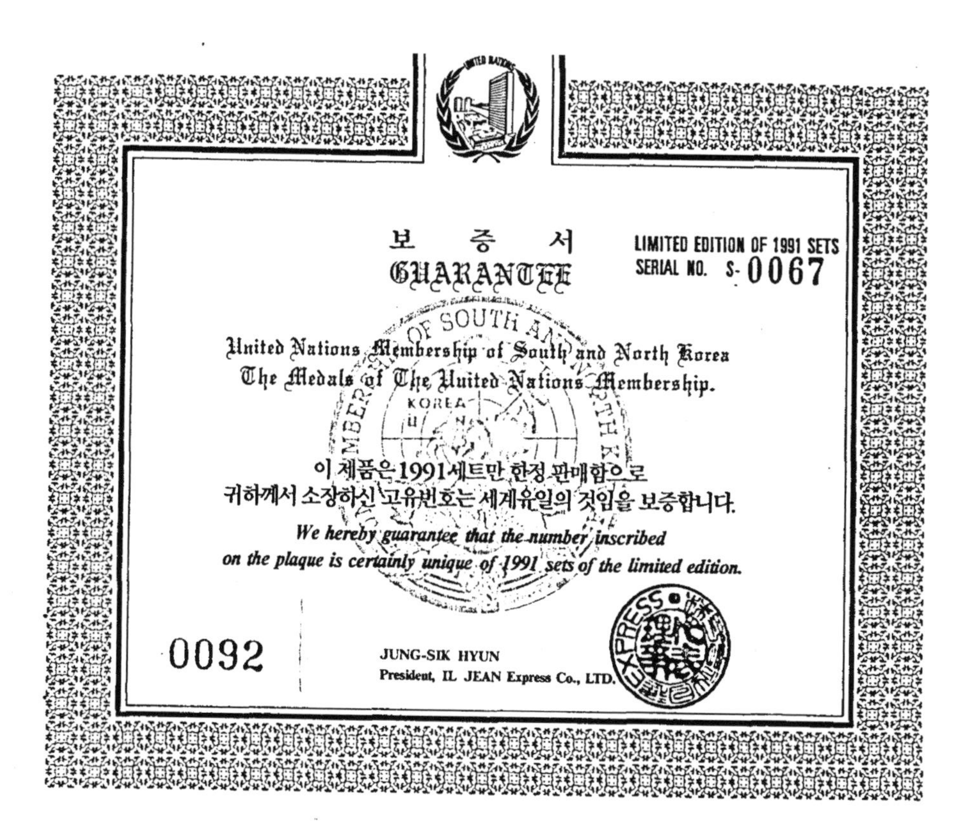

보 증 서
GUARANTEE

LIMITED EDITION OF 1991 SETS
SERIAL NO. S-0067

United Nations Membership of South and North Korea
The Medals of The United Nations Membership.

이 제품은 1991세트만 한정 판매함으로
귀하께서 소장하신 고유번호는 세계유일의 것임을 보증합니다.

We hereby guarantee that the number inscribed
on the plaque is certainly unique of 1991 sets of the limited edition.

0092

JUNG-SIK HYUN
President, IL JEAN Express Co., LTD.

감 정 필 증

발급일자 : 1991. 9.
제품번호 : S.1991
품　　명 : 남·북한 유엔동시가입기념 순은메달·5종
순　　도 : Silver 99.9%
중　　량 : 150g

위와 같이 감정을 필하였음을 증명함.

사단법인 한국귀금속보석감정원 청량리감정원
서울특별시 동대문구 청량리동 308 TEL (02) 963-6464

0093

외 무 부

110-760 서울 종로구 세종로 77번지 / (02) 720-2334 / (02) 723-3505

문서번호 연일 2031- 59292
시행일자 1991.11.28.
(경유)
수신 (주)일진익스프레스 사장
참조

취급		장 관
보존		
국 장	전결	
심의관		
과 장		
기안	송영완	협조

제목 기념메달 기증품 접수

1. 귀사 일진 제91-1126호(91.11.26) 관련입니다.

2. 귀사가 "남북한 유엔가입 기념메달" 은제 견본품 1set를 91.11.28. 우리부로 기증하여 주신데 대하여 감사드리는 바입니다.

3. 귀사의 지속적인 발전을 기원합니다.

0094

외 무 부

110-760 서울 종로구 세종로 77번지 / (02)720-2315 / 구내 2110

문서번호 감사 01254-642
시행일자 1992. 9. 5 ( )

수신 국제기구국장
참조

선결			지시	
접수	일자 시간		결재		
	번호				
처리과			공람		
담당자					

제목 민원서류 송부(김영준)

1992. 9. 5. 자로 우리부에 접수된 별첨 민원사안은 " U.N 가입관련 기념품 판매회사의 소재파악 의뢰 " 내용으로 귀 (실.국) 소관사항으로 사료되어 이송하오니 민원사무처리규정등 관계 규정이 정하는 바에 따라 처리하시고 그 결과를 민원인에게 회신하는 동시 감사관실에도 통보하여 주시기 바랍니다.

첨부 : 민원서류 1부. 끝.

감 사 관

0095

공 란

공 란

공 란

남북한 U.N. 동시가입 기념 1991 SET 탄생
순금·순은메달 한정품 발행!
메달속 순은 남북한 통일염원 쥬얼리 및 시계
Gold MEDAL 1991
(순금·순은메달)은 U.N.역사상 최고의 진귀한 예술품으로서 평화통일의 날에 그 가치는 더욱 증폭될 것입니다.
自然에 더한 細工美學과 재산적 가치
■U.N의 휘장과 한반도 통일염원 - 메달 미니어처
■진품확인 보증서 첨부
■진귀한 세공예술품의 걸작
■역사적 전환점을 기념한 예술작품 - 고귀하고도 값진 선물
종류 구분 | 가격 | 중량(g) | 규격(㎜)
순금메달 | 2,200,000 | 80(±1) | ϕ32
순은메달 | 660,000 | 150(±0.25) | ϕ40
액자규격 : 700×660(㎜) 가로×세로
1. 특별소비세, 교육세, 부가가치세 포함
2. 세작 및 공과잡비 포함가격임. 일인 예약수량은 제한이 없습니다.
■신청기간 1991.9.24~10.2까지
3일 남았습니다.
■한국외환은행 전국지점 예금상담계에 오시면 자세한 설명서가 비치되어 있습니다.
■교부기간 : 1991.10.28~1991.10.31
■구입문의처 : (주) 일진 익스프레스
TEL.(02) 299-2011~6 FAX.299-2017
■UN본부 박물관에 NO.1은 영구히 소장될 예정입니다
자문▶ 대한민국 외무부
후원▶ 통일기금 조성 위원회
수납처▶ 한국외환은행 전국지점 예금상담계
0099

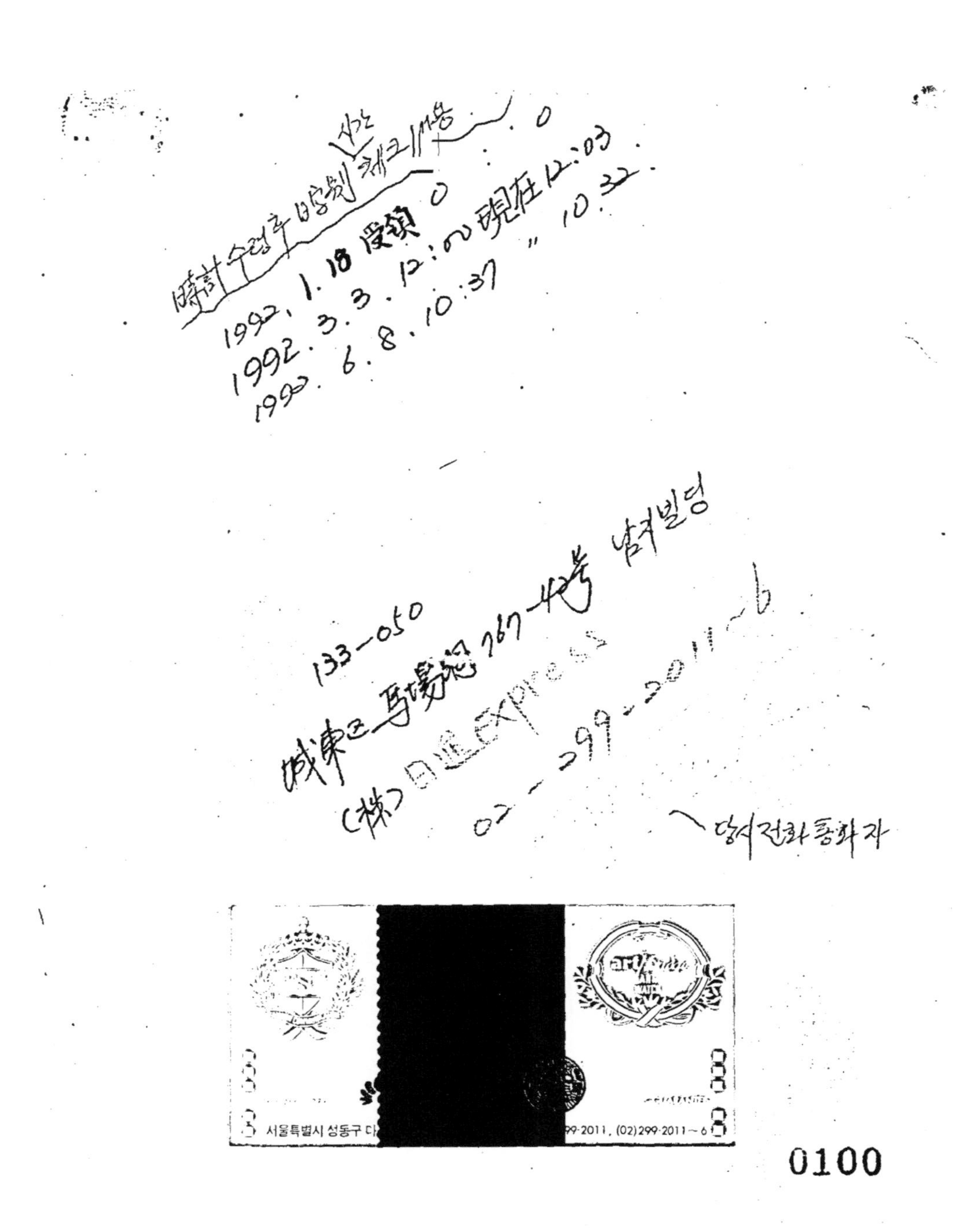
1992. 1. 18 受領 0
1992. 3. 3. 12:00 現在 12:03
1992. 6. 8. 10:37 " 10:32
133-050
(株) 日進 Express
02-299-2011~6
당시 전화 통화자
서울특별시 성동구 다
299-2011, (02)299-2011~6
0100

공 란

株式會社 日進 EXPRESS CO., LTD.

代表理事 玄 正 植

(032) 601-1236　　0102

92.7. 22

서울특별시 성동구 마장동 767-42호 남지빌딩
TEL : 대표 (02)299-2011, (02)299-2011～6
FAX : (02)299-2017

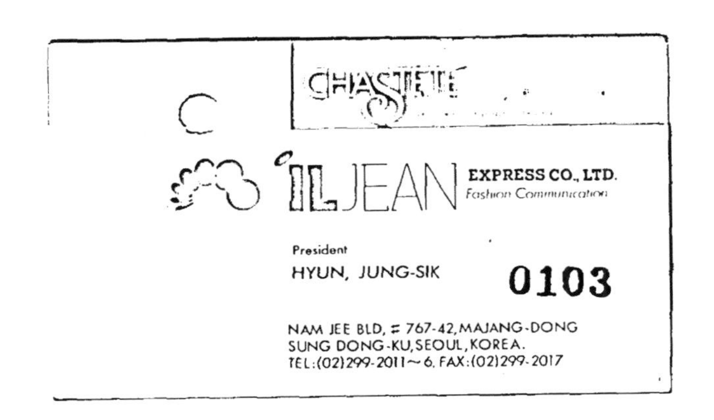
CHASTETE
IL JEAN
EXPRESS CO., LTD.
Fashion Communication
President
HYUN, JUNG-SIK
0103
NAM JEE BLD, # 767-42, MAJANG-DONG
SUNG DONG-KU, SEOUL, KOREA.
TEL:(02)299-2011~6. FAX:(02)299-2017

○ 성동구 법인세과 · 박옥주 (성동세무서 : 498-2131)

○ 부천세무서 법인세과 남수진 (부천세무서 611-4944)

일진익스프레스는 부천시 중구 내동으로 전출.

○ 상호 : 일진익스프레스 → (주) 제일가스 (현전화번호 : (032) 672-5061)

○ 대표이사 : 현정식 → 김원수 외 1인

○ 현정식 및 김원수는 일진의 주주였으며 ~~등~~
현재도 (주) 제일가스의 주주임.

서울 서초구 양재동 266-7 양재 Bldg 2층
(주) 일진 [illegible] EXP.
Tel : 571-1234

0104

외 무 부

110-760 서울 종로구 세종로 77번지 / (02) 720-2334 / (02) 723-3505

문서번호 연일 2031-283
시행일자 1992.9.16.
(경유)
수신 감 사 관
참조

취급		장 관
보존		
국 장	전 결	
심의관		
과 장		
기안	송영완	협조

제목 민원처리 회신

대 : 감사 01254-642

대호, 유엔가입 관련 기념품 판매회사 소재파악 의뢰에 관한 김영준의 민원은 아래와 같이 처리하였음을 알려드립니다.

- 김영준에게 유엔가입관련 기념품 판매회사 신주소, 전화번호 안내를 포함한 별첨 공문발송 (별첨 1)
- 유엔가입 관련 기념품 판매회사에 김영준의 민원해결 요청공문 발송 (별첨 2)

첨 부 : 상기 공문 사본 2부. 끝.

0105

외　　　무　　　부

110-760 서울 종로구 세종로 77번지 / (02) 720-2334 / (02) 723-3505

문서번호 연일 2031-38
시행일자 1992. 9. 16.
(경유)
수신 [redacted]

취급		장　　관
보존		
국 장	전결	
심의관		
과 장		
기안	송영완	협조

제목 민원 회신

1. 귀하의 92.9.1자 우리부앞 서한 관련입니다.

2. (주)일진익스프레스의 전소재지 관할 세무서인 성동세무서에 확인한 바에 따르면 (주)일진 익스프레스는 92.7월 서울 서초구 양재동 266-7 양재빌딩 2층으로 전출(전화 : 571-1231) 되었다 함을 알려드립니다.

3. 상기 (주)일진익스프레스는 '91년도 우리나라의 유엔가입을 계기로 남북한 유엔가입 기념품을 제작·판매하면서 신문광고에 "자문 : 대한민국 외무부" 라는 문구를 2회에 걸쳐 무단사용한 바 있습니다. 이에 대하여 우리부는 91.9.30자 동 회사앞 공문을 통하여 엄중 경고하는 한편, 내무부와 법무부에 우리부 명칭의 무단사용을 금지토록 동 회사를 제재할 것을 요청한 바 있습니다.

4. 상기 우리부의 엄중경고와 관계부처의 조치에 따라 (주)일진익스프레스는 91.9.30이후 광고등에 우리부 명칭의 무단사용을 중지하였고 별첨 사과문을 송부하여 온바 있음을 참고로 알려드립니다.

/ 계 속 /

0106

첨 부 : 1. 남북한 유엔 동시가입 기념메달 광고에 대한 우리부의 보도자료 (91.9.30자)

2. (주)일진익스프레스의 사과 공문사본(91.10.15자). 끝.

0107

외 무 부

110-760 서울 종로구 세종로 77번지 / (02) 720-2334 / (02) 723-3505

문서번호 연일 2031- 39
시행일자 1992. 9. 16.
(경유)
수신 (주)일진익스프레스사장
참조 서울 서초구 양재동 266-7 양재빌딩 2층

취급		장 관
보존		
국 장	전결	
심의관		
과 장	김□석	
기안	송영완	협조

제목 유엔가입 기념품관련 민원처리 요청

1. 경상남도 진주시에 거주하는 김영준은 자신이 구입한 '91년도 귀사 제작 유엔가입 기념품에 하자가 발생하였으나, 귀사의 소재지 변경으로 연락이 불가하여 하자처리에 애로를 겪고 있다는 내용의 서한을 우리부에 보내 왔는 바, 동 서한사본을 별첨 송부하니 동인의 민원사항을 해결해 주시고 ~~바랍니다~~. 그 결과를 우리부로 알려주시기 바랍니다.

2. 아울러 추후 여사한 민원이 있을 가능성을 감안하여 유엔가입 기념품을 구입한 고객에 대해 귀사의 주소와 전화번호를 안내하여 주시기 바랍니다.

첨 부 : 김영준의 서한 1부. 끝.

0108

정 리 보 존 문 서 목 록

기록물종류	일반공문서철	등록번호	2020110113	등록일자	2020-11-23
분류번호	731.12	국가코드		보존기간	영구
명 칭	남북한 유엔가입, 1991.9.17. 전41권				
생 산 과	국제연합1과	생산년도	1990~1991	담당그룹	
권 차 명	V.41 기타, 1990-91				
내용목차	1. 동.서독 유엔가입 관련 사항 2. 유엔분리가입 반대시위				

0001

1. 동·서독 유엔가입 관련사항

0002

관리 번호	90 -1248

	분류번호	보존기간

발 신 전 보

번 호 : WUN-0881 900718 1926 ER 종별 : 자급

수 신 : 주 유엔 대사. 총영사 (주독대사) WGE -1001

발 신 : 장 관 (국연)

제 목 : 동서독 유엔가입 관련사항

1973년 동서독의 유엔가입과 관련, 동 가입시 양국이 서로 상대방을 국가로 인정하는 것은 아니라는 점을 어떠한 형식으로든 밝힌 바가 있는지 여부와 그 내용을 귀지 서독 대표부측에 지급 조회, 7.20 오전 (서울시간)까지 보고바람. 끝.

일반문서로 재분류 (예고 : 90.12.31. 일반)

(국제기구조약국장 문동석)

보안 통제	

앙 고 재	90 년 7 월 18 일	국연과	기안자 성명		과 장		국 장		차 관	장 관

외신과통제

0003

원 본

외 무 부

종 별 :

번 호 : GVW-1956 일 시 : 90 0103 1100

수 신 : 장관(국연,구일,통기)

발 신 : 주제네바대사

제 목 : 독일통일 관련 공한

금 10.3 당지 독일대표부는 당관에 별첨 공한을 통해 동일자로 동독이 서독에 병합함 에 따라 독일은 유엔에서 단일회원 국가가 되었으며 유엔에서 독일(GERMANY)로 명칭이 변경됨을통보하여 왔음.

첨부: 독일대표부 공한(DOL 330,NO.342/90)

(GVW(F)-0378). 끝.

(대사 이상옥-국장)

국기국 구주국 통상국

PAGE 1

90.10.03 23:35 DP

외신 1과 통제관

0004

GVW(F)-0378 01031100
"GVW-7856 첨부"

Ständige Vertretung
der Bundesrepublik Deutschland

Mission permanente
de la République fédérale d'Allemagne

Permanent Mission
of the Federal Republic of Germany

Verbal Note

Pol 330
No. 342/90

The Permanent Mission of the Federal Republic of Germany to the Office of the United Nations and to the other International Organizations in Geneva presents its compliments to all Permanent Missions in Geneva and has the honour to inform them that, through the accession of the German Democratic Republic to the Federal Republic of Germany with effect from 3 October 1990 the two German states have united to form one sovereign state which as a single member of the United Nations remains bound by the provisions of the Charter in accordance with the solemn declaration of 12 June 1973. As from the date of unification the Federal Republic of Germany will act in the United Nations under the designation of "Germany".

The Permanent Mission of the German Democratic Republic to the Office of the United Nations and to the other International Organizations at Geneva has been closed with effect from 3 October 1990. All communications should be directed to the Permanent Mission of the Federal Republic of Germany as from 3 October 1990.

The Permanent Mission of the Federal Republic of Germany avails itself of the opportunity to renew to all Permanent Missions in Geneva the assurances of its highest consideration.

Geneva, 3 October 1990

To all
Permanent Missions

Geneva

0005

* Original members, i.e. those which participated in the UN Conference on International Organisation at San Francisco or had previously signed the UN Declaration of 1 January 1942, and which signed and ratified the Charter

1 On 19 September 1991, Byelorussia informed the United Nations that it had changed its name to Belarus

2 Formerly Upper Volta

3 Formerly Democratic Kampuchea

4 By res. 2758 (XXVI) of 1971, the Assembly decided "to restore all its rights to the People's Republic of China and to recognise the representatives of its Government as the only legitimate representatives of China in the UN"

5 Formerly Ivory Coast

6 Czechoslovakia's name was formally changed to the Czech and Slovak Federal Republic as from 20 April 1990. The designation 'Czechoslovakia' continues to be used for ordinary United Nations purposes

7 Through the accession of the German Democratic Republic to the Federal Republic of Germany with effect from 3 October 1990, the two German states united to form one sovereign state. As from the date of reunification the Federal Republic of Germany acts in the United Nations under the designation 'Germany'

8 Indonesia withdrew from membership of the UN in 1965, but resumed full participation in 1966

9 The Federation of Malaya joined the UN on 17 Sep 1957. In 1963 its name was changed to Malaysia

10 Formerly Burma

11 Although Poland was not represented at San Francisco, it was agreed that it should sign the Charter subsequently as an original member

12 The USSR was an original member of the UN from 24 October 1945. In 1991 the Russian Federation informed the Secretary-General that the membership of the Soviet Union in the Security Council and all other UN organs was being continued by the Russian Federation with the support of the 11 member countries of the Commonwealth of Independent States

13 Formerly Saint Christopher and Nevis

14 Syria withdrew in 1958 to unite with Egypt as the United Arab Republic, but resumed its independent status and separate membership of the UN in 1961

15 Formerly Ukrainian Soviet Socialist Republic

16 Tanganyika was a member of the UN from 1961 and Zanzibar from 1963. After 1964 they continued as a single member, the United Republic of Tanganyika and Zanzibar, which later became the United Republic of Tanzania

17 On 22 May 1990 Democratic Yemen and the Arab Republic of Yemen became a single sovereign state called the Republic of Yemen. Both had previously been members of the UN, Democratic Yemen since 14 Dec 1967 and the Arab Republic of Yemen since 30 Sep 1947

MEMBERS OF THE ASSEMBLY ARRANGED IN REGIONAL GROUPS

This grouping, which takes account of Assembly resolutions 1991(XVIII) of 1963 and 33/138 of 1978, is unofficial.

African States

Algeria
Angola
Benin
Botswana
Burkina Faso
Burundi
Cameroon
Cape Verde
Central African Republic
Chad
Comoros
Congo
Côte d'Ivoire
Djibouti
Egypt
Equatorial Guinea
Ethiopia
Gabon

0006

관리 번호	91-3677

	분류번호	보존기간

발 신 전 보

번 호 : WGE-0825 910531 1200 CJ 종별 : 지급

WUN -1562

수 신 : 주 독일, 유엔 대사, 총영사

발 신 : 장 관 (국연)

제 목 : 동서독 유엔가입

동서독 기본조약에 따른 73년 동서독의 유엔가입후 양국의 실제 대유엔 활동에 있어서 주유엔대표부간(또는 양국 외무성차원) 상호 협력을 도모하기 위한 노력 또는 구체적인 협의등이 있었는지 지급 파악 보고바람. 끝.

(기주 / 여부및 있었다면 운영세칙등)

(국제기구조약국장 문동석)

예 고 : 1991.12.31 일반

검토필(91.6.30)

보안 통제	

앙고재	91년 5월 31일	유엔과	기안자 성명		과 장		국 장		차 관	장 관
							전결			

외신과통제

0007

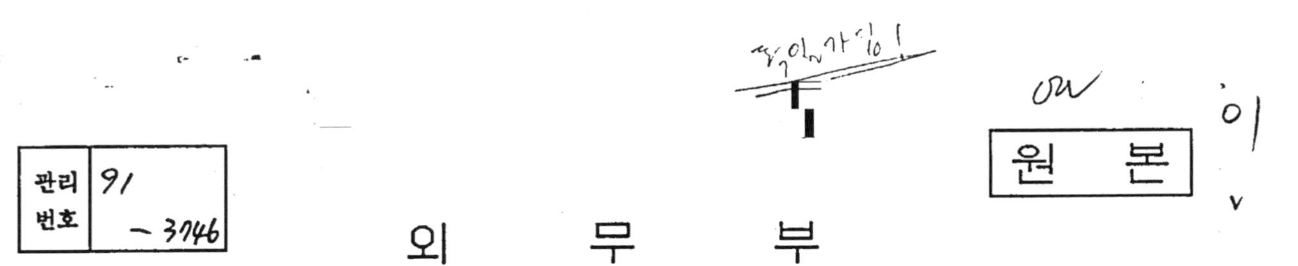

관리 번호	91 -3746

원 본

외 무 부

종 별 : 지 급

번 호 : GEW-1167 일 시 : 91 0603 1630

수 신 : 장관(국연)

발 신 : 주 독 대사

제 목 : 동.서독 유엔가입

대:WUN-1562 (5.31.)

1. 양독의 유엔가입은 73.9.18. 유엔총회에서 이루어졌으나, 당시 서독측은 서방진영, 동독측은 공산진영에 각각 소속되었던 관계로 유엔활동에 있어 상호 협력을 위한 협의 기구등은 구성된바 없었다함.

2. 그러나 양측은 필요시 비공식적인 접촉을 비정례적으로 가진바 있다하며, 동접촉을 통하여 적어도 유엔내에서는 총회기조연설등 예외적인 경우를 제외하고는 독일의 통일문제에 관하여는 거론치 않는다는 묵시적 합의가 이루어졌으며, 이러한 합의는 상호준수 되었다함.

또한 양독의 유엔 대표부가 상호협력한 사례로서 74 년도에 유엔의 공식문서에 독일어 번역도 포함시키기 위한 제안을 오스트리아와 공동으로 제출한 것을 들수 있다함.

3. 이러한 양 유엔대표부간의 관계는 74.3.14. 양독간에 상호 상주대표부 교환에 관한 의정서가 서명되고, 이에 따라 동년 6.20. 상호 상주대표부가 설치됨으로서 이후 양독간의 제문제는 동 대표부를 통하여 협의되었음을 참고 바람.

(대사-국장)

예고:91.12.31. 일반

검토필 .91.6.30

국기국	장관	차관	1차보	2차보	구주국	분석관	청와대	안기부

PAGE 1 91.06.04 01:28

외신 2과 통제관 DO

0008

관리번호	91-3753

원 본

외 무 부

종 별 :

번 호 : UNW-1449 일 시 : 91 0603 1900

수 신 : 장 관(국연,기정)

발 신 : 주 유엔 대사

제 목 : 동.서독 유엔가입

대:WUN-1562

1. 당관 서참사관이 금 6.3. 독일대표부 LEONBERGER 수석참사관과 오찬, 대호건 파악한바 동인은 자신이 아느바로는 동서독 유엔가입후 대 유엔활동과 관련동서독간에 상호 협력을 위한 특별한 노력은 없었다함.

2. 동인은 당시 서독으로서는 현실인정내지 동서진영간 타협의 일환으로 2 개의 독일의 유엔가입을 받아들이긴 했으나 동서독간 유엔내에서의 대화내지 협력 가능성에 별반 비중을 두지 않았으며 현실적으로 당시 유엔내에서의 동서대결상황에 비추어 협력의 여지도 없었던 것으로 본다고 부언함. 끝

(대사 노창희-국장)

예고:91.12.31. 일반

검토필(1991.6.30)

국기국 장관 차관 1차보 2차보 ~~분석관~~ 청와대 안기부 안기부

PAGE 1

91.06.04 08:32

외신 2과 통제관 BS

0003

UNW(PI)-3201 0711 1900 Unofficial Translation
(주연) 총9매

COUNCIL OF MINISTERS OF THE GERMAN DEMOCRATIC REPUBLIC
The Minister of Foreign Affairs

A/9069
S/10945

H.E. Dr. Kurt Waldheim
Secretary-General of the United Nations

UN Headquarters
New York

Distribué le 12 juin
(A/9069 - S/10945)

Berlin, June 12, 1973

Excellency,

I have the honour to send you, on behalf of the Council of Ministers of the German Democratic Republic, the application of the German Democratic Republic for admission to membership in the United Nations Organization.

In taking this step, the Council of Ministers of the German Democratic Republic is guided by the conviction that the admission of the GDR to the United Nations will contribute to strengthening European and international security and promoting world-wide international cooperation on the basis of the principle of sovereign equality of states.

It welcomes that the Governments of the USSR, the USA, Great Britain and France agreed in a joint declaration of 9 November 1972 to support the applications of the GDR and the FRG for membership in the United Nations.

#별첨

9-1

0010

JUL 11 '91 17:23 KOREAN MISSION P.2

The German Democratic Republic is aware of the fact that the United Nations Organization emerged in the wake of the sacrificial struggle of the peoples of the anti-Hitler coalition against German fascism and its allies in World War II. The foremost aim, as proclaimed in its Charter, is to prevent new aggressions and to save mankind from the scourge of war.

The German Democratic Republic is willing and, thanks to its internal development, also in a position to help attain these lofty aims. As a member of the United Nations Organization it will unreservedly stand up for fulfilling its mission of peace and of promoting the economic and social advancement of all peoples.

I request Your Excellency to submit the application of the German Democratic Republic to membership in the United Nations and the present letter to the members of the Security Council.

Accept, Excellency, the assurances of my highest consideration.

s./ Otto Winzer

9-2

0011

Unofficial translation

COUNCIL OF MINISTERS OF THE GERMAN DEMOCRATIC REPUBLIC

His Excellency
Dr. Kurt Waldheim
Secretary-General of
the United Nations
UN Headquarters
New York

Excellency,

On behalf of the Council of Ministers of the German Democratic Republic I apply for the admission of the German Democratic Republic as a member to the United Nations Organization.

In accordance with Rule 58 of the Rules of Procedure of the Security Council, I transmit to you also the Declaration required in connection with the admission.

Accept, Excellency, the assurances of my highest consideration.

s./ Stoph
The Chairman of the Council
of Ministers of the German
Democratic Republic

9-3

0012

Berlin, June 12, 1973

Unofficial translation

COUNCIL OF MINISTERS OF THE GERMAN DEMOCRATIC REPUBLIC

Declaration

On behalf of the Council of Ministers of the German Democratic Republic, I solemnly declare that the German Democratic Republic is willing to accept and conscientiously carry out the obligations contained in the Charter of the United Nations.

s./ Stoph

The Chairman of the Council of Ministers of the German Democratic Republic

Berlin, June 12, 1973

9-4

0013

JUL 11 '91 17:33 KOREAN MISSION

P.3

DER BUNDESMINISTER
DES AUSWÄRTIGEN

Bonn, 13 June 1973

Mr. Secretary General,

I have the honour to inform you that the Government of the Federal Republic of Germany herewith applies for membership of the Federal Republic of Germany in the United Nations.

Under rule 58 of the provisional rules of procedure of the Security Council, I have the honour to attach herewith a declaration made in accordance with that rule.

I would be grateful if you would place this application for membership before the Security Council at the earliest opportunity.

Walter Scheel

His Excellency
Mr. Secretary General of the United Nations
Dr. Kurt Waldheim
New York

-5

Distribué le 15 juin
(S/10949)

0014

DER BUNDESMINISTER
DES AUSWÄRTIGEN

Bonn, 13 June 1973

Mr. Secretary General,

In connection with the submission today of the application for membership of the Federal Republic of Germany in the United Nations, I have the honour, with regard to the application of the United Nations Charter to Berlin (West), to declare that, with the exception of matters concerning security and status, and in accordance with the authorization given to the Senat in the Allied Kommandantura Letter dated 13 April 1973 (BKC/L (73) 1), the Federal Republic of Germany accepts, from the date on which it is admitted to membership in the United Nations, the rights and obligations contained in the United Nations Charter also with respect to Berlin (West), and will represent the interests of Berlin (West) in the United Nations and its subsidiary organs.

I have the honour to request that this letter be circulated as an official document of the United Nations.

Walter Scheel

His Excellency
Dr. Kurt Waldheim
Secretary General of the United Nations
N e w Y o r k

9-6

Distribué le 15 juin
(A/9071 - S/10950)

0015

Translation

The Charter of the United Nations, opened for signature in San Francisco on 26 June 1945, the text of which is attached hereto, having been approved in due statutory form in accordance with constitutional provisions, I herewith declare that the Federal Republic of Germany accepts the obligations contained in the Charter of the United Nations and solemnly undertakes to carry them out.

Bonn, 12 June 1973

The Federal President

The Federal Minister
for Foreign Affairs

0016

9-7

관리 번호	90 -1251

원 본

외 무 부

종 별 :

번 호 : GEW-1206 일 시 : 90 0719 1800

수 신 : 장관(국연)

발 신 : 주 독 대사

제 목 : 동서독 유엔가입

대:WGE-1001

대호건 당관 이양 참사관이 주재국 외무부 VOLLERS 유엔국장에게 문의한바, 동국장에 의하면, 동서독의 유엔 가입은 1972.12.21. 체결된 동서독 기본조약(TREATY ON THE BASIS OF RELATIONS BETWEEN THE FRG AND THE GDR)에 근거하여 이루어진 것이며, 서독측으로서는 "1 민족 2 국가주의"를 배경으로 동독이 별개의 국가 (STATE)이나 외국 (FOREIGN COUNTRY) 은 아니며 동서독간 관계가 국제법상 특수관계라는 입장에서 상기 조약을 체결한 것이므로, 대호와 같이 유엔 가입시 서로 상대방을 국가로 인정하는 것은 아니라는 취지의 입장을 밝힌바는 없다함.

(대사 신동원-국장)

일반문서로 재분류(1990.12.31.)

국기국 차관 1차보 2차보

PAGE 1

90.07.20 01:47

외신 2과 통제관 CN

0017

원 본

관리번호	90-1260

외 무 부

종 별 : 지 급

번 호 : UNW-1339 일 시 : 90 0719 1820

수 신 : 장관(국연,서구일,기정)

발 신 : 주 유엔 대사

제 목 : 동.서독 유엔가입 관련사항

대:WUN-0881

금 7.19 권종락 참사관이 서독 대표부 LEONBERGER 수석 참사관과 면담, 대호사항 파악한 결과를 아래 보고함.

1. 양독의 유엔가입 과정

0 72.11.8 양독 정부간 각서교환으로 국내법규에 따라 상호 유엔가입 절차를 개시중임을 통보하고 가입신청 날자를 상호에게 통할것에 합의

0 72.11.9 양독의 유엔가입 신청을 지지한다는 미, 소, 영, 불 4 점령국 명의 공동선언 발표

0 73.6.12 동독 외무장관, 유엔 사무총장에게 가입신청서 제출

0 73.6.13 서독 외무장관, 유엔사무총장에 가입신청서 제출

0 73.6.22 안보리 가입 권고 결의안 채택(단일 결의안으로 양독의 가입을 권고)

0 73.9.18 유엔총회, 가입결의안 채택(단일 결의안으로 양독가입 결정)

2. 국가로 불인정 취지 표명 여부

0 상기와 같은 유엔 가입 과정을 거치는 가운데 어느 단계에서도 양독의 동시 유엔가입이 상대방을 국가로 인정하는것이 아니라는 취지의 의사표명은 어느일방에 의해서도 공식적으로 표명된바가 없음.

0 다만 양독간의 기본조약이 서명된 72.12.21 서독정부가 양국간 기본조약이 독일의 통일을 달성코자 하는 서독 정부의 정치적 목표와 상충하지 않는다는 취지의 서한을 동독정부에 발송함. 동 서한 전문은 아래와 같음.

LETTER FROM THE GOVERNMENT OF THE FEDERAL REPUBLIC OF GERMANY TO THE GOVERNMENT OF THE GERMAN DEMOCRATIC REPUBLIC ON GERMAN UNITY, DATED 21 DECEMBER 1972

국기국 차관 1차보 구주국 정문국 청와대 안기부

PAGE 1 90.07.20 08:34

외신 2과 통제관 CW

0018

IN CONNEXION WITH THE SIGNING TODAY OF THE TREATY ON THE BASIS OF RELATIONS BETWEEN THE FEDERAL REPUBLIC OF GERMANY AND THE GERMAN DEMOCRATIC REPUBLIC, THE GOVERNMENT OF THE FEDERAL REPUBLIC OF GERMANY HAS THE HONOUR TO STATE THAT THIS TREATY DOES NOT CONFLICT WITH THE POLITICAL AIM OF THE REDERAL REPUBLIC OF GERMANY TO WORK FOR A STATE OF PEACE IN EUROPE IN WHICHTHE GERMAN NATION WILL REGAIN ITS UNITY THROUGH FREE SELF-DETERMINATION.

3. 유엔가입 관련 양독간의 각서 교환문 및 동.서독의 가입 신청서는 별첨 FAX 와 같음.

첨부:UNW(F)-109. 끝

(대사 현홍주-국장)

예고:90.12.31 일반 (일반문서로 재분류)

PAGE 2

0019

유엔 UNW(F)-109 00719 1800 (8 page)

Exchange of letters concerning the application for membership of the United Nations

The Federal Chancellery

The State Secretary

Bonn, 8 November 1972

To the

State Secretary to the
Council of Ministers of
the German Democratic Republic,

Dr. Michael Kohl

Berlin

Dear Herr Kohl,

I have the honour to inform you of the following:

The Government of the Federal Republic of Germany has noted that the Government of the German Democratic Republic is initiating the necessary steps in accordance with the domestic legislation of the German Democratic Republic to achieve membership of the United Nations Organization.

The two Governments will inform each other of the date on which the application will be made.

(Formal close)

8-1.

0020

State Secretary to the
Council of Ministers
of the German Democratic Republic

Berlin, 8 November 1972

To the

State Secretary in the
Chancellery of the
Federal Republic of Germany,

Herr Egon Bahr

Bonn

I have the honour to inform you of the following:

The Government of the German Democratic Republic has noted that the Government of the Federal Republic of Germany is initiating the necessary steps in accordance with the domestic legislation of the Federal Republic of Germany to achieve membership of the United Nations Organization.

The two Governments will inform each other of the date on which the application will be made.

(Formal close)

8-2

UNITED NATIONS

SECURITY
COUNCIL

Distr.
GENERAL

A/9070
S/10949
15 June 1973

ORIGINAL: ENGLISH

GENERAL ASSEMBLY
Twenty-eighth session
Item 27 of the preliminary list*
ADMISSION OF NEW MEMBERS TO THE UNITED NATIONS

SECURITY COUNCIL
Twenty-eighth year

Application of the Federal Republic of Germany for admission to membership in the United Nations

Note by the Secretary-General

In accordance with rule 137 of the rules of procedure of the General Assembly and rule 59 of the provisional rules of procedure of the Security Council, the Secretary-General has the honour to circulate herewith the application of the Federal Republic of Germany for admission to membership in the United Nations contained in a letter dated 13 June 1973 from the Minister for Foreign Affairs of the Federal Republic of Germany to the Secretary-General.

* A/9000.

73-12358

/...

8-3

0022

Letter dated 13 June 1973 from the Minister for Foreign Affairs of the Federal Republic of Germany to the Secretary-General

I have the honour to inform you that the Government of the Federal Republic of Germany herewith applies for membership of the Federal Republic of Germany in the United Nations.

Under rule 58 of the provisional rules of procedure of the Security Council, I have the honour to attach herewith a declaration made in accordance with that rule.

I would be grateful if you would place this application for membership before the Security Council at the earliest opportunity.

(Signed) Walter SCHEEL
Minister for Foreign Affairs
of the Federal Republic of Germany

Declaration

The Charter of the United Nations, opened for signature in San Francisco on 26 June 1945, the text of which is attached hereto, having been approved in due statutory form in accordance with constitutional provisions, I herewith declare that the Federal Republic of Germany accepts the obligations contained in the Charter of the the United Nations and solemnly undertakes to carry them out.

Bonn, 12 June 1973

(Signed) Gustav HEINEMANN
Federal President

(Signed) Walter SCHEEL
Federal Minister
for Foreign Affairs

8-4

UNITED NATIONS

SECURITY COUNCIL

Distr.
GENERAL

A/9071
~~S/10950~~
15 June 1973

ORIGINAL: ENGLISH

GENERAL ASSEMBLY
Twenty-eighth session
Item 27 of the preliminary list*
ADMISSION OF NEW MEMBERS TO THE UNITED NATIONS

SECURITY COUNCIL
Twenty-eighth year

Letter dated 13 June 1973 from the Minister for Foreign Affairs of the Federal Republic of Germany to the Secretary-General

In connexion with the submission today of the application for membership of the Federal Republic of Germany in the United Nations (A/9070-S/10949), I have the honour, with regard to the application of the United Nations Charter to Berlin (West), to declare that, with the exception of matters concerning security and status, and in accordance with the authorization given to the Senate in the Allied Kommandantura letter dated 13 April 1973 (BKC/L (73) 1), the Federal Republic of Germany accepts, from the date on which it is admitted to membership in the United Nations, the rights and obligations contained in the United Nations Charter also with respect to Berlin (West), and will represent the interests of Berlin (West) in the United Nations and its subsidiary organs.

I have the honour to request that this letter be circulated as an official document of the United Nations

(Signed) Walter SCHEEL
Minister for Foreign Affairs
of the Federal Republic of Germany

* A/9000.

73-12367

8-5

0024

SECURITY COUNCIL

Distr.
GENERAL

A/9069
~~S/10945~~
12 June 1973

ORIGINAL: ENGLISH

GENERAL ASSEMBLY
Twenty-eighth session
Item 27 of the preliminary list*
ADMISSION OF NEW MEMBERS TO THE
UNITED NATIONS

SECURITY COUNCIL
Twenty-eighth year

Application of the German Democratic Republic for admission to membership in the United Nations

Note by the Secretary-General

In accordance with rule 137 of the rules of procedure of the General Assembly and rule 59 of the provisional rules of procedure of the Security Council, the Secretary-General has the honour to circulate herewith the application of the German Democratic Republic for admission to membership in the United Nations [illegible] of the German Democratic Republic to the Secretary-General.

* A/9000.

73-12119

8-6

/...

0025

Letter dated 12 June 1973 from the Minister for Foreign Affairs of the German Democratic Republic to the Secretary-General

I have the honour to send you, on behalf of the Council of Ministers of the German Democratic Republic, the application of the German Democratic Republic for admission to membership in the United Nations.

In taking this step, the Council of Ministers of the German Democratic Republic is guided by the conviction that the admission of the German Democratic Republic to the United Nations will contribute to strengthening European and international security and promoting world-wide international co-operation on the basis of the principle of sovereign equality of States.

It welcomes the fact that the Governments of the Union of Soviet Socialist Republics, the United States of America, the United Kingdom of Great Britain and Northern Ireland and France agreed in a joint declaration of 9 November 1972 to support the applications of the German Democratic Republic and the Federal Republic of Germany for membership in the United Nations.

The German Democratic Republic is aware of the fact that the United Nations emerged in the wake of the sacrificial struggle of the peoples of the anti-Hitler coalition against German fascism and its allies in the Second World War. The foremost aim, as proclaimed in its Charter, is to prevent new aggression and to save mankind from the scourge of war.

The German Democratic Republic is willing and, thanks to its internal development, also in a position to help attain these lofty aims. As a member of the United Nations, it will unreservedly stand up for fulfilling its mission of peace and of promoting the economic and social advancement of all peoples.

I request Your Excellency to submit the application of the German Democratic Republic for admission to membership in the United Nations and the present letter to the members of the Security Council.

(Signed) Otto WINZER
Minister for Foreign Affairs of the
German Democratic Republic

8 - 7

/...

Letter of 12 June 1973 from the Chairman of the Council of Ministers of the German Democratic Republic to the Secretary-General

On behalf of the Council of Ministers of the German Democratic Republic, I apply for the admission of the German Democratic Republic as a member of the United Nations.

In accordance with rule 58 of the provisional rules of procedure of the Security Council, I transmit to you also the Declaration required in connexion with the admission.

(Signed) STOPH
Chairman of the Council of Ministers
of the German Democratic Republic

Declaration

On behalf of the Council of Ministers of the German Democratic Republic, I solemnly declare that the German Democratic Republic is willing to accept and conscientiously carry out the obligations contained in the Charter of the United Nations.

(Signed) STOPH
Chairman of the Council of Ministers
of the German Democratic Republic

Berlin, 12 June 1973

8-8

0027

8. 서한교환

유엔 가입 신청에 관하여

백림, 독일민주주의 공화국 각료회의 차관

존경하는 미카엘.콜 부사

본인은 귀하에게 다음과같이 통고하는 영광을 가진다.

독일연방공화국정부는 독일 민주주의 공화국 정부가 독일민주주의 공화국 국내법에 의거하여 유엔 기구회원이 되기 위한 필요한조치를 취할것이라는 사실을 양지하였다. 양국정부는 신청서 제출 시기에 관하여 서로 통고할것이다.

경의를 표하면서,

미카엘.콜 부사(서명)

9. 의정서에 관한 설명

유엔 가입 신청에 관하여

의정서에 관한 독일연방공화국 의 설명,

독일연방공화국 정부는 국회가 소집된후 독일연방공화국 의 유엔 가입 신청을 위한 국내 법적 요건을 갖추기 위한 필요한 조치를 취할것이다.

양측 수석 대표의 의정서에 관한 건술

상호간의 통보는 신청서 제출이 동일한 시기에 이루어저야한다는데 목적이 있다.

10. 서한교환

조약 9조에 관한 독일연방공화국의 서방측 3개국에 대한 각서 및 독일민주주의 공화국의 소련에 대한 각서의 전문을 포함하는:

백림, 독일민주주의공화국 각료회의 차관

존경하는 미카엘.콜 부사귀하

본인은 귀하에게 외무성이 불란서 공화국, 대영제국, 및 미합중국의 독일연방공화국 주재 대사들에게 오늘 텍스트와 같이 각서를 전달할것임을 통고하는 영광을 가진다.

0028

10. The Federal Republic of Germany and the German Democratic Republic will conduct negotiations with a view to enhancing the acquisition of each other's books, periodicals, radio and television productions.

11. The Federal Republic of Germany and the German Democratic Republic shall, in the interest of the people concerned, enter into negotiations to regulate non-commercial payment and clearing procedures. In this connexion they shall, in their mutual interest, give priority to the early conclusion of agreements on social grounds.

Protocol Note

Owing to the different legal positions with regard to questions of property and assets these matters could not be regulated by the Treaty.

Extension of Agreements and Arrangements to Berlin (West); Representation of the Interests of Berlin (West)

Identical Statement by both Parties on signing the Treaty:

"It is agreed that the extension to Berlin (West) of agreements and arrangements envisaged in the Supplementary Protocol to Article 7 may be agreed in each individual case in conformity with the Quadripartite Agreement of 3 September 1971.

The Permanent Mission of the Federal Republic of Germany in the German Democratic Republic shall, in conformity with the Quadripartite Agreement of 3 September 1971, represent the interests of Berlin (West).

Arrangements between the German Democratic Republic and the Senate shall remain unaffected."

Political Consultation

Identical Statement by both Parties on signing the Treaty:

"The two Governments have agreed to consult each other in the process of the normalization of relations between the Federal Republic of Germany and the German Democratic Republic on questions of mutual interest, in particular on those important for the safeguarding of peace in Europe."

Correspondence on an Application for Membership in the United Nations

The Federal Chancellery
The State Secretary

Bonn,

To the
State Secretary to the
Council of Ministers of
the German Democratic Republic,

Dr. Michael Kohl

Berlin

Dear Herr Kohl,

I have the honour to inform you of the following:

The Government of the Federal Republic of Germany has noted that the Government of the German Democratic Republic initiates the necessary steps in conformity with domestic legislation to acquire membership of the United Nations Organization.

The two Governments will inform each other of the date on which the application will be made.

Yours faithfully,
(Signed: Egon Bahr)

State Secretary to the
Council of Ministers
of the German Democratic Republic

Berlin,

To the
State Secretary in the
Chancellery of the
Federal Republic of Germany,

Herr Egon Bahr,

Bonn

Dear Herr Bahr,

I have the honour to inform you of the following:

The Government of the German Democratic Republic has noted that the Government of the Federal Republic of Germany initiates the necessary steps in conformity with domestic legislation to acquire membership of the United Nations Organization.

The two Governments will inform each other of the date on which the application will be made.

Yours faithfully,
(Signed: Dr. Michael Kohl)

Correspondence With the Text of the Notes of the Federal Republic of Germany to the Three Powers and of the German Democratic Republic to the Soviet Union concerning Article 9 of the Treaty

The Federal Chancellery
The State Secretary

Bonn,

To the
State Secretary to the
Council of Ministers
of the German Democratic Republic,

Dr. Michael Kohl,

Berlin

Dear Herr Kohl,

I have the honour to inform you that the German Federal Foreign Office will today transmit in notes to the Ambassadors of the French Republic, the United Kingdom of Great Britain and Northern Ireland, and the United States of America to the Federal Republic of Germany the following text:

"The Federal Republic of Germany and the German Democratic Republic, with reference to Article 9 of the Treaty on the basis of relations, dated ...., affirm that the rights and responsibilities of the Four Powers and the corresponding, related Quadripartite agreements, decisions and practices cannot be affected by this Treaty."

Yours faithfully,
(Signed: Egon Bahr)

State Secretary to the
Council of Ministers of
the German Democratic Republic

Berlin,

To the
State Secretary in the
Chancellery of the
Federal Republic of Germany,

Herr Egon Bahr,

Bonn

Dear Herr Bahr,

I have the honour to inform you that the Ministry of External Affairs will today transmit in a note to the Ambassador of the Union of Socialist Soviet Republics to the German Democratic Republic the following text:

"The German Democratic Republic and the Federal Republic of Germany, with reference to Article 9 of the Treaty on the basis of relations, dated ...., affirm that the rights and responsibilities of the Four Powers and the corresponding, related Quadripartite agreements, decisions and practices cannot be affected by this Treaty."

Yours faithfully,
(Signed: Dr. Michael Kohl)

Correspondence on the Re-uniting of Families, Facilitation of Travel, and Improvements in Non-commercial Goods Traffic

The State Secretary to
the Council of Ministers
of the German Democratic Republic

Berlin,

State Secretary in the
Federal Chancellery
of the Federal Republic of Germany,

Herr Egon Bahr,

Bonn

Dear Herr Bahr,

On the occasion of the signing today of the Treaty on the Basis of Relations between the German Demo-

2. "평등" 이라는 말은 국제법상 잘 쓰여지는 용어 "주권평등의 원칙" 의 함축을 담고 있는 것이므로 이 규정으로 앞으로는 서독과 동독은 그들의 양자 관계에 있어서나 그들의 제 3 국과의 관계에 있어서나 문자 그대로 동등한 위치에 서게 되는 것이다. 사실상은 동독의 위치가 현저히 향상될 것이 분명하다.

3. 제 3 국에 대하여 그리고 국제회의에서 각각 동, 서독은 자기만을 대표할 수 있다는 조약 제 4 조의 원칙이 여기서 도출된다고 볼 수 있다.

제 2 조
독일연방공화국과 독일민주공화국은 국제연합 헌장에 규정된 제목적과 원칙, 특히 모든 국가의 주권평등, 독립, 자주성 및 영토보전의 존중, 자결권, 인권의 보호 및 무차별의 제목적과 원칙에 따르도록 한다.

(해 설)

1. 유엔 헌장 제 2 조를 원용한 것이다.

2. 브란트 수상의 캇셀 20조 제안에 의하면 동, 서독 관계는 (1) 인권, (2) 평등, (3) 평화 공존, (4) 무차별 의 기초위에 서야한다고 한데 비하면, 여기서는 주권평등, 독립, 자주성, 영토보전, 자결권 이라는 용어가 더 사용된 것을 보면 동독측이 동독과 서독이 각각 완전한 주권국가라는 인상을 더욱 깊게하기 위하여 그 입장을 더욱 내세운 흔적을 볼 수 있다. 동, 서독이 같이 유엔에 가입하기로 하였으므로 새삼스러히 유엔헌장을 인용하지 않더라도 이러한 원칙에 대한 상호간 법적구속은 생길 것임에도

불구하고 이런 원칙을 여기서 특별히 인용하고 있음에 주의할 필요가 있다.

3. 두개의 독일국가는 상호간 유엔 가입을 신청할 것임을 서한교환 형식으로 상대방에 통고하고 있다. 또 이 신청은 동일한 시기에 제출하겠다고 까지 못박어 약속하고 있다. 또 서독은 유엔가입신청을 위한 국내절차를 국회가 소집되는대로 밟어두겠다고 약속하였다. (서한 교환 및 의정서에 대한 설명서) 11월 19일 총선거후 서독국회가 소집되고 그후 신정부가 수립되고 별 일이 없으면 (정권이 교체될 경우 가조인된 조약의 운명에 대하여서는 아직도 확실한 예견이 가능하지 않음) 정식 성명 (1972년 내) 그후 비준절차가 또 필요하므로 만사가 순조로울 때 두개의 독일국가가 유엔에 가입하는 것은 1973년 가을이 된다고 보아야한다.

제 3 조

국제연합헌장에 따라 독일연방공화국과 독일 민주공화국은 양국간의 분쟁을 평화적 방법에 의하여서만 처리하고, 무력에 의한 위협이나 무력의 사용을 억제하도록 한다. 양국은 현재와 장래에 있어서 양국간의 현존하는 국경선의 불가침을 확인하고 양국의 영토의 보전을 무조건 존중할 의무를 진다.

(해 설)

1. 독소조약 제 2 조에 유사한 "무력사용포기선언"이다.

2. 동서독간의 현국경선 (거리 : 525 km)을 현재나 장래에 있어서 불가침 한 것으로 확인하였고, 또 서독은 앞서 독소조약에서 (바아.문서 양해사항) "포오랜드의 서부국경을 형성하는 오다.나이세

9

0032

(Oder Neisse) 선과 동독과 서독의 현 국경선이 불가침 이라고 인정한 바 있으므로, 이를 장래 개정할 여지는 없어졌다고 할 수 있다. 서독정부는 독소조약 체결당시 그 성명에서 "불 가 침 " 이란 무력으로 변경하지 않겠다는 의미이기 때문에 평화적인 교섭에서 개정하는 일까지 배제한 것은 아니고 따라서 앞으로 체결될 수 있는 평화조약에서 독일 국경선이 최종적으로 확정될 여지는 남아 있는 것이라고 설명하고 있다. 그러나 현재 그러한 평화조약이 체결될 전망은 없다고 보아야하므로 독일의 전후 국경선 확정은 끝났다고 보아야한다.

3. 전기와 같이 국경선이 확정된 것이기는 하지만 현존하는 국경선의 사소한 불합리점을 교정하기 위하여 한개의 공동위원회를 설치하여 검토 건의하도록 하였다. (부속의정서와 의정서에 대한 설명)

제 4 조
독일연방공화국과 독일민주공화국은 양국의 어느편도 다른 편을 국제적으로 대표하거나 다른편을 위하여 행동할 수 없다는 입장을 취한다.

(해 설)

1. 서독은 이미 독소조약에서도 (바아몬서 양해사항 제 6조2항) 이와 같은 약속을 소련에 대하여 한바 있다.

2. 서독이 과거 "할슈타인 주의" (Hallstein doctrine) 라는 이름아래 독일연방공화국만이 전 독일과 독일인의 이익을 대표하며 만일 제 3국이 동독과 외교관계를 수립할 경우에는 그러한 3 국과는

외교관계를 단절 하였다. 이를 유일대표권주의 (Alleinvertretungs-anspruch)
Claim for sole representation) 이라고 불러왔다. 그러나 서독도 최근에 와서는 제3국이 동독과 외교관계를 수립할 경우에도 이에 불만을 표시하였을 뿐 외교단절이라는 조치를 취하지 않게되었으며 (예: 칠레), 가장 강한 조치가 외교관계의 동결이라는 조치이었다. (예: 캄보디아) 그러나 동독이 국제기구에 가입하려는데에는 계속 반대하여 왔다. 이번 조약으로 앞으로는 동독과 제3국이 외교관계를 수립하여도 서독은 아무 이의를 제기하지 않을 것이며 또 제3국도 동독과의 관계에 있어서 서독의 눈치를 볼 필요가 없게 되었다. 또 동독이 국제기구에 가입하는데 있어서 장해물로 제거되었다.

제 5 조
독일연방공화국과 독일민주공화국은 구라파 제국간의 평화적 관계를 증진하고 구라파의 안전과 협력에 기여하기로 한다. 양국은 참여하는 국가의 안전에 불리를 주지 않고 구라파에 있어서 병력과 군비를 축소하는 노력을 지지한다. 독일연방공화국과 독일민주공화국은 유효한 국제적 통제하에서 전반적이고 완전한 군비 축소를 목표로 하고 국제적 안전에 기여할 특히 핵무기와 대량학살무기 분야에 있어서 군비 제한과 군비 축소의 노력을 지원하기로 한다.

(해 설)

1. 양측은 구라파제국의 평화적 관계를 증진하기로 한 구체적 협조방법으로 별도로 "정치적 협의를 위한 선언" 이란 부속문서를 작성, "특히 구라파의 평화와 보장에 중요한 문제에 있어서 협의 "

외무보고 제259호 11:00 (72.11.10)

4. 동·서독 기본조약 (I)

11월8일 하오4시에 「본」에서 가조인된 동·서독간의 관계의 기초에 관한 조약안의 전문 번역문은 아래와 같다. (이하 그 전문 번역문임)

"독일 연방공화국과 독일 민주공화국간의 관계의 기초에 관한 조약"

(VERTRAG UEBER DIE GRUNDLAGEN DER BEZIEHUNGEN ZWISCHEN DER BUNDESREPUBLIK DEUTSCHELAND UND DER DEUTSCHEN DEMOKRATISCHEN REPUBLIK)

체약국은

평화의 유지에 대한 책임에 유념하고, 구라파의 긴장완화와 안전에 기여하기 위하여 노력하고, 국경의 불가침과 영토의 보존과 현재의 국경선에 있어서 구라파의 모든 국가의 주권의 존중이 평화를 위한 기초적인 조건임을 인식하고, 따라서 양 독일 국가는 그들의 관계에 있어서 위협이나 무력의 사용을 억제하기로 하고 있음을 인정하고, 이상과 같은 역사적인 사실에 기초를 두고, 또한 독일 연방공화국과 독일 민주공화국간의 원칙적인 문제 특히 국민에 관한 문제(NATIONALE FRAGE)에 대한 상이한 개념에도 불구하고, 양 독일 국가에 있어서의 인간의 복지를 위하여 독일 연방공화국과 독일 민주공화국간의 협조를 위한 전제조건을 조성하려는 희망에 응하며, 아래와 같이 합의한다.

제1조

독일 연방공화국과 독일 민주공화국은 상호간에 동등한 권리를 기초로 하여 정상적인 선린관계를 발전시킨다.

20-13

0035

제 2 조

독일 연방공화국과 독일 민주공화국은 「유엔」 헌장에 규정된 목적과 원칙 특히, 모든 국가의 주권 평등, 독립과 영토보존의 존중, 자결권, 민권의 존중 및 차별대우의 금지에 따르도록 한다.

제 3 조

「유엔」 헌장에 따라서 독일 연방공화국과 독일 민주공화국은 그들의 문제를 평화적 방법에 의하여서만 해결하도록 하고, 무력에 의한 위협이나 무력의 사용을 억제한다. 양국은 현재와 장래에 있어서 양국간의 현존하는 국경선의 불가침을 강조하며, 양국의 영토 보존을 무제한으로 존중할 의무를 진다.

제 4 조

독일 연방공화국과 독일 민주공화국은 양국의 어느편도 다른편을 국제적으로 대표하거나, 자기의 이름으로 다른 편의 일을 처리할 수 없다는 입장에 선다.

제 5 조

독일 연방공화국과 독일 민주공화국은 구라파 제국과의 평화적 관계를 조장하고, 구라파의 안전과 협력에 기여한다.

양국은 참가국의 안전을 해침이 없이 구라파에 있어서 병력과 군비를 축소하기 위한 노력을 지원한다. 독일 연방공화국과 독일 민주공화국은 유효한 국제적 통제하에서 전반적이고 완전한 군축을 목표로 하여 특히 핵무기와 기타 대량학살무기 분야에 있어서 국제적 안전에 기여하는 군비제한과 군비축소를 위한 노력을 지원하기로 한다.

20-14

0036

제 6 조

독일 연방공화국과 독일 민주공화국은 양국의 고권(HOHEITSGEWALT)이 각자의 국가 영역의 범위내에 한정된다는 원칙에 입각한다. 양국은 각각 타국의 내부 및 대외 관계에 있어서의 독립성과 자주성을 존중한다.

제 7 조

독일 연방공화국과 독일 민주공화국은 양국의 관계를 정상화하는데 있어서 실제적이고 인도주의적 문제를 규제할 용의가 있음을 선언한다.

양국은 이 조약의 기초 위해서 또한 양측의 이익을 위하여 경제, 과학기술, 교통, 사법공조, 우편통신, 보건, 문화, 경기, 환경 및 기타 분야에 있어서의 협조관계를 개발하고 조장하기 위하여 협정을 체결하기로 한다. 그 구체적인 내용은 보충 의정서에 규정한다.

제 8 조

독일 연방공화국과 독일 민주공화국은 상주 대표부(STAENDIGE VERTRETUNGEN)를 교환하기로 한다.

동 대표부는 각 정부 소재지에 설치된다. 대표부의 설치에 관계되는 구체적인 문제는 별도로 규정하기로 한다.

제 9 조

독일 연방공화국과 독일 민주공화국은 양국이 이미 체결하였거나 관계하고 있는 양자 또는 다자간의 국제조약이나 협정이 이 조약에 의하여 영향을 받지 않는다는데 동의한다.

제 10 조

이 조약은 비준을 요하며, 이에 관한 구술서를 교환한 날로 부터 발효한다. 이상의 증거로서 체약국의 전권대표는 이 조약에 서명하였다.

20-15

0037

1972년 ..에 백림에서 독일어로 원본 2통을 작성하였다.

독일 연방공화국을 위하여 독일 민주공화국을 위하여 (이상 동 조약전문)

상기 조약은 서독대표에 「곤바」와 동독대표 「미카엘」 간에 가조인 되었으며, 동 가조인을 기하여 당지 공보성을 통해 발표된 발표문은 상기 동·서독관계의 기초에 관한 조약안 이외에 보충 의정서, 의정서에 대한 성명 교환 서한에 대한 설명, 서백림에 대한 협정및 규정의 적용등 20종에 달하는 보충문서와 「부란트」 서독수상, 「에곤후랑케」 내독성장관 및 「쉘」 외상 각자의 명의로된 개별적인 성명서를 포함하고 있다.

부속문서의 명칭 및 요지는 다음과 같다.

가. 부속 의정서 (ZUSATZPROTOKOLL) :

(1) 제3조에 관련하여 국경선의 재검토 공동위원회 설치

(2) 제7조의 세칙

나. 의정서 주석 (PROTOKOLLVERMERK) :

재산문제에 관한 법적 견해의 차이 때문에 이문제는 협정에 규정되지 못했다는 사정의 설명.

다. 의정서에 관한 설명 (ERKLAERUNG ZUR PROTOKOLL) :

서독은 국제문제가 협정에 규정되지 않았다고 말한데 대하여, 동독측은 이 협정으로 국적 문제를 규정하는 일이 용이하게 된다는 견해를 표명.

라. 서한교환 (BRIEFWECHSEL) :

우편 전신 전화 문제에 대한 교섭 개시약속.

마. 서한교환 (BRIEFWECHSEL) :

동독측이 가족 이산에서 생긴 문제를 해결하고 국경선을 넘어 왕래하는 방문 및 비 상품적 물품유통의 개선조치를 강구하겠다는 동독측의 약속.

20-16

0038

바. 서한교환에 대한 설경 (ERLAEUTERUNGEN ZUM BRIEFWECHSEL)

"마"의 서한 교환에 대한 세부사항

사. 서한 교환 (BRIEFWECHSEL)

국경선을 넘는 통과지점 증설에 관한 사항

아. 서한 교환 (BRIEFWECHSEL)

「유엔」가입에 대한 양국의 협조사항

자. 의정서에 관한 선언 (ERKLAERUNG ZUM PROTOKOLL)

서독에 「유엔」가입을 위한 국회의 수속을 하겠다는 약속 및

양측은 「유엔」가입 신청을 동시에 하겠다는 것.

차. 서한 교환 (BRIEFWECHSEL) :

동서독이 모두 조약구조에 관련하여 4대국의 권리와 책임등이

이 조약으로 영향을 받지 않음을 확인한다는 사실을, 서독은 미

영. 불 3국에 동독은 소련에 통보하였다는 사실을 서로 통보

카. 의정서에 대한 선언 (ERKLAERUNG ZUM PROTOKOLL)

국경위원회의 (GRENZUEBERGANG KOMMISSION)

타. 의정서에 대한 선언 (GRENZUEBERGANG KOMMISSION)

행정인원간의 교통에 관한 동독측의 현상은 변경하지 않겠다는

선언.

파. AUSDELHNUNG VON ABKOMMEN UND REGELUNGEN IN BERLIN(WEST)

(협정의 서백림에 대한 적용)

제7조 및 그 부속 의정서에 규정되는 사항이 서백림에도 적용

되고, 동독에 상주하는 서독의 상주대표가 서백림의 이익을 대표

로 하여 동독과 서백림 당국이 이미 합의한 협정은 이 조약으

로 영향을 받지 않는다는 내용임.

20-17

0039

하. 정치적 협의에 대한 선언 (POLITISCHE KONSULTATION)

구라파 평화유지와 같은 양국간의 공동 이익 문제는 서로 협의 한다는 약속.

거. 서한 교환 (BRIEFWECHSEL)

기자교환에 대한 상호간에 보장하는 사항

너. 의정서에 관한 선언 (KEKLAERUNG ZUM PROTOKOLL)

전항 서한교환에 대한 관련된 것.

더. 양측의 선언 (ERKIAERUNG BEIDE SEITE) :

기자교환에 관한 약정이 서백림에서도 적용된다는 내용.

(이상 17개의 부속 문서의 명칭의 가. 나. 다. 라. 등이 원문에 붙어 있는 것이 아니고 이쪽의 편의를 위하여 붙인것임)

~~이상의 가조인된 협정과 부속 문서를 발표함에 있어서 서독 정~~부는 조약이 정식으로 서명될때 동독 정부에 대하여 국민에 관한 문제 (NATIONALEFRAGE) 에 있어서 서독의 목표 (ZIEL) 를 천명하는 서한을 보낼 예정이라고 발표하였다.

이 발표의 뜻은 서독이 독일 국민의 단일성 (DEUTSCHE EINHEIT) 을 어떻게 해서든지 조약문에 삽입하고저 노력하다가 동독의 반대로 가능하지 않았기 때문에 차선책으로 독.소 조약때 소련에 대하여 보낸것과 유사한 서한으로 독일국민의 단일성을 주장하고 이 서한이 동독이 받은 것으로 하려는 예정이다.

(주독 대사관)

20-18

0040

외무보고 제259호 11:00 (1972.11.10)

5. 동•서독 기본조약 (II)

동•서독간의 기본관계 조약은 금 11.8일 「본」에서 가조인 되었다. 동 조약은 오는 11.19일 서독 총선거가 끝나는대로 서명되고 계속하여 비준 절차가 취하여 질 것이다.

최종적으로 회합하여 지난 11.2일–4일까지 동백림에서 개최된 동•서독간의 기본 관계 조약에 관한 제7차 교섭회의까지의 교섭기간중 상호간에 토의된 내용을 상기 4대국 공동성명에 비추어 재검토하고 동 조약 문안에 합의한 바 있다. 미, 영, 불, 소 4대국 대사들은 11.5일 서백림에서 독일 전체에 대한 전승 4대국의 권한과 책임의 존속을 재확인하는 공동성명서에 합의 하였는바, 지난 10.15일까지 1차에 걸쳐 개최된 4대국 대사들간의 협의 결과를 종합한 것이라 한다.

4대국간의 공동 성명서와 동•서독간의 기본관계 조약문은 아직 발표되지 않고 있으나 4대국 공동 성명서는 서백림의 현지위를 재확인하는 간단한 내용으로 되어 있다고 하며, (독일이라는 용어는 포함되어 있지 않다고 함.) 이와 같이 서백림에 대한 4대국의 공통된 견해를 재확인함으로써 서독측이 요구하고 있는 4대국의 독일 전체에 대한 권한과 책임을 간접적으로 인정하는 동시에 동독이 동서 양독의 「유엔」가입 시기등을 기하여 완전한 주권국가라고 주장할 가능성을 예방하게 될 것

20–19

0041

이라고 함.

동•서독간의 기본 관계 조약은 전문과 10개 조문으로 되어 있고 여기에 일련의 의정서와 서한이 부속되고 있는 바, 현재 알려지고 있는 바에 의하면 서독측이 주장하여온 국가의 단일성과 동속성은 조약의 전문이나 본문 조항에 규정되어 있지 않고, 동독측에 대한 서독측의 부속 서한에 언급되어 있을 뿐이며, 이에 반하여 동서 양독간의 경계선에 관하여 현재 재뿐 아니라 장래에도 침해할 수 없다고 규정하고 있다고 「브란드」 서독 수상은 11.7 일 당지에서 개최된 각의가 끝난후 성명서를 발표하고 동서 양독간의 기본 관계에 관한 교섭의 종결은 내독관계의 발전에 하나의 역사적 계기를 마련하는 것이라고 주장하였으며 이에 대하여 「바젤」야당 당수는 여러가지 문제점에 대한 해답이 아직 없다는 이유로 논평을 보류했다.

당지에서 보도된 바에 의하면 「스칸디나비아」제국을 비롯한 서독의 인접국가들은 동•서독간의 기본 관계 조약 체결을 기하여 동독을 승인하는 방향으로 활발한 움직임을 보이고 있다고 한다.

(주독 대사관)

20-20

0042

2. 유엔 분리가입 반대시위

0043

관리번호	90-17773

9)

UN

외 무 부

종 별 :

번 호 : LAW-1242　　　　일 시 : 90 09261 1655

수 신 : 장관(미북,국연,영재)

발 신 : 주 라성 총영사

제 목 : "유엔분리 가입"반대 시위

1. 당지 한청년, 민족학교, 한겨레운동 라성연합회등 한인 15 명은 9.26(수) 12:00-13:00 간 당관 청사앞에서 "유엔 분리가입"을 반대하는 시위를 전개하였는바, 동 시위자 들은 "유엔분리가입 반대", " ROH TAE WOO RELEASE POL. PRISONERS", "민족도 하나, 조국도하나"등의 피켓을 들고 한겨레운동 미주연합, 재가한국청년연합, 재호 한겨레청년회, 한겨레 미주홍보원 공동명의로 된 유인물을행인들에게 배포하였음.

2. 한겨레운동 라성연합회장 김정주는 9.25(화) 당지 교포신문을 대상으로 동 시위계획을 발표하는 기자회견을 실시하였는바, 당관은 동시위와 관련 당지 경찰에 공관 안전조치를 강구토록 협조의뢰하여, LAPD 소속 경찰 2 명이 동시위 현장에 배치되었음을 보고함.

3. 상기 전단 파편 송부 위계임.끝.

(총영사 박종상-국장)

예고:90.12.31

미주국　　국기국　　영교국

PAGE 1

90.09.27　09:27

외신 2과　통제관 FE

0044

90
-1806

UN 이

주 라 성 총 영 사 관

주라성(정)790- 66 1990. 9. 27.

수신: 장 관

참조: 국제기구 조약국장

제목: "유엔 분리 가입" 반대시위 관련 전단 송부

연 : LAW-1242

연호, "유엔 분리 가입" 반대 시위와 관련한 전단 2매를 별첨과 같이 송부합니다.

첨부: 상기 전단 2매. 끝.

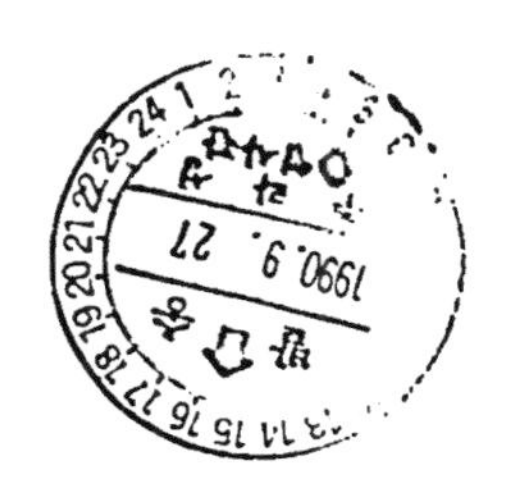

결 재			
접수일시	1990. 9. 29	40hf	
처리과			

주 라 성 총 영 사

0045

때문에 입는 경제적 손실은 실로 엄청난 규모에 달합니다. 요즈음 세계는 평화공존의 분위기로 가고 있는데 조국의 군사긴장은 오히려 점점 더 높아가고 있습니다. 이번에 남부조국이 미국으로부터 47억 달러나 들여 F-18전투기를, 그리고 5억 달러나 들여 공격용 헬리콥터를 구입하기로 계약한 것도 다 평화협정 체결이 되지 않았기 때문입니다. 평화협정이 체결되어 남·북부조국 양쪽 다 군대와 군사비를 줄여 주택, 의료, 교육 등의 분야에 투입하게 되면 우리 조국은 얼마나 살기 좋아지겠습니까?

조국통일을 앞당기기 위해서

부끄럽게도 우리 조국의 분단은 올해로 꼭 45년째가 되었습니다. 서로 무기를 들고 노려보면서 화해와 통일을 한다는 것은 절대 불가능한 일입니다. 그러나 휴전협정을 평화협정으로 바꾸면 실마리가 풀리게 됩니다. 평화협정이 체결되면 미군과 핵무기를 내보내고 또 남북이 서로 불가침 선언을 한 후 군대를 줄여가면 서로에 대한 경계심이 줄어들어 대화가 제대로 되고 그렇게 되면 얽힌 문제들이 하나, 둘씩 풀리기 시작하여 우리의 소원인 통일도 쉽게 이루어지지 않겠습니까?

선생님!

선생님께서 설사 반북, 반공의 입장에 서 계시더라도, 심지어 북을 공격해서 싹 쓸어버려야 한다는 입장에 서 계시더라도 한번쯤 다시 생각해 보시지 않겠습니까? 북부조국 산천도 우리 조국 산천이고 북부조국 동포들도 우리 핏줄인데 외국군대와 핵무기까지 동원하여 싹 쓸어버려야 되겠습니까? 전쟁이 터지면 남부조국 산천과 동포들도 피해입기는 마찬가지 아니겠습니까? 반공, 반북을 하더라도 민족파멸의 전쟁은 피해야 하지 않겠습니까? 인구도 반밖에 안되고 경제력도 약하고 군사비도 적게 쓰고 외국군과 핵무기도 없는 북부조국을 상대로 세계 최강의 미군과 미국 핵무기까지 끌어다 놓고 그들의 지휘까지 받으며 "남침위협", "국가안보"를 내세운 독재 밑에서 37년간이나 고생하면서도 휴전체제를 유지하고 있는 이 부끄러운 남부조국의 현실을 한번쯤 다시 생각해 보셔야 하지 않겠습니까?

선생님!

지금 이 시각 조국의 운명은 엄중한 상황에 놓여있습니다. 평화협정체결만이 우리 조국과 민족을 파멸과 고통으로부터 구해낼 수 있습니다. 평화협정 체결을 촉구하는 운동에 꼭 참여하여 주십시오. 그것은 곧 조국의 자주,민주, 통일,평화를 위한 운동이요 세계의 평화를 위하는 운동입니다.

연 락 처 : 나성한국청년연합

P.O. Box 191219
L.A. CA. 90019

(213) 733 - 7785

평화협정 체결하고
휴전협정 폐기하라!

한겨레운동미주연합
재미한국청년연합
재가한국청년연합
재호한겨레청년회
한겨레미주홍보원

0046

조국의 전쟁은 아직도 끝나지 않았습니다

1950년 6월에 터져 1953년 7월에 끝난 것으로 알려진 6.25 동란은 아직도 완전히 끝나지 않았습니다. 다만 휴전협정에 의해 잠시 휴전을 하고 있을 뿐입니다. 그 불안한 휴전상태가 37년간이나 계속되고 있는 바람에 우리 조국동포들은 오늘날까지도 엄청난 고통을 겪고 있습니다.

휴전협정은 남부조국과 북부조국간에 체결된 것이 아닙니다.

휴전협정은 유엔군대표로 참가한 미국장군과 북부조국 장군사이에 체결되었읍니다. 따라서 국제법상 휴전 당사자는 유엔과 북부조국입니다. 그러나 당시 참전했던 유엔군은 실제로는 미군 중심이었기 때문에 실질적인 휴전 당사자는 미국과 북부조국입니다.

평화협정이 체결되고 휴전협정은 폐기되어야 합니다.

조국의 자주, 민주, 통일 그리고 평화를 위해서 무엇보다도 시급한 것은 조국강토에서의 전쟁을 완전히 끝내는 것입니다. 그러기 위해서는 평화협정이 체결되고 휴전협정은 폐기되어야 합니다.

평화협정체결과 휴전협정폐기는 왜 필요할까요?

조국을 핵전쟁의 파멸로부터 구하기 위해서

휴전상태하에서는 선전포고 없이 전쟁을 일으켜도 국제법상으로 아무런 문제가 되지 않습니다. 휴전상태하의 조국에서는 휴전선을 사이에 두고 140만이 넘는 군대가 긴장 속에서 대치하고 있습니다. 휴전상태를 핑계로 미국은 4만이상의 자국군대와 1,000개 이상의 핵탄두를 남부조국 방방곡곡에 주둔, 배치시켜 놓고 있습니다. 또 매년 남부조국과 함께 세계 최대의 군사훈련인 팀스피리트 훈련을 실시하여 군사긴장을 높여가고 있습니다. 우리 조국동포들은 아주 우연하고도 작은 군사적 충돌이 즉각 민족파멸의 핵전쟁으로 확대될 수 있는 위험한 휴전상태 속에서 자녀들을 키우며 37년째 살아왔습니다. 전쟁이 또 다시 터지게 되면 조국산천은 잿더미가 되고 6천만 조국동포들은 떼죽음을 당하게 될 것입니다. 평화협정의 체결만이 조국을 핵전쟁의 위기에서 구할 수 있습니다.

조국을 자주화하기 위해서

전쟁 중에는 말할 것도 없고 휴전 이후 오늘날까지도 미국은 휴전상태를 핑계로 남부조국 군대의 작전·지휘권을 장악하고 있습니다. 우리 남부조국은 부끄럽게도 자기 나라 군대의 지휘권을 남의 나라(미국)에 맡기고 있는 세계에서 단 하나의 나라로 40년을 지내왔습니다. 군대의 지휘권을 미국에 맡기고 있으니 남부조국이 정치적으로도 미국의 손아귀에서 놀 수밖에 없게 되고 따라서 아무리 역대 남부조국 정권들이 "독립국가다", "주권국가다"라고 우겨도 내막을 아는 국제사회로부터 비웃음을 사왔던 것입니다. 미국은 만약 북부조국과 평화협정을 체결하면 남부조국 군대의 작전·지휘권을 돌려주고 군대와 핵탄두를 가지고 나가야 하기 때문에, 또 그렇게 되면 남부조국에 대한 지배를 계속할 수가 없게 되기 때문에 휴전체제를 유지하기 위해 기를 쓰고 있는 것입니다. 또 남부조국의 군사정권은 평화협정이 체결되면 미국을 등에 업을 수가 없고, 군대의 힘이 줄어들어 자신들의 권력을 유지할 수 없게 되니까 결사적으로 휴전체제를 유지해 달라고 매년 엄청난 미군주둔비용(88년 지원액:22억 달러)까지 대가면서 미국을 붙잡고 늘어지는 것입니다. 남부조국의 자주화를 위해서도 휴전협정 대신 평화협정이 하루속히 체결되어야 합니다.

조국을 민주화시키기 위해서

휴전상태는 전쟁과는 다르지만 보통 말하는 평화 또한 아닙니다. 따라서 평화시와는 다른 여러가지 구속과 제약과 긴장이 있게 됩니다. 또한 군부의 힘이 커집니다. 남부조국에서 군부가 정권을 장악하고 30년간 독재를 할 수 있었던 조건은 바로 휴전상태의 장기화였습니다. 그들이 독재의 명분을 자나깨나 "남침위협"에서 찾았던 것을 보면 휴전상태가 조국의 민주화를 어떻게 가로막고 있는가를 바로 알 수 있습니다. 평화협정이 체결되면 군대와 군사비를 줄이게 됩니다. 그렇게 되면 군부의 힘은 약해지고 "남침위협"을 내세운 독재의 핑계도 약해지게 되니까 독재정권은 기를 쓰고 평화협정 체결을 반대하는 것입니다. 평화협정 체결은 조국 민주화의 지름길입니다.

조국의 경제발전과 복지증진을 위해서

휴전상태의 지속 때문에 지난 37년간 남과 북이 서로 침략에 대비한다고 쓴 군사비 액수는 상상을 초월할 정도로 많습니다. 1989년도에 쓴 군사비만 해도 남부조국이 90억 달러, 북부조국이 53억 달러, 합해서 무려 143억 달러나 됩니다(1990년 3월 2일 이상훈 국방장관의 국회 답변에서 인용). 게다가 140만이나 되는 남북 군대의 노동력, 군사기지로 쓰이는 엄청난 토지 등 의 경제가치를 따져 볼 때 장기적 휴전 상태

0047

동포님들께 호소드립니다

만리타국의 이민생활에 얼마나 수고가 많으십니까?
저희들은 해외에서나마 두고온 조국의 자주.민주.통일.평화에 조금이라도 이바지해 보고자 노력하고 있는 사람들입니다.
선생님께 이렇게 글로 호소를 하게 된 까닭은 사랑하는 우리 조국을 완전하게 그리고 영원히 두개의 나라로 만들려는 음모가 공공연하게 진행되고 있기 때문입니다.

지난 해부터 노태우정권은 미국과 짜고 유엔분리가입음모를 꾸며왔습니다.
지난 71년부터 시작되었다가 실패를 거듭하자 76년 이후에는 잠잠해졌던 유엔분리가입음모가 지난해부터 갑자기 활기를 띠고 다시 시작된 까닭은 미국과 쏘련, 중국과 쏘련, 동유럽과 서유럽사이등 세계 곳곳의 분쟁과 대결이 해결되고 독일이 통일되는등 국제정세가 화해, 평화의 분위기로 바뀜에 따라 우리 조국의 분단문제도 해결되어 통일되어야한다는 국제여론이 높아가고 해내외 7천만 우리 동포들의 통일운동이 뜨겁게 달아오르자 분단체제의 유지에 불안을 느낀 미국과 노정권이 서둘러 영구분단정책을 세웠기 때문입니다.

영구분단음모를 꾸민 미국과 노정권은 지난 해에 그들이 조성한 분위기를 토대로 금년 유엔총회에서 단독가입을 완료할 계획을 세우고 연초부터 쏘련과 중국을 비롯한 세계 각국을 상대로 굴욕적인 저자세, 추파외교를 적극적으로 전개하였으나 거부권을 가진 중국과 쏘련의 입장변화가 기대에 미치지 못하자 금년에는 어렵겠다고 판단하여 내년으로 미루고 금년에는 유리한 분위기를 만드는데 총력을 기울이기로 작전을 바꾸었습니다.
그래서 지난 서울에서의 남북총리회담 때 한편으로는 북과의 협상에서 실리를 취하고 다른 한편으로는 단독가입의 명분을 강화할 목적으로 유엔가입문제에 대한 북과의 협의에 동의했던 것입니다.

그러나 미국과 노정권의 속셈은 적당한 때를 택해 모든 책임을 북에 덮어씌우고 협의결렬을 선언한 후 곧바로 단독가입을 다시 추진하겠다는 것입니다.
미국과 노정권이 "단독가입유보", "북과 협의"를 운운하는 것은 잠시동안의 계산된 사기극이고 그들의 진정한 목표인 분리가입을 통한 완전분단, 영구분단은 조금도 변하지 않았습니다.
그들은 영구분단의 속셈을 숨기고 유엔분리가입을 합리화하기 위하여

"남,북이 유엔에 따로 가입해도 통일이 불가능해지는 것은 아니다. 독일과 예멘을 보라",
"남,북이 유엔에 따로 가입하면 책임있는 국제사회의 일원으로 당당하게 주권행사를 할수있다",
"남,북이 유엔에 따로 가입하면 한반도에 안정과 평화가 온다"고 떠들고 있습니다.
실로 어처구니가 없는 교활한 거짓말이자 황당한 논리입니다.

전쟁을 일으킨 벌로 분단당한 따라서 서로간에 전쟁을 한적도 없고 적대감도 없었고 통일운동 또한 없었던 독일을 우리 조국과 비교하는 것도 말이 안되는데 분단국도 아니고 완전한 별개의 독립국인 [예멘 민주인민공화국]과 [예멘 아랍공화국]간의 국가통합을 마치 우리 조국처럼 남,북으로 분단된 예멘이 통일된 것처럼 사기까지 치고있으니 기가차서 말이 안나올 지경입니다.
독일의 예를 든 그들의 "분리가입->통일"론은 화목해지려고 애를 쓰는 형제와 혈연을 끊어버리고 완전히 남남이 되려고 작정한 형제중의 한사람이 자기형제와 이웃사람들에게 "혈연을 끊고 호적등본을 바꾼 형제도 화목해져, 다시 형제가 되는 경우도 있으니 화목한 형제가 되기 위해서 나도 혈연을 끊고 남남이 되겠다. 독일형제를 보아라"라고 큰소리 치는 것과 하나도 다를 바 없습니다.

조국분단 영구화 하는 유엔분리가입 결사반대 !

0048

또 그들은 자기들이 마치 "통일"과 "당당한 주권행사"와 "안정과 평화"를 위해 분리가입을 시도하고 있는 것처럼 교활한 거짓말을 하고 있습니다.
남부조국 군대의 작전.지휘권을 장악하고 4만이 넘는 군대와 1,000개가 넘는 핵탄두를 갖다 놓고 상전노릇을 하는 미국, 북부조국의 평화협정체결 제안을 37년째나 거부하며 휴전상태=군사긴장을 유지시키고 남,북이 유엔에 가입을 해도 휴전체제는 그대로 계속 유지하겠다는 미국과 그 미국을 등에 업고 자주.민주.통일을 요구하는 수많은 동포들을 고문, 투옥하고 학살해 온 노태우정권이 "통일", "당당한 주권행사", "안정과 평화"를 위해 분리가입을 시도하는 것처럼 말하고 있으니 하늘과 땅도 웃고 소나 말도 웃을 일입니다.

만일 미국과 노정권의 뜻대로 유엔분리가입이 실현되면 우리 조국은 어떻게 될까요?
그렇게 되면 국제사회에서 우리 조국은 완전히 별개의 두 나라로 취급될 것이고 우리 조국은 두개의 나라로 영원히 갈라져 민족공동체의식은 갈갈이 찢기고 분단선은 국경선으로 바뀌고 평화는 커녕 지금보다 훨씬 더한 서로간의 불신과 대결의 분위기와 군사적 긴장이 생길 것입니다.
해외동포사회에는 두 토막난 조국의 어느 토막을 자신의 조국으로 택하느냐에 따라 편이 갈려 서로간에 으르렁댈 것이며 두 토막을 다 자기의 조국이라고 주장하는 동포들은 양편으로부터 미움과 경멸을 받게 될 것입니다.
그리고 해내외 7천만 동포 모두 다 타민족들로부터의 손가락질, 선열들의 통곡과 호통, 후손들의 삿대질에 고개를 들지 못하게 될 것입니다.

유엔분리가입!
그것은 장구한 세월 한 강토에서 한 나라를 세우고 함께 어울려 살아온 우리 배달겨레를 완전히 그리고 영원히 둘로 갈라 놓는 천인공노할 민족파괴범죄이자 우리 7천만 민족의 이익과 존엄을 송두리채 짓밟는 민족반역범죄입니다.

선생님!
유엔분리가입은 1905년의 외교권피탈, 1910년의 망국, 1945년의 분단, 1950-1953년의 전쟁보다 한차원 높은 민족사의 최대 수난이자 비극이 될 것입니다.
이제라도 해내외동포 모두가 떨쳐 일어나야겠습니다.
우리 조국의 평화와 통일은 그 누구도 대신 맡아줄 수 없습니다.
누구에게 맡겨서도 안되고 맡길 수도 없습니다.
오직 우리 7천만 민족의 힘과 슬기로 이루어내야 합니다.
우리 민족의 장래 운명을 결정할 사람은 바로 우리 자신이기 때문입니다.
중국이 거부권을 행사해 주리라고 기대해서도 안되겠습니다.
그렇게 자꾸 남의 힘을 빌려서 우리 문제를 해결하려 해왔기 때문에 이지경에 이르렀지 않습니까?

선생님!
걱정만 하고 있기가 죄스러워 저희들은 분리가입을 막고 평화협정체결을 촉구하기 위하여 10월1일부터 15일간 유엔본부정문앞에서 단식투쟁을 하기로 했습니다.
그리고 10월 5일 오후 2시반부터 2시간 30분 동안 유엔본부앞에서 시위를 하기로 했습니다.
아무리 바쁘셔도 10월 5일 시위에 꼭 나오셔서 저희들과 함께 목이 쉬도록
"조국은 하나다", "통일후의 유엔가입", "유엔분리가입 반대한다", "평화협정 체결하라",
"유엔은 더이상 죄를 짓지말라"고 외쳐주십시오.
만에 하나 시위에 못나오시더라도 저희들을 지지, 성원하여 주십시오.

조국은 선생님을 애타게 부르고 있습니다.

평안과 보람이 함께 하소서.

1990. 9. 15.

[조국(KOREA)의 평화와 통일을 위한 단식농성 및 시위 준비위원회]참가자들

* 저희들은 뉴욕 유엔본부앞에서의 단식농성및 시위에 앞서 북미주 각 지역 영사관앞에서 노정권의 조국영구분단음모를 규탄하는 시위를 갖기로 하였습니다. 꼭 참석해주시기를 바랍니다. 문의 연락은 (213) 733 - 7785 로 하십시오.

일 시 : 9월 26일 (수) 12시 집합
장 소 : 나성 총영사관 앞

0049

관리 번호	90 -1785

외 무 부

종 별 :

번 호 : UNW-2137 일 시 : 90 1002 2130

수 신 : 장관(해외,국연,정이,기정)

발 신 : 주 유엔 대사

제 목 : 유엔본부앞 농성

연:UNW-1980

1. 소위 평화협정체결 촉구및 유엔분리가입 반대를 목적으로한 "조국의 평화와 통일을 위한 단식농성"이 10.2. 오전 유엔본부앞 RALPH BUNCHE PARK 에서 7-8 명이 참석한 가운데 시작, 10.15 까지 계속된다함.

2. 당지소재 한청년, 한겨레운동등 단체가 주관하는 동 농성현장에서 배포한 전단을 별전 보고하며 특이동향있으면 추보할것임.

첨부: 동전단(FAX 5 매):UNW(F)-218

(대사 현홍주, 관장)

예고:90.12.31. 까지

공보처 1차보 국기국 정문국 안기부

PAGE 1

90.10.03 10:35

외신 2과 통제관 DO

0050

(外)-218 01002 2100

(국련 정이. 기전)

총5매

U.N., END 40-YEAR-OLD KOREAN WAR!

SIGN PEACE TREATY IN KOREA

DEMANDS TO THE UNITED NATIONS:

- As the signatory to the Korean War Armistice, conclude a PEACE TREATY
- Terminate the U.N. COMMAND in Korea
- Promote self-determined & peaceful REUNIFICATION of Korea
- Oppose moves toward PERMANENT DIVISION of Korea
- Oppose SEPARATE ADMISSION of south and north Korea into the U.N.

U.N., DON'T LEGITIMIZE THE DIVISION OF KOREA
OPPOSE SEPARATE UN ADMISSION OF S.KOREA

장관실	차관실	一차보	二차보	기획실	의전장	아주국	미주국	구주국	중아국	국기국	경제국	통상국	문협국	정보국	교민국	총무과	감사관	공보관	외연원	청와대	총리실	안기부	공보부

Join us on October 5 for...

Rally for Peace & Reunification of KOREA

PLACE: Ralph Bunche Park/ Dag Hammerskjold Park
(Across from UN Headquarters in NYC)

DATE: October 5, 1990
2:30-5 PM

(Hunger Strike from Oct. 1 to Oct. 15)

For more information on how you can support this event, call:
(718)426-2684 in NYC or (202)387-2989 in DC

JOINT SPONSORS: International Committee for Peace and Reunification of Korea, U.S. Region (IC-USA); Committee for a New Korea Policy; Episcopal Church, National Peace and Justice Office; Church Women United; United Methodist Office for United Nations; Young Koreans United of USA; Han Gyuh Reh (One Korea, One People) Movement of USA; Pan-Korean Conference for Peace & Reunification of Korea–South Korean Committee

5-1

0051

HUNGER STRIKE (OCT 5) AND RALLY(OCT.5) FOR PEACE AND REUNIFICATION OF KOREA

Calling for the Signing of Peace Treaty and Opposing UN's Move Toward Permanent Division of Korea

HONORARY ADVISORS*:

Ramsey Clark, Former U.S. Attorney General; **William Kunstler**, Attorney/Co-founder of Center for Constitutional Rights; **Bishop Thomas Gumbleton**, Auxiliary Bishop of Detroit/Archdioses of Detroit; **Dr. Bruce Cumings**, Dept. of History, University of Chicago; **Stanley Faulkner**, US Lawyers Committee on Korea/Int'l Corps of Lawyers to Protect Im Su Kyung; **Doug Hostetter**, Director,Fellowship of Reconciliation; **Wilhelm H. Joseph, Esq.**, UN Delegate of National Conference of Black Lawyers; **Rev. Ben Chavis**, Exec. Director,Commission for Racial Justice/United Church of Christ/Founder of Angola Foundation; **Marcus Raskin**, Co-founder,Institute for Policy Studies; **Dessima Williams**, Former U.N. Ambassador of Grenada; **Dr. Channing Liem**, Former S. Korean Ambassador to UN; **Bishop Paul Moore**, Former Episcopal Bishop of NY; **Rev. Syngman Rhee**, President-elect,Nat'l Council of Churches of Christ-USA; **Dr. Walden Bello**, Senior Analyst/Institute for Food and Development Policy;**Dr. Cornell West**, Afro-American Studies Dept., Princeton Univ.

CO-REPRESENTATIVES*:

Damu Smith, Co-Chair of IC-USA/Former Director of Washington Office on Africa; **Angela Sanbrano**, Exec.Director,Committee in Solidarity with the People of El Salvador (CISPES),National; Nat'l Steering Committee of IC-USA; Nat'l Adv. Board Member of SANE/FREEZE; **David Easter**, Director, Committee for a New Korea Policy/Korea Support Network; **Rev. Brian J. Grieves**, Peace and Justice Officer, National Peace and Justice Office of the Episcopal Church; **Dr. Michael Sung Kuk Hahm**, Asia Desk Secretary, World Div. of the United Methodist Church; **Carol Barton**, Director, International Affairs of Church Women United; **Haeng Woo Lee**, Han Gyuh Reh (One Korea, One People) Movement of USA; Internat'l Div. Exec. Com. member, American Friends Service Committee (AFSC); **Rev. Kiyul Chung**, Co-Chair of IC-USA; Univ. Chaplain of the University of Maryland; **Rev. Tae Young Yoo**, New York Thursday Prayer Meeting; Bronx Presbyterian Church

*Organizational affiliation for identification only

ENDORSING ORGANIZATIONS & INDIVIDUALS:

1. Committee in Solidarity with the People of El Salvador (CISPES), National
2. Women's International League for Peace and Freedom (WILPF), National and NY
3. Mobilization for Survival, National and NY
4. American Indian Support Committee of Washington, DC
5. Organization of Asian Women, NY
6. People's Anti-War Mobilization, National
7. All People's Congress, National
8. U.S. Out of Korea Committee, National
9. Westchester People's Action Coalition (WESPAC)
10. Committee in Solidarity with Vietnam, Kampuchea, and Laos
11. Jim Lafferty (Campaign to End U.S. Military Intervention in the Philippines)*
12. CISPES, NY
13. CISPES, DC
14. Nicaragua Solidarity Network of Greater New York
15. Students and Youth Against Racism, National
16. Foreign Bases Project, NY
17. Network in Solidarity with the People of Guatemala (NISGUA), National
18. Riverside Social Justice Ministry
19. KAPATID (Member Organization of Alliance for Philippine Concerns), NY
20. GABRIELA Network, USA
21. AIM (American Indian Movement), National
22. BARK (Boston Alliance for Resources on Korea)
23. APC (Alliance for Philippine Concerns), National
24. Radio Venceremos, NY
25. Central Queens SANE/FREEZE
26. Democrats for New Politics, NY
27. Gray Panthers of Queens, NY
28. Queens Coalition for Political Alternatives
29. Queens Marxist Forum
30. Queens New Jewish Agenda
31. Queens Peace and Solidarity Council
32. Rainbow Coalition of Queens
33. Unitarian Universalist Church of Flushing
34. Nicaragua Task Force, LA
35. Southern Africa Support Committee, LA
36. Palestine Solidarity Committee, LA
37. Nuclear-Free Asia Pacific Coalition, LA
38. Washington Peace Center, DC
39. Institute for the Practice of Non-violence/ Brian Willson
40. Palestine Aid Society of America, National
41. United Labor Action, NY
42. Committee for a Democratic Palestine, NY
43. Veronica Golos (National Writer Union*, Editor of United Labor Action)
44. Vietnam Veterans Against the War, NY/NJ Chapters
45. Philadelphia Committee for Peace and Justice in Asia
46. SANE/FREEZE, National
47. Grassroots International
48. Palestine Solidarity Committee, National
49. African National Congress - Observer Mission to the UN
50. US Lawyers Committee on Korea
51. International Corps of Lawyers to Protect Im Su Kyung
52. Korean Women's Collective, Toronto, Canada
53. Black Women's Collective Toronto, Canada
54. Multicultural Women in Concert, Toronto, Canada
55. Key Martin (Time-Life Unit Chair, Newspaper Guild*, Local 3)
56. NY Thursday Prayers Meeting
57. Korea Information and Resource Center
58. Korean Youth Movement in Australia
59. Young Koreans United of Canada
60. Korean Unification Society of Canada
61. Ohwoonhyup (Council of May Kwangju Movement Organizations-South Korea)
62. Korean Christian Youth Council of NY
63. Columban Fathers - Justice and Peace Office
64. Cora Weiss, Int'l Rep., SANE/FREEZE: Campaign for Global Security
65. Washington Forum on the Philippines
66. WILPF-Asia/Pacific Committee
67. Boston Mobilization for Survival
68. American University- Peace, Education and Action
69. Mt. Diablo Peace Center, Bay Area
70. Coalition for Peace & Sovereignty in Asia-Pacific, SF
71. Phillipine Workers Support Committee, SF
72. The South Bay Mobilization for Peace & Justice, Bay Area
73. Dr. Aaron Moss* (Greenwich Village Coalition & SANE/FREEZE)

5-2

0052

15-DAY HUNGER STRIKE for PEACE and REUNIFICATION of KOREA

October 1 to 15, 1990, Ralph Bunche Park (Across street from the U.N.)

Last October, ten Korean residents of the U.S. staged a 22-day hunger strike across the street from the U.N. headquarters demanding the United Nations to take concrete steps toward ending the four-decade-long division of Korea. For Koreans, starving oneself is the most extreme form of protest next to suicide. The protesters were driven by the urgent desire of the 70 million Korean people for peace and reunification of their homeland. The hunger strikers protested the role of the U.N. in creating and maintaining the division which keeps 10 million Korean family members separated and generates volatile military tensions in Korea.

In its early days, the U.N. served the U.S. foreign policy aimed at creating a pro-U.S. government in Korea. The U.N. "observed" and gave the stamp of legitimacy to a U.S.-supervised election in the southern half of Korea in 1948, although the majority of the Korean people desired a single nationwide election toward a reunified Korea. When the Korean War broke out in 1950, the U.N. was again brought into Korea to intervene in the civil war under the U.S. pressure. Despite its purported role of peacekeeper, the U.N. took acts of belligerence against the Korean people by establishing a 16-nation unified command (the U.N.Command) which crossed the 38th Parallel into north Korea. As a consequence, the Chinese were drawn into the war. Thus the U.N. escalated the conflict, rather than mediating it.

Instead of a lasting peace treaty to end the Korean War, a fragile armistice agreement was signed by the U.N. Command (headed by a U.S. officer), the north Korean army, and the Chinese People's Volunteers, which created an on-going semi-war status in Korea. As part of the Armistice Agreement, a political conference was recommended for a peaceful settlement of the Korea question. However, the U.N. never took interest in pursuing a political solution.

After years of silence, the U.N. took up the Korea question again in 1975. But two contradictory General Assembly resolutions were passed, making implementation of either one difficult. One resolution called for the immediate termination of the U.N. Command in Korea, withdrawal of foreign (that is, U.S.) troops, conclusion of a peace treaty and reduction of the Korean armed forces. The other demanded further negotiations to replace the Armistice Agreement before dissolving the U.N. Command.

Today, the U.N. flag continues to provide a cover for the presence of U.S. troops and nuclear weapons in Korea. The U.N. Command has only a nominal presence in Korea. It is headed by the Commander of U.S. Forces, the only active foreign forces remaining in the U.N. Command.

Today, the possibility of the fate of Korea being decided against the will of the Korean people looms greater than any other period. The U.S. and south Korean governments have been pushing for separate admissions of north and south Korea into the U.N., which would only perpetuate and legitimize the division of Korea. Recently south Korean government announced that it will consider north Korea's proposal of sharing one seat in the U.N., but the outcome is uncertain.

For these reasons, the hunger strikers made the following demands to the U.N.: 1) Conclude a Peace Treaty in Korea;2) Oppose Separate Admissions of north and south Korea into the U.N.; 3) Oppose the Unilateral Use of the U.N. Command by the U.S. as a Cover for its Korea Policy and Terminate the U.N. Command in south Korea. The hunger strike was supported and endorsed by various organizations and individuals. It caught the attention of the U.N. community and educated the members of national missions to the U.N. and staff of the U.N. Headquarters on the Korean issue.

Koreans and supporters will go on a 15-Day Hunger Strike for Peace and Reunification of Korea again this year to demand that the U.N. conclude a peace treaty in Korea, withdraw the U.N. Command from South Korea, oppose moves toward permanent divison of Korea, and work for self-determined and peaceful reunification of Korea..

For further information: (718)426-2684. Send messages by FAX: (718)898-0313

5-3

0053

Fact Sheet

MAJOR ISSUES OF UNITED NATIONS' ROLE IN KOREA

At Panmunjom, U.S. military officers, supposedly representing the U.N. command, discuss issues on demilitarized zone with north Korean representatives.

KOREAN WAR, ARMISTICE, PEACE TREATY

The Korean War (1950-1953) is not actually over. Only a fragile armistice agreement has kept an uneasy truce for nearly four decades. This state of constant threat of a renewed war has caused massive militarization of the Korean society, proliferation of deadly weapons (including US nuclear weapons), and escalation of military tension in the Northeast Asia region, not to mention the suffering of the divided Korean people.

In order to ensure lasting peace in Korea and to provide an impetus for the self-determined and peaceful reunification of Korea, a peace treaty must be signed. As a signatory to the armistice, the UN is obligated to comply with a provision of the armistice that calls for a peaceful resolution of the conflict. A comprehensive peace settlement, that includes wide-ranging disarmament, withdrawal of foreign troops, and a nuclear-free Korean Peninsula is needed.

UN COMMAND, MILITARY ARMISTICE COMMISSION

The UN Command in Korea which fought in the Korean War still exists. It plays a nominal role since all the participating nations have withdrawn their troops from Korea, with the sole exception of the US. In actuality, the UN Command is unilaterally used by the US to rationalize its heavy military presence in Korea.

The UN Command sits at the Military Armistice Commission, which observes the armistice. Since the chief representative and spokesperson for the UN Command at the Armistice Commission is always a US commander, the UN Command's policy is a replica of the US military policy in Korea.

The UN Command's control of the southern side of the border site at Panmunjom prevents access to the border by the Koreans from the south. On numerous occasions when south Koreans attempted to meet north Koreans for dialogue on peace and reunification of Korea, it was the US Army, wearing a UN insignia, which prevented the south Koreans from entering the Panmunjom area. In order for the UN to exercise more impartial and mediating role in Korea (even before final peace settlement is reached), the UN should either terminate the belligerent role of the UN Command in Korea or replace it with a neutral body.

ADMISSION OF KOREA INTO THE UN

The unsolved status of the Korean division has made Korea's admission into the UN a thorny issue. The south Korean government, with support from the US, has been pushing for a simultaneous entry of both North and South Korea, for two separate memberships. Recently South Korea has been lobbying for unilateral admission to the UN, regardless of North Korea's action.

Many fear that this and the cross-recognition idea-- that is, China and the USSR recognizing South Korea and the US and Japan recognizing North Korea-- would only perpetuate and legitimize the Korean division and hinder the Korean people's efforts for reunification. Without concluding a peace settlement and rectifying the current UN's role in Korea first, South Korea's admission into the UN would only preserve the status quo of military tension and confrontation.

For further information, contact: Organizers of the Hunger Strike (Oct.1-15) & Rally (Oct.5) for Peace & Reunification of Korea, (718) 426-2684

5-4

0054

A HISTORY OF UNITED NATION'S INVOLVEMENT IN KOREA

1945: UNILATERAL USE OF THE UN BY THE US IS PLANNED

Before the defeat of Japan in World War II, the US Government contemplates using the proposed UN body to implement its policy in Korea if the USSR does not comply with the US objective of securing a military presence in Korea [Documented in secret US Government papers].
In 1947, instead of working with the USSR for the creation of a single and unified Korean government (the details of which were agreed upon at the Moscow international conference), the US asks the UN to oversee election in Korea.

1948: UN-OBSERVED ELECTION RESULTS IN TWO SEPARATE GOVERNMENTS

Disregarding objections from many Koreans in the south, north Korean authorities, and the USSR, the UN is called upon to observe (or "approve") the US-supervised election (filled with fraud and police violence) in only southern half of Korea. The UN observation team consists of only thirty members, who inspect only 2% of polling stations. Yet a UN Resolution declares a government in the south. This leads to establishment of another government in northern Korea. A collision course is inevitable.

1950: UN INTERVENES IN THE KOREAN WAR AS A BELLIGERENT, NOT AS A MEDIATOR

The UN intervenes militarily in the war under US mobilization even though the UN Charter prohibits intervention in civil wars. The UN action is based on just two observers who relied heavily on US and south Korean intelligence sources for report on the outbreak of the conflict. The UN intervention in Korea is the first and only UN military action in its history as a belligerent and not as a mediator or peace-keeper in a military conflict. When the UN forces cross the 38th Parallel into northern Korea, the UN goes beyond its role and becomes the aggressor, thereby escalating the conflict (three-fourth of all war casualties came after the UN crossing). The US portrays the UN intervention as "police action" but the UN merely lends its flag to the already-mobilized US forces. The US uses the Korean War as a pretext for massive post-World War II military buildup and interventionist policy.

1953: UN SIGNS ARMISTICE, NOT A PEACE TREATY

An armistice agreement is signed by the belligerent forces of the war: the UN Command (headed by US Commander), North Korea's Army, and the Chinese People's Volunteers. Military Armistice Commission is set up to observe the armistice and a political conference is promised to reach a settlement to the conflict. But the conference never materializes and a peace treaty to end the Korean War is not concluded.

1975: UN PASSES TWO CONFLICTING RESOLUTIONS ON KOREA

Two different General Assembly Resolutions are passed, making implementation of either one impossible. One resolution calls for replacement of the armistice with a peace agreement, with drawal of foreign troops, and the dissolution of the UN Command. Another resolution calls for negotiations on arrangements to replace the armistice before dissolving the UN Command. No further action is taken. The UN flag is still hoisted at Panmunjom and US officers switch to UN hats when facing North Korean officers at the Miliary Armistice Commission. As a contingent plan to the prospect of termination of the UN Command, the US forces set up the Combined Forces Command with the south Korean military, maintaining the same operational control over the south Korean forces.
Today,the UN Command in Korea still carries on its anachronistic role in the post-Cold War era.

5-5 0055

관리 번호 90-2952

주 모 리 타 니 대 사 관

90.12 4

주모리정 2026- 40
수신 : 장관
참조 : 정보문화국장, 국제기구조약국장, 중동아프리카국장
제목 : "한국민족민주전선중앙위"명의 아국의 유엔가입반대서한

연: M T W-0246

연호로 기보고한 "한국민족민주전선중앙위"명의 주재국 디디외상앞 서한을 별첨과 같이 송부합니다.

첨부: 동 서한 1부. 끝.

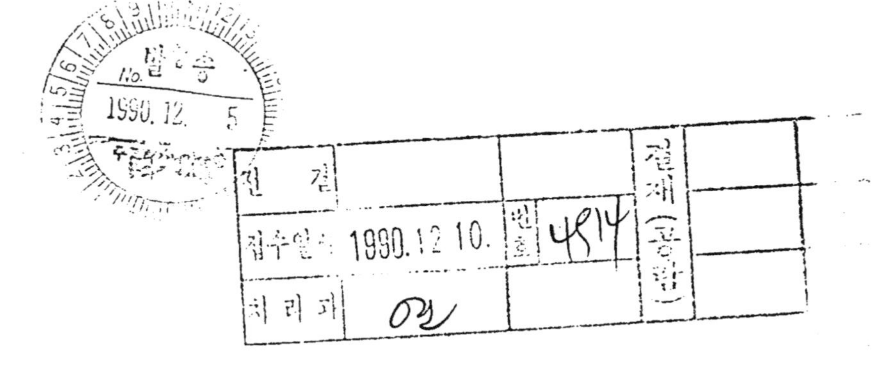

전 결			결재(공람)	
접수일시	1990.12.10.	번호 4814		
처리과				

주 모 리 타 니 대 사 대 리

0056

22nd Oct., 1990

Dear Sir,

I am entrusted by the Central Committee of the National Democratic Front of South Korea to convey your government this letter of the Central Committee of the National Democratic Front of South Korea.

Yours respectfully,

Cho Il-min

Chief of the Pyongyang Mission

Pyongyang Mission Office of
National Democratic Front of South Korea

Pyongyang,P.O.Box 21
Democratic People's Republic of Korea

0057

한 국 민 족 민 주 전 선
NATIONAL DEMOCRATIC FRONT OF SOUTH KOREA (NDFSK)

Seoul, October 5, 1990

SEM Hasni Ould Didi
Ministre des Affaires Etrangères et
de la Coopération de la République
Islamique de Mauritanie
Nouakchott, Mauritanie

Dear sirs,

The National Democratic Front of South Korea, the spokesman and protector of the interests of south Korean people, reflecting our people's will, sends this letter to your government to ask for your deep concern and help for Korea's peace and reunification.

The International society is just advancing towards dialogue, detente, arms reduction and reunification to end confrontation and cold war. On the Korean peninsula, however, the wall of division is getting higher and peace is threatening.

Korea's division which began in the 40s of this century continues up to now, the beginning of the last decade, imposing immesurable sufferings and misfortunes upon our nation.

From ancient times, Koreans, as a homogeneous nation, had lived in harmony in one territory. Nevertheless, more than 40 years of national division has not only hindered coordinated development of the country and nation but also made the language, culture and custom heterogeneous.

What is more heartbreaking is that kinsmen separated south and north cannot visit and meet. Under this tragic situation, 10 million dispersed families do not know even if their parents, children and brothers are alive. What a tragedy it is!

Moreover, south Korea has become a nuclear arsenal of the foreign forces and our people are kept in suspense because of danger of nuclear holocaust.

We can no longer endure the sufferings of the division. Korea should be reunified at an early date.

0058

So our people have been waging bloody struggles for the country's reunification.

As a result, today all the 70 million Korean people in south and north Korea and foreign countries are participating in the nation-wide grand march for reunification, shouting "Our Desire Is Reunification."

The Korean peninsula is now filled with the zeal for reunification. The high-level talks between south and north Korea was held for the first time, giving our people a new hope for reunification.

But, home and foreign split-seekers are dampening our people's zeal for reunification by advocating south Korea's separate admission to the United Nations.

Instigated by Washington, the Roh Tae-woo regime attempts to unilaterally enter the United Nations. It is not to create a "favorable environment" for Korea's reunification but to legalize "two Koreas" in the international arena and perpetuate Korea's division.

The Roh regime's moves for south Korea's U.N. membership is opposed by all our people.

After all, the proposal for south Korea's separate admission to the U.N. has been hovering around the United Nations. It is an arbitrariness of the Roh Tae-woo regime which represents a small number of split-seekers.

For the past 45 years of division, neither south Korea nor north Korea entered the U.N. and, now inter-Korea dialogues for reunification proceed. But the Roh regime attempts to unilaterally enter the United Nations. It is a challenge to the desire of the Korean and world people for reunification.

At this critical situation in which destinies of Koreans and mankind are decided, we wish your government as a member nation of the United Nations which is an authoritative international body for peace and security of the world, will correctly judge the Roh regime's moves for U.N. membership and its grave results and take appropriate measures to meet our people's desire for reunification.

0059

Our people demand Korea hold one U.N. seat after reunification.

We wish, if the south and the north are to join the United Nations before Korea's reunification is achieved, they should not hold two separate seats but enter it jointly as one member to prevent permanent division of the country and create a favorable international environment for reunification.

If south and north Korea join the United Nations as one member as all Koreans wish, it will no longer harass U.N. member nations and our people will praise all the U.N. member nations including your country for a fair decision.

We hope that your government which loves justice and peace will not spare its help for peace and reunification of the Korean peninsula suffering from the division and the danger of war.

Yours sincerely,

Central Committee
National Democratic Front of South Korea

0060

국외일일정보(4.18.)

蘇聯 러시아共和國, UN 등 國際機構 加入 意思 表明

1. 프랑스 國際學術포럼 초청으로 프랑스 스트라스브르 소재 유럽議會를 방문중인 「옐친」 러시아共和國 最高會議 議長은 4.16 유럽議會 進步派 議員들에 대한 연설을 통해 UN 등 國際機構 가입의사를 표명했음.

<演 說 要 旨>

- 蘇聯의 우크라이나와 白러시아共和國이 UN 가입국인데 비해 최대 共和國인 러시아共和國이 非會員國인 것은 논리에 맞지 않음
- 러시아共和國은 여러 國際機構 대표자격 획득 및 유럽議會, UN 등을 포함한 國際協約 締結國이 되기를 희망함
- 러시아共和國은 우선 豫備段階로 UN에 옵서버를 파견하길 바라며 궁극적 목표는 正會員國이 되는 것임

2. 蘇聯 러시아共和國의 對外關係 강화동향을 보면

가. 共和國의 主權을 선언(90.6)한 이래 OPEC 가입의사를 표명(90.8 「야센코」 對外經濟關係相)하고 아프간 叛軍代表와 직접적인 협상을 開催(90.9 파키스탄)하였으며

나. 외국과는 최초로 폴란드와 相互國境 尊重 및 領事館 개설을 주요내용으로 하는 「友好協力條約」을 締結(90.10) 한데 이어

다. 몰타(90.11) 및 北韓(90.12)과 通商協力을 締結하고 터키와 經濟 協力 協定을 조인(2.26) 하였으며

라. 「코지레프」 外相이 美國을 비공식 訪問, 「베이커」 國務長官과 회담(2.5), 美國과의 獨自關係 樹立 가능성을 타진하고, 각국 주재 蘇聯大使館에 共和國 대표자를 파견할 의향을 피력(2.8 「표도로프」 外務次官) 한바 있으며

마. 특히 日本과의 關係에 있어

○ 對日協力 協定의 締結을 제창(90.8)하고 北方領土에 대한 管轄權을 선언(90.12) 한 이래

○ 日·蘇 外相會談(1.22)에 최초로 러시아共和國 대표를 참석시키고

○ 北方 4개도서의 賣却 불용입장을 표명(4.15 「옐친」) 하는 등 독자적인 外交政策 추진을 강화해 왔음.

3. 이번 「옐친」의 UN 등 國際機構 가입의사 표명은

가. 同 共和國의 外交權을 主權國家의 수준으로까지 끌어 올리려는 것으로

나. 共和國의 獨自路線政策을 국제적으로 공인받음으로써

○ 外交的 發言權을 신장, 자신의 權力基盤을 공고히 함은 물론 고르바초프등 聯邦政府와의 權力鬪爭에서 유리한 입장을 차지하고

○ 공화국의 獨自經濟政策 추진을 위한 外國資本의 유치를 도모하려는데 그 의도가 있는 것으로 보이나

21 - 4

0062

다. 고르바초프의 外交政策을 지지하고 도우려는 國際社會의 움직임으로 볼때 實現 可能性은 희박한 것으로 평가됨.

※ 유럽議會 指導者들은 「옐친」에게 유럽의 각 機構들은 단지 主導國家 들만을 대상으로 하고 있다는 입장 전달(4.15)

외교문서 비밀해제: 남북한 유엔 가입 13
남북한 유엔 가입 결의안 채택 및 대응 4

초판인쇄 2024년 03월 15일
초판발행 2024년 03월 15일

지은이 한국학술정보(주)
펴낸이 채종준
펴낸곳 한국학술정보(주)
주 소 경기도 파주시 회동길 230(문발동)
전 화 031-908-3181(대표)
팩 스 031-908-3189
홈페이지 http://ebook.kstudy.com
E-mail 출판사업부 publish@kstudy.com
등 록 제일산-115호(2000. 6. 19)

ISBN 979-11-6983-956-3 94340
979-11-6983-945-7 94340 (set)

책에 대한 더 나은 생각, 끊임없는 고민, 독자를 생각하는 마음으로 보다 좋은 책을 만들어갑니다.